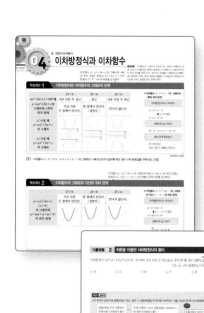

01 기본 학습

개념 정리 문제 해결에 필요한 필수 개념, 이전에 배운 내용, 개념 이해를 돕는 첨삭을 통해 보다 쉽게 개념을 이해할 수 있도록 하였습니다.

기본 문제 개념과 공식을 곧바로 적용해 볼 수 있는 2점짜리 기출문제를 다루어 개념을 확실하게 익힐 수 있도록 하였습니다.

02 유형 따라잡기

수능 및 학력평가에 출제되었던 3점짜리 문제의 핵심 유형을 선정하고, 해당 유형 해결책을 알려 주는 '해결의 실마리'를 제시하였습니다. 또한, 문제 해결 과정에서 적용해야 Action 전략을 제시하여, 문제 풀이의 맥락을 쉽게 알 수 있도록 하였습니다.

03 Very Important Test

유형 따라잡기에서 다루었던 기출문제를 토대로, 최신 출제 경향에 맞추어 출제가 예상되는 문제를 중심으로 출제하였습니다. 또한, 약간 다른 형태의 문제도 제시함으로써 실전 적응력을 기를 수 있도록 하였습니다.

04 정답과 해설

풀이를 보고도 이해를 하지 못하는 경우가 없도록 자세히 풀이하였습니다. 알찬 해설이 되도록 문제 해결 과정에서 풀이의 맥락을 알려주는 Action 전략, 특별히 보충해야 할 공식과 설명, 수식 계산의 팁 등으로 구성하였습니다.

참 쉬운 3점 수학

이 책은 쉬운 유형의 문제로 기본기를 탄탄하게 다지고
문제해결 능력을 강화하여 수능 및 학교시험의
쉬운 문제를 완벽하게 해결할 수 있습니다.

학습방법

필수 개념 익히기

필수 개념, 이전에 배운 내용, 첨삭의 내용을 이해하고 2점짜리 기출 기본 문제를 풀어
개념을 확실히 익힙니다.

기출 유형별 Action 전략 마스터하기

기출 유형으로 제시된 3점짜리 기출 문제와 함께 '해결의 실마리'를 보고 어떻게 문제를 풀 것인지
생각한 후, 단계별 Action 전략을 따라서 풉니다. 동일한 유형의 문제를 통해 앞서 익힌 풀이 전략을
집중 연습하여 문제 해결의 원리를 확실하게 마스터합니다.

최신 출제 경향 문제로 실력 다지기

실전과 같이 해답을 보지 말고 앞에서 익힌 문제 해결의 원리를 적용하여 풀어 봅니다.
틀린 부분이 있다면 유형 따라잡기의 '해결의 실마리'부분을 다시 한 번 복습합니다.

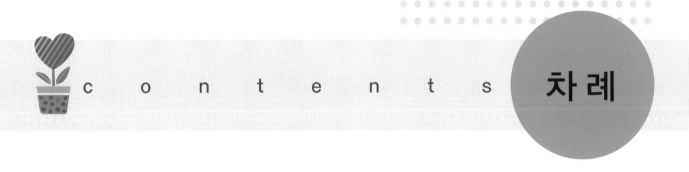

c o n t e n t s 차 례

01 다항식의 연산

출제경향 모의고사에서는 동류항을 이용한 기본 연산을 묻는 쉬운 내용이 출제된다. 다항식의 곱셈은 고등학교에서 추가된 내용을 이해해야 하고, 다항식의 나눗셈은 자주 출제되지는 않지만 기본 원리에 대한 충분한 이해가 필요하다.

핵심개념 1 다항식의 덧셈과 뺄셈

(1) 다항식을 한 문자에 대하여 차수가 높은 항부터 낮은 항의 순서로 정리하거나, 차수가 낮은 항부터 높은 항의 순서로 정리하면 식의 계산이 편리하다.

(2) **다항식의 덧셈과 뺄셈**

다항식의 덧셈은 동류항끼리 모아서 정리한다. 또 다항식의 뺄셈은 빼는 식의 각 항의 부호를 바꾸어서 더한다.

(3) **다항식의 덧셈에 대한 성질**

수의 덧셈에서와 같이 세 다항식 A, B, C에 대하여 다음이 성립한다.

① 교환법칙 $A+B=B+A$ ② 결합법칙 $(A+B)+C=A+(B+C)$

[2018학년도 교육청]

01 두 다항식 $A=x^2-2x-4$, $B=2x-3$에 대하여 $A+B$는? [2점]

① x^2+7 ② x^2-7 ③ x^2+4x ④ x^2-4x ⑤ x^2+4

핵심개념 2 다항식의 곱셈

(1) 다항식의 곱셈은 분배법칙을 이용하여 식을 전개한 다음 동류항끼리 모아서 간단히 한다.

(2) **다항식의 곱셈에 대한 성질**

수의 곱셈에서와 같이 세 다항식 A, B, C에 대하여 다음이 성립한다.

① 교환법칙 $AB=BA$ ② 결합법칙 $(AB)C=A(BC)$

③ 분배법칙 $A(B+C)=AB+AC$, $(A+B)C=AC+BC$

(3) **다항식의 곱셈 공식**

① $(a+b)^3=a^3+3a^2b+3ab^2+b^3$, $(a-b)^3=a^3-3a^2b+3ab^2-b^3$

② $(a+b)(a^2-ab+b^2)=a^3+b^3$, $(a-b)(a^2+ab+b^2)=a^3-b^3$

③ $(a+b+c)^2=a^2+b^2+c^2+2ab+2bc+2ca$

> **✎ 중학교에서 배운 내용**
> $(x+3y)(x+y)$
> $=x\times x+x\times y+3y\times x+3y\times y$
> $=x^2+(xy+3xy)+3y^2$
> $=x^2+4xy+3y^2$

> **✎ 중학교에서 배운 공식**
> $(a+b)^2=a^2+2ab+b^2$
> $(a-b)^2=a^2-2ab+b^2$
> $(a+b)(a-b)=a^2-b^2$
> $(x+a)(x+b)=x^2+(a+b)x+ab$
> $(ax+b)(cx+d)=acx^2+(ad+bc)x+bd$

[2014학년도 교육청]

02 두 실수 a, b에 대하여 $a+b=4$, $a^3+b^3=40$일 때, ab의 값은? [2점]

① 1   ② 2   ③ 3   ④ 4   ⑤ 5

[2012학년도 교육청]

03 세 실수 a, b, c에 대하여 $a+b+c=4$, $ab+bc+ca=5$일 때, $a^2+b^2+c^2$의 값은? [2점]

① 6   ② 8   ③ 10   ④ 12   ⑤ 14

연마수학
탄탄한 기본기 체계적 연마

참 쉬운 3점

시험에 잘 나오는 기출 유형 체계적 공략
[2+3점짜리] 고등 수학(상)

구성과 특징

참 쉬운 3점 수학

특징

이 책은 쉬운 유형의 문제로 기본기를 탄탄하게 다지고 문제 해결 능력을 강화하여
수능 및 학교 시험의 쉬운 문제를 완벽하게 해결할 수 있습니다.

쉬운 기출 유형과 개념 이해로 탄탄한 기본기 강화

· 교과서 핵심 개념 및 기본 공식, 이전에 배운 내용, 핵심 첨삭 등의 부가 설명으로
  기초가 부족해도 쉽게 유형을 정복할 수 있습니다.
· 쉬운 기출 유형과 맞춤 해법으로 개념을 확실하게 익힐 수 있습니다.

단계별 Action 전략으로 문제 해결의 원리와 스킬 터득

· 기출 유형 체계적 정복을 위한 단계적 Action 전략 제시로 2, 3점짜리 문제를
  완벽하게 공략합니다.
· 문제 해결의 원리 터득으로 기본기를 강화합니다.

최신 출제 경향에 딱 맞춘 적중 예상 문제로 실전 능력 강화

· 최신 출제 경향에 따른 빈출 문제, 신유형 문제에 대한 실전 능력을 키울 수 있습니다.
· 문제 해결의 원리 터득으로 기본기를 강화합니다.

핵심개념 3 　다항식의 나눗셈

(1) 다항식의 나눗셈은 각 다항식을 차수가 높은 항부터 낮은 항의 순서로 정리한 다음
자연수의 나눗셈과 같은 방법으로 직접 나누어 계산한다.

(2) 다항식의 나눗셈에 대한 등식

　다항식 A를 다항식 $B(B \neq 0)$로 나누었을 때의 몫을 Q, 나머지를 R라 하면

$$A = BQ + R$$

가 성립한다. 이때 R의 차수는 B의 차수보다 낮다.
특히 $R=0$일 때 A는 B로 나누어떨어진다고 한다.

$$A = B\underset{\text{몫}}{Q} + \underset{\text{나머지}}{R}$$

```
              x +6          ← 몫
      x+2 ) x²+8x−5
             x²+2x
             ─────────
                6x−5
                6x+12
             ─────────
                 −17      ← 나머지
```

따라서 몫은 $x+6$이고
나머지는 -17이다.

04 다항식 x^3+5x^2-3x+5를 $x+a$로 나누는 과정이다. 이때 상수 a, b, c, d, e에 대하여 $a+b+c+d+e$의 값은? [2점]

$$
\begin{array}{r}
x^2+4x+b \\
x+a\,)\overline{x^3+5x^2-3x+5} \\
\underline{x^3+\ \ x^2} \\
4x^2-3x+5 \\
\underline{4x^2+4x} \\
-7x+5 \\
\underline{cx+d} \\
e
\end{array}
$$

① -14　　　② -12　　　③ -10　　　④ -8　　　⑤ -6

핵심개념 4 　조립제법

계수만 이용하여 다항식을 일차식으로 나누었을 때의 몫과 나머지를 구하는 방법을 조립
제법이라 한다.

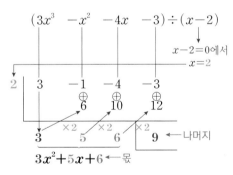

$$(3x^3\ -x^2\ -4x\ -3) \div (x-2)$$

$x-2=0$에서
$x=2$

● 첫 번째 계수 3은 그대로 내려쓰
고, 그 다음부터는 내려쓴 숫자와 2
를 곱한 결과를 ╱방향으로 그 다음
계수 아래에 쓰고, ↓방향으로 더한
결과를 아래 칸에 적는다.
이와 같이 계산하여 맨 아래 줄에 몫
의 계수와 나머지가 구해진다.
따라서 몫은 $3x^2+5x+6$이고 나머지
는 9이다.

[2014학년도 교육청]

05 다항식 x^3-3x^2+2x+4를 $x-2$로 나눈 몫과 나머지를 조립제법을 이용하여 구하는 과정이다.

```
2 │ 1   −3    2    4
  │       2    a    0
  ─────────────────────
    1   −1    0  │ b
```

$a+b$의 값은? (단, a, b는 상수이다.) [2점]

① -2　　　② -1　　　③ 0　　　④ 1　　　⑤ 2

두 다항식 $A=3x^2+2x-1$, $B=x^2+3x-2$에 대하여 $B-2(-A+2B)$를 간단히 하면? [2점]

① $3x^2-5x+4$ ② $4x^2-5x+3$ ③ $5x^2-3x+4$ ④ $-4x^2-3x+5$ ⑤ $-5x^2-3x+4$

Act ❶
$B-2(-A+2B)$를 간단히 한다.

Act ❷
간단히 한 식에 A, B의 식을 각각 대입한다.

해결의 실마리

(1) 다항식의 덧셈, 뺄셈은 다음 순서로 계산한다.

괄호가 있으면 괄호를 푼다. ➡ 동류항끼리 모은다. ➡ 동류항끼리 계산한다.

(2) 다항식의 뺄셈은 빼는 식의 각 항의 부호를 바꾸어서 더한다.

$A-B=A+(-B)$

즉 $(3x^2+x+1)-(2x^2-2x+3)=3x^2+x+1-2x^2+2x-3$

$=x^2+3x-2$

➤ 괄호를 풀 때 괄호 앞에 '$-$'가 있으면 괄호 안에 있던 각 항의 부호가 반대가 되는 것에 주의해야 해.

01

[2013학년도 교육청]

세 다항식 $A=x^2-xy+2y^2$, $B=x^2+xy+y^2$, $C=x^2-y^2$에 대하여 $(A+2B)-(B+C)$를 간단히 한 것은? [2점]

① x^2+y^2 ② x^2-2y^2 ③ x^2+4y^2

④ $2x^2-2y^2$ ⑤ $2x^2+4y^2$

03

[2014학년도 교육청]

두 다항식 $A=2x^3+x^2-4x+1$, $B=x^2-4x+3$에 대하여 $A-2X=B$를 만족시키는 다항식 X는? [2점]

① x^2+1 ② x^2+2 ③ x^3-1

④ x^3-2 ⑤ x^3+3

02

[2016학년도 교육청]

두 다항식 $A=2x^2-4x-2$, $B=3x+3$에 대하여 $X-A=B$를 만족시키는 다항식 X는? [2점]

① $2x^2-x+1$ ② $2x^2+x+1$ ③ $2x^2+x-1$

④ $-2x^2-x+1$ ⑤ $-2x^2+x+1$

04

[2012학년도 교육청]

두 다항식 A, B에 대하여 $A+B=x^2+3x+4$, $A-B=x^2-x+2$일 때, 다항식 B는? [2점]

① $x+1$ ② $x+2$ ③ $2x$

④ $2x+1$ ⑤ $2x+2$

기출유형 **02** 곱셈 공식을 이용한 식의 전개

$(2x+y-1)^2=3$을 만족시키는 x, y에 대하여 $4x^2+y^2+4xy-4x-2y$의 값은? [3점]　　[2014학년도 교육청]

① 1　　　　② 2　　　　③ 3　　　　④ 4　　　　⑤ 5

Act①
주어진 식의 좌변을 곱셈 공식을 이용하여 전개한다.

Act②
전개된 식의 좌변에 구하는 식의 항만 남기고 이항한다.

해결의 실마리

(1) 다항식의 곱셈 공식

① $(a+b)^3=a^3+3a^2b+3ab^2+b^3$　　② $(a-b)^3=a^3-3a^2b+3ab^2-b^3$

③ $(a+b)(a^2-ab+b^2)=a^3+b^3$　　④ $(a-b)(a^2+ab+b^2)=a^3-b^3$

⑤ $(a+b+c)^2=a^2+b^2+c^2+2ab+2bc+2ca$

(2) 다항식의 전개식에서 특정한 항의 계수 구하기

주어진 식을 모두 전개하지 않고 분배법칙을 이용하여 특정 항이 나오는 항들만 전개하여 계수를 구한다.

암기

곱셈 공식은 인수분해와 방정식의 풀이에서 계속 이용되니까 중학교에서 배운 곱셈 공식까지 꼭 암기해 두어야 해.

중학교에서 배운 곱셈 공식
$(a+b)^2=a^2+2ab+b^2$
$(a-b)^2=a^2-2ab+b^2$
$(a+b)(a-b)=a^2-b^2$
$(x+a)(x+b)=x^2+(a+b)x+ab$
$(ax+b)(cx+d)=acx^2+(ad+bc)x+bd$

05
[2014학년도 교육청]

x에 대한 다항식 $(ax+2)^3+(x-1)^2$을 전개한 식에서 x의 계수가 34일 때, 상수 a의 값은? [3점]

① 1　　　　② 3　　　　③ 5
④ 7　　　　⑤ 9

07
[2015학년도 교육청]

세 실수 a, b, c에 대하여 $a^2+b^2+4c^2=44$, $ab+2bc+2ca=28$일 때, $(a+b+2c)^2$의 값을 구하시오. [3점]

06
[2016학년도 교육청]

$(6x+y-2z)^2$의 전개식에서 x^2의 계수를 구하시오. [3점]

08
[2012학년도 교육청]

$a+b+c=5$, $ab+bc+ca=-8$일 때, $a^2+b^2+c^2$의 값을 구하시오. [3점]

실수 x, y에 대하여

$$x+y=3, \quad x^2+xy+y^2=10$$

일 때, x^3+y^3의 값을 구하시오. [3점]

[2006학년도 교육청]

Act ①
$x+y$, x^2+xy+y^2의 값을 이용하여 xy의 값을 구한다.

Act ②
$x+y$, xy의 값을 이용하여 x^3+y^3의 값을 구한다.

해결의 실마리

(1) 곱셈 공식의 변형

① $a^2+b^2=(a+b)^2-2ab$
   $a^2+b^2=(a-b)^2+2ab$

② $(a+b)^2=(a-b)^2+4ab$
   $(a-b)^2=(a+b)^2-4ab$

③ $a^3+b^3=(a+b)^3-3ab(a+b)$
   $a^3-b^3=(a-b)^3+3ab(a-b)$

▶ $a^2+b^2=(a+b)^2-2ab$에서
• $a+b$, ab의 값을 알면 ⇨ a^2+b^2의 값
• a^2+b^2, $a+b$의 값을 알면 ⇨ ab의 값을 알 수 있어.

(2) $x+\dfrac{1}{x}$을 활용한 곱셈 공식의 변형

① $x^2+\dfrac{1}{x^2}=\left(x+\dfrac{1}{x}\right)^2-2$, $x^2+\dfrac{1}{x^2}=\left(x-\dfrac{1}{x}\right)^2+2$

② $\left(x+\dfrac{1}{x}\right)^2=\left(x-\dfrac{1}{x}\right)^2+4$, $\left(x-\dfrac{1}{x}\right)^2=\left(x+\dfrac{1}{x}\right)^2-4$

③ $x^3+\dfrac{1}{x^3}=\left(x+\dfrac{1}{x}\right)^3-3\left(x+\dfrac{1}{x}\right)$,

   $x^3-\dfrac{1}{x^3}=\left(x-\dfrac{1}{x}\right)^3+3\left(x-\dfrac{1}{x}\right)$

09

[2017학년도 교육청]

$x+y=6$, $x^2+y^2=22$ 일 때, xy의 값은? [3점]

① 5 ② 6 ③ 7
④ 8 ⑤ 9

11

[2012학년도 교육청]

$a-b=2$, $ab=1$일 때, a^3-b^3의 값을 구하시오. [3점]

10

[2017학년도 교육청]

두 실수 a, b에 대하여 $a+b=3$, $a^2+b^2=7$일 때, a^4+b^4의 값은? [3점]

① 39 ② 41 ③ 43
④ 45 ⑤ 47

12

$x+\dfrac{1}{x}=3$일 때, $x-\dfrac{1}{x}$의 값은? [3점]

① $\pm\sqrt{3}$ ② $\pm\sqrt{5}$ ③ $\pm\sqrt{7}$
④ ±3 ⑤ $\pm\sqrt{11}$

기출유형 04 다항식의 나눗셈

다항식 $3x^3-2x+20$을 x^2-3x+2로 나눈 몫을 $3x+a$, 나머지를 $19x+b$라 할 때, 상수 a, b에 대하여 $a-b$의 값은? [3점]

① 7   ② 8   ③ 9   ④ 10   ⑤ 11

Act①
나머지의 차수가 나누는 식의 차수보다 낮을 때까지 나눈다.

Act②
주어진 몫과 나머지를 비교하여 상수 a, b의 값을 구한다.

해결의 실마리

(1) 다항식의 나눗셈은 먼저 주어진 다항식을 내림차순으로 정리한 다음 자연수의 나눗셈과 같은 방법으로 직접 계산하여 몫과 나머지를 구한다.

(2) 다항식 A를 다항식 B $(B\neq0)$로 나눈 몫을 Q, 나머지를 R라 하면

  ① 나누어떨어진다. ➡ $A=BQ$

  ② 나머지가 R이다. ➡ $A=BQ+R$ (단, (B의 차수)>(R의 차수))

> 자연수의 나눗셈에서 나머지가 나누는 수보다 작을 때까지 나누는 것처럼, 다항식의 나눗셈도 나머지의 차수가 나누는 식의 차수보다 낮을 때까지 나눠야 해.

$$B \overline{)A}^{\,Q \cdots R}$$

13

[2015학년도 교육청]

다음은 다항식 $3x^3-2x^2+3x+7$을 x^2-x+2로 나누는 과정이다. $a+b$의 값은? (단, a, b는 상수이다.) [3점]

$$
\begin{array}{r}
ax+1 \\
x^2-x+2\,\overline{)\,3x^3-2x^2+3x+7} \\
\underline{3x^3-3x^2+6x} \\
x^2-3x+7 \\
\underline{x^2-x+2} \\
-2x+b
\end{array}
$$

① 2   ② 4   ③ 6

④ 8   ⑤ 10

14

[2014학년도 교육청]

두 다항식 $P(x)=3x^3+x+11$, $Q(x)=x^2-x+1$에 대하여 다항식 $P(x)+4x$를 다항식 $Q(x)$로 나눈 나머지가 $5x+a$일 때, 상수 a의 값은? [3점]

① 5   ② 6   ③ 7

④ 8   ⑤ 9

15

[2011학년도 교육청]

다항식 $4x^3-2x^2+3x+1$을 x^2-x+1로 나눈 몫을 $Q(x)$라 할 때, $Q(1)$의 값은? [3점]

① 2   ② 3   ③ 4

④ 5   ⑤ 6

16

다항식 $2x^3-5x^2+x-1$을 $2x-3$으로 나눈 몫을 $Q(x)$, 나머지를 R라 할 때, $Q(1)-2R$의 값은? [3점]

① 4   ② 5   ③ 6

④ 7   ⑤ 8

다음은 조립제법을 이용하여 다항식 $4x^3-2x^2+10x-1$을 $2x-1$로 나누었을 때, 몫과 나머지를 구하는 과정을 나타낸 것이다.

Act①
조립제법을 이용하여 몫과 나머지를 구한다.

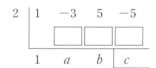

$$\Rightarrow 4x^3-2x^2+10x-1$$
$$=\left(x-\frac{1}{2}\right)(4x^2+ax+b)+R$$
$$=(2x-1)(2x^2+cx+d)+R$$

위 과정에 들어갈 상수 a, b, c, d, R에 대하여 $a+b+c+d+R$의 값은? [3점]

① 16　　② 17　　③ 18　　④ 19　　⑤ 20

해결의 실마리

(1) 조립제법의 순서: 첫 번째 계수는 그대로 내려쓰고, 그 다음부터는 내려쓴 숫자와 나누는 식의 숫자를 곱한 결과를 ╱방향으로 그 다음 계수 아래에 쓰고, ↓방향으로 더한 결과를 아래 칸에 적는다.

(2) 조립제법을 이용하여 다항식 $P(x)$를 일차식 $ax+b$ $(a\neq1)$로 나누었을 때의 몫과 나머지를 구할 때는 먼저 $P(x)$를 $x+\dfrac{b}{a}$로 나누었을 때의 몫과 나머지를 구한다.

17

[2017학년도 교육청]

다음은 조립제법을 이용하여 다항식 x^3-3x^2+5x-5를 $x-2$로 나누었을 때, 나머지를 구하는 과정을 나타낸 것이다.

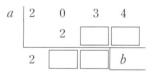

위 과정에 들어갈 세 상수 a, b, c에 대하여 abc의 값은? [3점]

① -6　　② -5　　③ -4
④ -3　　⑤ -2

18

[2018학년도 교육청]

다음은 조립제법을 이용하여 다항식 $2x^3+3x+4$를 일차식 $x-a$로 나누었을 때, 나머지를 구하는 과정을 나타낸 것이다.

$$\begin{array}{r|rrrr} a & 2 & 0 & 3 & 4 \\ & & 2 & \square & \square \\ \hline & 2 & \square & \square & b \end{array}$$

위 과정에 들어갈 두 상수 a, b에 대하여 $a+b$의 값은? [3점]

① 8　　② 9　　③ 10
④ 11　　⑤ 12

Very Important Test

01

두 다항식 A, B가 $A=2x^2-4xy+3y^2$, $B=x^2-3xy+y^2$ 일 때, $3A-2(A+B)$를 계산하면? [2점]

① $x^2-xy+2y^2$ ② $-x^2+5xy$

③ $2x^2-2xy+4y^2$ ④ $2xy+y^2$

⑤ $3x^2-7xy+3y^2$

02

다음 [보기] 중 옳은 것을 모두 고른 것은? [3점]

| 보기 |

ㄱ. $(x^2-2)(x^4+2x^2+4)=x^6-8$

ㄴ. $(x^2+2x+2)(x^2-2x+2)=x^4-2x^2+4$

ㄷ. $(x-1)(x-3)(x^2+x+1)=x^4-3x^3-x+3$

ㄹ. $(x+y)(x-y)(x^2+xy+y^2)$
$(x^2-xy+y^2)=x^6+y^6$

① ㄱ, ㄴ   ② ㄱ, ㄷ   ③ ㄱ, ㄴ, ㄷ

④ ㄱ, ㄷ, ㄹ   ⑤ ㄱ, ㄴ, ㄷ, ㄹ

03

다항식 $(x-2)^3(2x+1)^2$의 전개식에서 x^3의 계수를 a, x 의 계수를 b라 할 때, $a+b$의 값을 구하시오. [3점]

04

$(x^2+mx+2n)(2x^2-3x+n)$을 전개하였더니 x^3과 x 의 계수가 각각 5, 4이었다. 이때 상수 m, n에 대하여 $m-3n$의 값은? [3점]

① 4   ② 6   ③ 8

④ 10   ⑤ 12

05

다항식 $(x^2-5x-2)(3x^2+x+a)$의 전개식에서 x의 계수 가 8일 때, 실수 a의 값은? [3점]

① -2 ② -1 ③ 0

④ 1   ⑤ 2

06

$x=2\sqrt{3}$, $y=\sqrt{5}$일 때, $(x+y)(x-y)$의 값은? [3점]

① 5   ② 7   ③ 9

④ 11   ⑤ 13

07

세 실수 a, b, c에 대하여 $a+b+c=6$, $ab+bc+ca=10$ 일 때, $a^2+b^2+c^2$의 값은? [3점]

① 16　　　　② 18　　　　③ 20

④ 22　　　　⑤ 24

08

$x^8=11$일 때, $(1-x)(1+x)(1+x^2)(1+x^4)$의 값은? [3점]

① -10　　　② -9　　　③ -8

④ -7　　　⑤ -6

09

$x^2+y^2=5$, $x+y=3$일 때, xy의 값은? [3점]

① 6　　　　② 5　　　　③ 4

④ 3　　　　⑤ 2

10

$999 \times 1001 \times 1000001$의 값은? [3점]

① $10^{10}-1$　　　② $10^{11}-1$　　　③ $10^{12}-1$

④ $10^{13}-1$　　　⑤ $10^{14}-1$

11

$(2x^3+3x^2+2x-1) \div (x^2+x+1)$의 계산에서 몫을 $2x+a$, 나머지를 $-x+b$라 할 때, 상수 a, b에 대하여 $a-b$의 값은? [3점]

① 3　　　　② 5　　　　③ 7

④ 9　　　　⑤ 11

12

다항식 $2x^3-x^2+x+1$을 x^2-x-1로 나누었을 때의 몫을 $Q(x)$, 나머지를 $R(x)$라 할 때, $Q(x)-R(x)$는? [3점]

① $-3x-2$　　　② $-2x-1$　　　③ $-x-1$

④ $x+1$　　　⑤ $2x+1$

13

다항식 $8x^3-3$을 $4x^2+2x+1$로 나누었을 때의 몫을 $ax+b$, 나머지를 c라 할 때, 상수 a, b, c의 곱 abc의 값은? [3점]

① 2   ② 3   ③ 4

④ 5   ⑤ 6

14

다항식 $P(x)$를 x^2+2x+3으로 나누었을 때의 몫이 $x-1$이고 나머지가 $2x-1$이다. 다항식 $P(x)$를 x^2-x-1로 나누었을 때의 나머지는? [3점]

① $3x+1$ ② $3x-3$ ③ $6x-2$

④ $6x-1$ ⑤ $6x+2$

15

다항식 $3x^3-5x^2-2x+1$을 다항식 A로 나누었을 때의 몫은 $x-2$이고 나머지는 $2x-3$이다. 다항식 A를 ax^2+bx+c라 할 때, $a+b+c$의 값을 구하시오. (단, a, b, c는 상수) [3점]

16

다항식 x^3+4x^2-5x+3을 $x-2$로 나누었을 때의 몫과 나머지를 오른쪽과 같은 조립제법으로 구하려고 한다. 다음 중 옳지 <u>않은</u> 것은? [3점]

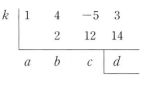

k	1	4	-5	3
		2	12	14
	a	b	c	d

① $k=2$ ② $a=2$ ③ $b=6$

④ $c=7$ ⑤ $d=17$

17

다항식 $4x^3-3x^2+x+2$를 $2x+1$로 나누었을 때의 몫과 나머지를 구하기 위하여 다음과 같이 조립제법을 이용하였다. 이때 상수 a와 몫의 상수항의 합은? [3점]

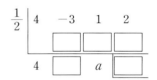

① $\dfrac{17}{4}$ ② $\dfrac{9}{2}$ ③ $\dfrac{19}{4}$

④ $\dfrac{11}{4}$ ⑤ $\dfrac{11}{2}$

18

다항식 $P(x)$를 $3x-2$로 나누었을 때의 몫은 $Q(x)$이고 나머지는 R이다. 다항식 $P(x)$를 $x-\dfrac{2}{3}$로 나누었을 때의 몫과 나머지를 차례로 구하면? [3점]

① $\dfrac{1}{3}Q(x)$, R ② $\dfrac{1}{3}Q(x)$, $3R$ ③ $Q(x)$, R

④ $3Q(x)$, R ⑤ $3Q(x)$, $3R$

02 나머지정리와 인수분해

출제경향 항등식의 성질, 나머지정리의 의미를 이해하고, 이를 활용하여 문제를 해결할 수 있어야 한다. 또, 인수분해 공식과 인수정리를 이용한 인수분해의 방법과 그 계산을 할 수 있어야 한다.

Young people should strive towards their ideals.

핵심개념 1 　항등식과 미정계수법

(1) 주어진 식의 문자에 어떤 값을 대입하여도 항상 성립하는 등식을 그 문자에 대한 항등식이라 한다.

(2) 항등식의 성질

① $ax^2+bx+c=0$이 x에 대한 항등식이면 ⇨ $a=0$, $b=0$, $c=0$

② $ax^2+bx+c=a'x^2+b'x+c'$이 x에 대한 항등식이면 ⇨ $a=a'$, $b=b'$, $c=c'$

(3) 항등식의 성질을 이용하여 주어진 등식에서 미지의 계수를 정하는 방법을 **미정계수법**이라 한다.

① 계수비교법 : 양변의 동류항의 계수를 비교하여 계수를 정하는 방법

② 수치대입법 : 문자에 적당한 수를 대입하여 계수를 정하는 방법

> 다음은 모두 같은 의미야.
> • x에 대한 항등식
> • 모든 x에 대하여 성립하는 등식
> • 임의의 x에 대하여 성립하는 등식
> • x의 값에 관계없이 항상 성립하는 등식
> • 어떤 x의 값에 대하여도 성립하는 등식

→ 식을 정리하기 쉬우면 계수비교법, 식이 길고 복잡해서 정리하기 어려우면 수치대입법을 이용하자.

[2015학년도 교육청]

01 모든 실수 x에 대하여 등식 $x^2+ax+4=x(x+2)+b$가 성립할 때, 두 상수 a, b의 합 $a+b$의 값은? [2점]

① 6　　　　② 7　　　　③ 8　　　　④ 9　　　　⑤ 10

[2018학년도 교육청]

02 등식 $2x^2+3x+4=2(x+1)^2+a(x+1)+b$ 가 x 에 대한 항등식일 때, $a-b$ 의 값은? (단, a, b 는 상수이다.) [3점]

① -7　　　　② -6　　　　③ -5　　　　④ -4　　　　⑤ -3

핵심개념 2 　나머지정리

(1) 다항식 $P(x)$를 일차식 $x-a$로 나누었을 때의 나머지를 R라 하면

$$R=P(a)$$

이다. 이와 같은 성질을 **나머지정리**라 한다.

(2) 다항식 $P(x)$를 일차식 $ax+b$로 나누었을 때의 나머지를 R라 하면

$$R=P\left(-\frac{b}{a}\right)$$

→ 항등식 $P(x)=(ax+b)Q(x)+R$의 양변에 $x=-\dfrac{b}{a}$를 대입하면 $R=P\left(-\dfrac{b}{a}\right)$가 돼.

▶ 다항식 $P(x)$를 일차식 $x-a$로 나누었을 때의 등식 $P(x)=(x-a)Q(x)+R$는 x에 대한 항등식이므로
⇨ 양변에 $x=a$를 대입하면
$P(a)=(a-a)Q(a)+R$
즉 $P(a)=R$가 돼.
그러니까 나누는 일차식이 0이 되게 하는 값을 $P(x)$에 대입한 것이 나머지야.

> 다항식을 일차식으로 나눌 때
> 몫과 나머지를 모두 구하려면 조립제법을 이용하는 것이 편리하고, 나머지만 구하려면 나머지정리를 이용하는 것이 편리하다.

[2015학년도 교육청]

03 다항식 x^2-2x+5를 $x-1$로 나누었을 때의 나머지는? [2점]

① 2　　　　② 4　　　　③ 6　　　　④ 8　　　　⑤ 10

[2017학년도 교육청]

04 x 에 대한 다항식 x^3+3x^2+a를 $x-1$로 나눈 나머지가 7일 때, 상수 a의 값은? [2점]

① 1　　　　② 2　　　　③ 3　　　　④ 4　　　　⑤ 5

핵심개념 3 　인수정리

다항식 $P(x)$를 일차식 $x-\alpha$로 나누었을 때의 나머지는 $P(\alpha)$이므로

① $P(x)$가 일차식 $x-\alpha$로 나누어떨어지면

　　⇨ $P(\alpha)=0$이다.

② $P(\alpha)=0$이면

　　⇨ $P(x)$는 일차식 $x-\alpha$로 나누어떨어진다.

이와 같은 성질을 인수정리라고 한다.

▶ 다항식 $P(x)$를 일차식 $x-\alpha$로 나누었을 때의 나머지는 나머지정리에서 $P(\alpha)$야.
그런데 $P(\alpha)=0$이면 $P(x)$는 $x-\alpha$로 나누어떨어지는 거겠지? 즉 $x-\alpha$는 $P(x)$의 인수가 되는 거야.

다음은 모두 같은 의미야.
- $P(\alpha)=0$
- $P(x)$를 $x-\alpha$로 나누었을 때의 나머지가 0이다.
- $P(x)$는 $x-\alpha$로 나누어떨어진다.
- $P(x)$는 $x-\alpha$를 인수로 갖는다.

[2016학년도 교육청]

05 다항식 x^3-ax+6이 $x-1$로 나누어떨어지도록 하는 상수 a의 값은? [2점]

① 3　　　　② 4　　　　③ 5　　　　④ 6　　　　⑤ 7

[2017학년도 교육청]

06 x에 대한 다항식 x^3-2x-a가 $x-2$로 나누어떨어지도록 하는 상수 a의 값을 구하시오. [3점]

핵심개념 4 　인수분해 공식

(1) 하나의 다항식을 두 개 이상의 다항식의 곱으로 나타내는 것을 인수분해라 한다.

　일반적으로 인수분해는 다항식의 전개 과정을 거꾸로 생각하면 된다.

(2) 인수분해 공식

　① $a^2+b^2+c^2+2ab+2bc+2ca=(a+b+c)^2$

　② $a^3+3a^2b+3ab^2+b^3=(a+b)^3$

　③ $a^3-3a^2b+3ab^2-b^3=(a-b)^3$

　④ $a^3+b^3=(a+b)(a^2-ab+b^2)$

　⑤ $a^3-b^3=(a-b)(a^2+ab+b^2)$

▶ 인수분해할 때는 공통인수가 있으면 공통인수로 묶은 다음 인수분해 공식을 적용할 수 있는지 검토한다.

중학교에서 배운 내용
- $a^2+2ab+b^2=(a+b)^2$
- $a^2-2ab+b^2=(a-b)^2$
- $a^2-b^2=(a+b)(a-b)$
- $x^2+(a+b)x+ab=(x+a)(x+b)$
- $acx^2+(ad+bc)x+bd=(ax+b)(cx+d)$

[2013학년도 교육청]

07 다항식 $x^2-11x+28$을 인수분해하면 $(x-a)(x-7)$이다. 상수 a의 값은? [2점]

① 4　　　　② 5　　　　③ 6　　　　④ 7　　　　⑤ 8

[2018학년도 교육청]

08 다항식 x^3-27이 $(x-3)(x^2+ax+b)$로 인수분해될 때, $a+b$의 값은? (단, a, b는 상수이다.) [2점]

① 8　　　　② 9　　　　③ 10　　　　④ 11　　　　⑤ 12

[2017학년도 교육청]

09 다항식 x^3-8이 $(x-a)(x^2+bx+4)$로 인수분해될 때, 두 상수 a, b에 대하여 $a+b$의 값은? [2점]

① 1　　　　② 2　　　　③ 3　　　　④ 4　　　　⑤ 5

(1) 공통부분이 있는 식의 인수분해

다항식에 공통부분이 있는 경우는 그 공통부분을 하나의 문자로 바꾸어 인수분해한다.

① 공통부분이 보이는 경우

step1 공통부분을 X로 치환하여 X에 대한 식을 인수분해한다.

step2 X에 원래의 식을 대입하여 정리한다.

② 인수분해 공식을 직접 이용할 수 없거나 공통부분이 없는 경우

step1 공통부분이 생기도록 식을 변형한다.

step2 공통부분을 X로 치환하여 X에 대한 식을 인수분해한 후, X에 원래의 식을 대입하여 정리한다.

(2) 복이차식(x^4+ax^2+b 꼴)의 인수분해

step1 $x^2=X$로 치환하여 X에 대한 이차식 X^2+aX+b를 인수분해한다.

step2 이차식 X^2+aX+b가 인수분해되지 않으면 이차항 ax^2을 변형하여 A^2-B^2 꼴로 만든 후 인수분해한다.

[2016학년도 교육청]

10 다항식 $(2x+y)^2-2(2x+y)-3$을 인수분해하면 $(ax+y+1)(2x+by+c)$일 때, $a+b+c$의 값은? (단, a, b, c는 상수이다.) [3점]

① -4 ② -2 ③ 0 ④ 2 ⑤ 4

[2013학년도 교육청]

11 다음 중에서 다항식 $(x^2-x)(x^2-x-1)-2$의 약수인 것은? [3점]

① $x-2$ ② $x-1$ ③ x ④ x^2+1 ⑤ x^2+x+1

삼차 이상의 다항식 $P(x)$는 인수정리를 이용하여 다음과 같이 인수분해할 수 있다.

step1 $P(x)$에서 $P(\alpha)=0$을 만족하는 상수 α의 값을 구한다.

step2 $P(x)$를 $x-\alpha$로 나누었을 때의 몫 $Q(x)$를 조립제법을 이용하여 구한 후 $P(x)=(x-\alpha)Q(x)$로 나타낸다.

step3 인수분해 공식을 이용하거나 **step1**, **step2**의 과정을 반복하여 $Q(x)$가 더 이상 인수분해되지 않을 때까지 인수분해한다.

• 다항식의 인수분해

① 인수분해 공식 이용

  └ 공통부분이 있으면 그 공통부분을 하나의 문자로 바꾸어 인수분해

② 인수분해 공식을 이용할 수 없으면 다음과 같은 방법으로 인수분해

> 인수정리를 이용하여 인수 찾기
>
> ↓
>
> 조립제법을 이용하여 인수분해하기

[2017학년도 교육청]

12 다항식 x^3+x^2-2가 $(x-1)(x^2+ax+b)$로 인수분해될 때, 두 상수 a, b에 대하여 $a+b$의 값은? [3점]

① -4 ② -2 ③ 0 ④ 2 ⑤ 4

13 다항식 $3x^3-8x^2+3x+2$가 $(3x+a)(x+b)(x+c)$로 인수분해될 때, $a^2+b^2+c^2$의 값은? (단, a, b, c는 상수) [3점]

① 3 ② 6 ③ 9 ④ 12 ⑤ 14

친절한 해설 7쪽

기출유형 01   항등식에서 미정계수 구하기

[2018학년도 교육청]

등식 $x^3-x^2+x+3=(x-1)(x^2+1)+a$가 x에 대한 항등식일 때, 상수 a의 값은? [3점]

① 2   ② 4   ③ 6   ④ 8   ⑤ 10

Act ①

x에 대한 항등식이므로 $x=1$을 대입하여 a의 값을 구한다.

해결의 실마리

(1) 항등식에서 미정계수 구하기

   ① 식이 간단하여 전개하기 쉬운 경우 ⇨ 계수비교법을 이용

   ② 여러 개의 다항식의 곱으로 되어 있거나 식이 길고 복잡해서 정리하기 어려운 경우

     ⇨ 수치대입법을 이용

(2) ~의 값에 관계없이 항상 성립하는 등식

   ① k의 값에 관계없이 항상 성립한다. ⇨ k에 대한 항등식 ⇨ (　)$k+$(　)$=0$ 꼴로 정리

   ② 모든 실수 x, y에 대하여 항상 성립한다. ⇨ x, y에 대한 항등식 ⇨ (　)$x+$(　)$y+$(　)$=0$ 꼴로 정리

> **항등식의 성질**
> $ax^2+bx+c=0$이 x에 대한 항등식이면
>   ⇨ $a=0$, $b=0$, $c=0$
> $ax^2+bx+c=a'x^2+b'x+c'$이 x에 대한 항등식이면
>   ⇨ $a=a'$, $b=b'$, $c=c'$

01

[2016학년도 교육청]

모든 실수 x에 대하여 등식

    $x^2+3x+2=(x-2)^2+a(x-2)+b$

가 성립할 때, $a+b$의 값은? (단, a, b는 상수이다.) [3점]

① 17   ② 18   ③ 19

④ 20   ⑤ 21

02

[2018학년도 교육청]

모든 실수 x에 대하여 등식

    $x^3-2x^2-x+14=(x+a)(x^2+bx+7)$

이 성립할 때, $a+b$의 값은? (단, a, b는 상수이다.) [3점]

① -2 ② -1 ③ 0

④ 1   ⑤ 2

03

[2016학년도 교육청]

모든 실수 x에 대하여 등식

    $x^3-x^2-5x+a=(x-2)(x^2+x+b)$

가 성립할 때, $a+b$의 값을 구하시오. (단, a, b는 상수이다.) [3점]

04

[2012학년도 교육청]

등식 $(k+3)x-(3k+4)y+5k=0$이 k의 값에 관계없이 항상 성립할 때, $x+y$의 값은? [3점]

① 6   ② 7   ③ 8

④ 9   ⑤ 10

x에 대한 다항식 ax^5+bx^3+cx-5를 $x-1$로 나누었을 때의 나머지가 3일 때, 이 다항식을 $x+1$로 나누었을 때의 나머지는? [3점]

① -15 ② -13 ③ -11 ④ -9 ⑤ -7

Act ❶
$P(x)=ax^5+bx^3+cx-5$라 할 때, $P(1)=3$임을 이용하여 $P(-1)$의 값을 구한다.

해결의 실마리
다항식 $P(x)$를 일차식 $x-\alpha$로 나누었을 때의 나머지를 R라 하면 $\Rightarrow$ $R=P(\alpha)$

05
[2017학년도 교육청]

다항식 x^3+5x^2+4x+4를 $x-2$로 나눈 나머지를 구하시오. [3점]

07
[2010학년도 교육청]

다항식 $f(x)=x^2+ax+3$에 대하여 $f(x)$를 $x-1$로 나눈 나머지를 R_1, $x+1$로 나눈 나머지를 R_2라 하자.
$R_1-R_2=38$일 때, 상수 a의 값을 구하시오. [3점]

06
[2017학년도 교육청]

다항식 x^2+ax+4를 $x-1$로 나누었을 때의 나머지와 $x-2$로 나누었을 때의 나머지가 서로 같을 때, 상수 a의 값은? [3점]

① -3 ② -1 ③ 1
④ 3 ⑤ 5

08
[2016학년도 교육청]

다항식 $P(x)=x^3+x^2+x+1$을 $x-k$로 나눈 나머지와 $x+k$로 나눈 나머지의 합이 8이다. $P(x)$를 $x-k^2$으로 나눈 나머지를 구하시오. (단, k는 상수이다.) [3점]

기출유형 03 나머지정리 응용

다항식 $P(x)$를 $x+2$로 나누었을 때의 나머지가 1이고, $x-5$로 나누었을 때의 나머지가 8이다. 다항식 $P(x)$를 $(x+2)(x-5)$로 나누었을 때의 나머지가 $ax+b$일 때, $a+b$의 값은? (단, a, b는 상수이다.) [3점]

Act ①
$P(x)=(x+2)(x-5)Q(x)$
$\qquad +ax+b$
로 놓고 $P(-2)=1$, $P(5)=8$
임을 이용한다.

① 4　　　　② 5　　　　③ 6　　　　④ 7　　　　⑤ 8

해결의 실마리

다항식 $P(x)$를 이차식 $(x-\alpha)(x-\beta)$로 나누었을 때

⇨ 나머지는 일차 이하의 다항식이므로 $P(x)=(x-\alpha)(x-\beta)Q(x)+ax+b$로 놓는다.

09
[2012학년도 교육청]

다항식 $P(x)$를 $x-5$로 나눈 나머지가 10이고, $x+3$으로 나눈 나머지가 -6이다. $P(x)$를 $(x-5)(x+3)$으로 나눈 나머지를 $R(x)$라 할 때, $R(1)$의 값은? [3점]

① -2　　　　② 0　　　　③ 2

④ 4　　　　⑤ 6

11
[2015학년도 교육청]

다항식 $f(x)$를 x^2-7x로 나눈 나머지가 $x+4$일 때, 다항식 $f(x)$를 $x-7$로 나눈 나머지를 구하시오. [3점]

10
[2018학년도 교육청]

다항식 $P(x)$를 x^2-1로 나눈 몫은 $2x+1$이고 나머지가 5일 때, 다항식 $P(x)$를 $x-2$로 나눈 나머지는? [3점]

① 15　　　　② 20　　　　③ 25

④ 30　　　　⑤ 35

12
[2013학년도 교육청]

다항식 $f(x)$가 다음 조건을 모두 만족시킬 때, $f(0)$의 값은? [3점]

㈎ $f(x)$를 $x-2$로 나누면 나머지가 7이다.
㈏ $f(x)$를 $x+1$로 나누면 나머지가 1이다.
㈐ $f(x)$를 $(x-2)(x+1)$로 나누면 몫과 나머지가 서로 같다.

① -3　　　　② -2　　　　③ -1

④ 0　　　　⑤ 1

[2015학년도 교육청]

x에 대한 다항식 $(kx^3+3)(kx^2-4)-kx$가 $x+1$로 나누어떨어지도록 하는 모든 실수 k의 값의 합은? [3점]

Act ❶
$P(x)$가 $x+1$로 나누어떨어지려면 $P(-1)=0$이어야 함을 이용하여 k의 값을 구한다.

① 5   ② 6   ③ 7   ④ 8   ⑤ 9

해결의 실마리

(1) 인수정리를 이용하는 여러 가지 표현

  ① $P(x)$는 일차식 $x-\alpha$를 인수로 갖는다.   ② $P(x)$가 $x-\alpha$로 나누어떨어진다.

  ③ $P(x)$를 $x-\alpha$로 나눈 나머지는 0이다. 즉 $P(\alpha)=0$ ④ $P(x)=(x-\alpha)Q(x)$ 꼴이다. (단, $Q(x)$는 몫)

(2) 이차식으로 나누는 경우

  다항식 $P(x)$가 $(x-\alpha)(x-\beta)$로 나누어떨어진다. ⇨ $P(\alpha)=0$, $P(\beta)=0$

13
[2014학년도 교육청]

다항식 $P(x)=x^3-x^2-kx-6$이 $x+2$로 나누어떨어지도록 하는 상수 k의 값을 구하시오. [3점]

15
[2006학년도 교육청]

$x+1$이 다항식 ax^4+bx^3+cx-a의 인수일 때, 임의의 실수 a, b, c에 대하여 주어진 다항식의 인수가 반드시 될 수 있는 것은? [3점]

① $x+2$ ② x ③ $x-1$

④ $x-2$ ⑤ $x-3$

14
[2010학년도 교육청]

다항식 $P(x)=x^2-4x-6$에 대하여 서로 다른 두 실수 a, b가 $P(a)=0$, $P(b)=0$을 만족시킬 때, $P(a+b)$의 값은? [3점]

① -6 ② -4 ③ 0

④ 4   ⑤ 6

16
[2014학년도 교육청]

x에 대한 다항식 $2x^3+ax^2+bx+6$이 x^2-1로 나누어떨어질 때, ab의 값은? (단, a, b는 상수이다.) [3점]

① 6   ② 8   ③ 10

④ 12   ⑤ 14

기출유형 05 인수분해 공식을 이용한 인수분해

다항식 $2x^2 - xy - y^2 - 4x + y + 2$가 $(ax+by-1)(cx+dy-2)$로 인수분해될 때, 상수 a, b, c, d
에 대하여 $a+b+c+d$의 값은? [3점]

① 3   ② 4   ③ 5   ④ 6   ⑤ 7

Act①
주어진 다항식을 x에 대한 내림
차순으로 정리한 후 인수분해한
다.

해결의 실마리

(1) 인수분해 공식을 이용한 인수분해

  ① 적당한 항끼리 짝을 지어 공통인수를 묶은 다음 인수분해 공식을 적용할 수 있는지 검토한다.

  ② 여러 종류의 문자를 포함한 다항식은 ⇨ 한 문자에 대해 내림차순으로 정리한 후 인수분해한다.

  ③ 인수분해 공식을 이용할 수 있도록 식을 변형해 본다.

(2) 인수분해를 이용한 식의 값 구하기

| 적당히 큰 수를 문자로 치환한다. | ⇨ | 치환하여 얻은 식을 인수분해한다. | ⇨ | 간단해진 식의 문자 대신 원래의 수를 넣어 계산한다. |

17
[2018학년도 교육청]

x에 대한 다항식 $x(x+2)+a$가 이차식 $(x+b)^2$으로 인
수분해될 때, 두 상수 a, b에 대하여 ab의 값은? [3점]

① 1   ② 2   ③ 3

④ 4   ⑤ 5

19
[2017학년도 교육청]

다항식 $x^4 + 7x^2 + 16$이 $(x^2+ax+b)(x^2-ax+b)$로 인수
분해될 때, 두 양수 a, b에 대하여 $a+b$의 값은? [3점]

① 5   ② 6   ③ 7

④ 8   ⑤ 9

18
[2005학년도 교육청]

$a^3 - a^2c - ab^2 + b^2c$의 인수인 것은? [3점]

① $a+c$ ② $a-c$ ③ $b+c$

④ $b-c$ ⑤ a^2+b^2

20
[2017학년도 교육청]

$\dfrac{218^3+1}{217^3-1}$의 값은? [3점]

① $\dfrac{73}{72}$ ② $\dfrac{37}{36}$ ③ $\dfrac{25}{24}$

④ $\dfrac{19}{18}$ ⑤ $\dfrac{13}{12}$

다항식 $(x^2-3x)^2-x^2+3x-6$을 인수분해하면 $(x+a)(x-2)(x^2+bx+c)$일 때, abc의 값은? (단, a, b, c는 상수이다.) [3점]

Act ❶
공통부분을 X로 치환하여 X에 대한 식을 인수분해한다.

① -15 ② -12 ③ -10 ④ -9 ⑤ -8

해결의 실마리

공통부분이 있는 다항식의 인수분해는

⇨ 공통부분을 X로 치환하여 X에 대한 식을 인수분해한다

21
[2014학년도 교육청]

다항식 $(x^2+2x)(x^2+2x-3)+2$를 인수분해하면 $(x^2+ax+b)(x^2+2x-2)$일 때, $a+b$의 값은? (단, a, b는 상수이다.) [3점]

① -3 ② -1 ③ 1

④ 3 ⑤ 5

23
[2016학년도 교육청]

다항식 $(x^2-x)^2+2x^2-2x-15$ 가 $(x^2+ax+b)(x^2+ax+c)$로 인수분해될 때, 세 상수 a, b, c에 대하여 $a+b+c$의 값은? [3점]

① -2 ② -1 ③ 0

④ 1 ⑤ 2

22

다항식 $(x^2-3x-1)(x^2-3x+4)-6$을 인수분해하면 $(x^2+ax+b)(x^2+cx+d)$일 때, $a+b+c+d$의 값은? (단, a, b, c, d는 상수이다.) [3점]

① -5 ② -4 ③ -3

④ -2 ⑤ -1

24

다항식 $(x^2-6x+5)(x^2-6x+8)+2$가 $(x^2+ax+b)(x^2+ax+c)$로 인수분해될 때, 세 상수 a, b, c에 대하여 $a+b+c$의 값을 구하시오. [3점]

기출유형 07 인수정리와 조립제법을 이용한 인수분해

모든 실수 x에 대하여 $x^3+3x^2-4=(x+a)(x+b)^2$일 때, $a+b$의 값을 구하시오. (단, a, b는 상수이다.) [3점]

Act①
인수분해 공식을 이용할 수 없으면 인수정리를 이용하여 인수분해한다.

해결의 실마리
인수정리는 고차식을 인수분해하는 가장 일반적인 방법이다. 인수분해 공식을 이용할 수 없으면 인수정리를 이용하여 인수분해한다.

인수정리를 이용하여 인수 찾기 ⇨ 조립제법을 이용하여 인수분해하기

25
[2015학년도 교육청]
모든 실수 x에 대하여
$$2x^3-x^2-7x+6=(x-1)(x+2)(ax+b)$$
일 때, $a-b$의 값을 구하시오. (단, a, b는 상수이다.) [3점]

27
다음 중 다항식 $x^4+5x^3+5x^2-5x-6$의 인수가 아닌 것은? [3점]
① $x+3$ ② $x+2$ ③ $x+1$
④ $x-1$ ⑤ $x-2$

26
모든 실수 x에 대하여
$$x^3-x^2+2x-8=(x+a)(x^2+bx+c)$$
일 때, $a+b+c$의 값을 구하시오. (단, a, b, c는 상수이다.) [3점]

28
다항식 x^3+x^2+ax+b가 $x-1$, $x-2$를 인수로 가질 때, 이 다항식의 또 다른 일차식인 인수는? (단, a, b는 상수) [3점]
① $x+1$ ② $x+2$ ③ $x+3$
④ $x+4$ ⑤ $x+5$

01

등식 $x^3+ax^2-x+2=(x^2-bx+1)(x+2)$가 x에 대한 항등식이 되도록 하는 상수 a, b에 대하여 ab의 값은? [2점]

① 1   ② 2   ③ 3

④ 4   ⑤ 5

02

등식

$$3x^2+4x+2=ax(x-1)+bx(x-2)+c(x-1)(x-2)$$

가 x에 대한 항등식이 되도록 하는 상수 a, b, c에 대하여 $a+b+c$의 값은? [2점]

① 0   ② 1   ③ 2

④ 3   ⑤ 4

03

등식 $(k+3)x+2(1+k)y+5k-1=0$이 k의 값에 관계없이 항상 성립할 때, 상수 x, y에 대하여 $2x+y$의 값은?

[3점]

① -2 ② -1 ③ 0

④ 1 ⑤ 2

04

다항식 x^3+ax^2-2x+1을 $x-2$로 나누었을 때의 나머지가 -3일 때, 상수 a의 값은? [2점]

① -2 ② 0 ③ 2

④ 4 ⑤ 6

05

다항식 $f(x)$를 $x+1$로 나누었을 때의 나머지는 1, $x-3$으로 나누었을 때의 나머지는 5이다. 이때 $f(x)$를 x^2-2x-3으로 나누었을 때의 나머지는? [3점]

① $x-2$ ② $x-1$ ③ $x+1$

④ $x+2$ ⑤ $x+3$

06

다항식 $x^4-3x^3+2x^2+ax+b$가 $x+1$, $x-2$로 각각 나누어떨어질 때, 상수 a, b에 대하여 a^2+b^2의 값을 구하시오. [3점]

07

다항식 $f(x)=x^3+ax+b$에 대하여 $f(x+1)$은 $x-2$로 나누어떨어지고, $f(x-1)$은 $x+2$로 나누어떨어진다. $f(x)$를 $x+1$로 나누었을 때의 나머지는? (단, a, b는 상수) [3점]

① 5   ② 6   ③ 7

④ 8   ⑤ 9

08

다음 중 x^6-2^6의 인수가 <u>아닌</u> 것은? [3점]

① $x-2$ ② x^2-2x-4 ③ x^2-2x+4

④ $x+2$ ⑤ x^2+2x+4

09

다음 중 다항식 $x(x+1)(x+2)(x+3)-15$의 인수인 것은? [3점]

① x^2-3x+1 ② x^2+3x-1 ③ x^2+3x-3

④ x^2-3x+5 ⑤ x^2+3x-5

10

다항식 x^4-11x^2+25를 인수분해하였더니 $(x^2+ax+b)(x^2+cx+d)$가 되었다. 이때 상수 a, b, c, d에 대하여 $ab+cd$의 값을 구하시오. [3점]

11

$\dfrac{2015^2-5^2}{2010^2}\times\dfrac{2015^3-5^3}{2015^2+5\times2015+5^2}$의 값은? [3점]

① 2020   ② 2030   ③ 2040

④ 2050   ⑤ 2060

12

다항식 $x^4-4x^3-x^2+16x+a$가 $x-1$로 나누어떨어질 때, 다음 중 이 다항식의 인수가 <u>아닌</u> 것은? (단, a는 상수) [3점]

① $x-3$ ② $x-2$ ③ $x-1$

④ $x+1$ ⑤ $x+2$

03 복소수와 이차방정식

출제경향 복소수의 사칙연산, 두 복소수가 서로 같을 조건, 이차방정식의 판별식과 근과 계수의 관계의 의미를 묻는 쉬운 내용이 출제된다. 복소수의 거듭제곱의 규칙성, 이차방정식의 켤레근의 의미를 알아야 풀 수 있는 유형의 문항들도 출제된다.

핵심개념 1 — 허수단위 i와 복소수

(1) 제곱하여 -1이 되는 수를 i로 나타내고, i를 허수단위라 한다.

① $i=\sqrt{-1}$, $i^2=-1$

② $a>0$일 때, $\sqrt{-a}=\sqrt{a}\,i$이고 $-a$의 제곱근은 $\pm\sqrt{a}\,i$이다.

(2) 복소수

① 복소수의 정의 : 임의의 두 실수 a, b에 대하여 $a+bi$ 꼴로 나타내어지는 수를 복소수라 한다.

② 실수부분과 허수부분 : 복소수 $a+bi$에서 a를 실수부분, b를 허수부분이라 한다.

③ 실수가 아닌 복소수 $a+bi$ $(b\neq0)$를 허수라 한다. a, b가 실수일 때

$$\text{복소수 } a+bi \begin{cases} \text{실수 } a \ (b=0) \\ \text{허수 } a+bi \ (b\neq0) \end{cases}$$

실수 a는 $a=a+0i$니까 실수도 복소수인 거야. 특히 실수부분이 0인 허수를 '순허수'라 해.

● 실수부분과 허수부분

$5+3i$ — 실수부분은 5 / 허수부분은 3

-2 — 실수부분은 -2 / 허수부분은 0

→ 복소수 $a+bi$에서 허수부분은 i 앞에 있는 실수 b만 가르키는 거야. i는 빼고.

복소수의 분류
허수단위 i가 없으면 ⇨ 실수
허수단위 i가 있으면 ⇨ 허수

[2013학년도 교육청]

01 $\sqrt{14^2}+(\sqrt{-1})^2$의 값은? [2점]

① 9   ② 10   ③ 11   ④ 12   ⑤ 13

핵심개념 2 — 복소수가 서로 같을 조건

두 복소수 $a+bi$, $c+di$ (a, b, c, d는 실수)에 대하여

① $a+bi=c+di$이면 $a=c$, $b=d$ ← 두 복소수가 서로 같으려면 실수부분과 허수부분이 각각 같아야 해.

② $a+bi=0$이면 $a=0$, $b=0$

[2017학년도 교육청]

02 등식 $(a+1)+3i=7+bi$를 만족시키는 두 실수 a, b에 대하여 $a+b$의 값을 구하시오. (단, $i=\sqrt{-1}$이다.) [3점]

[2014학년도 교육청]

03 등식 $2x(3+i)=3y+4i$를 만족시키는 두 실수 x, y에 대하여 $x+y$의 값은? (단, $i=\sqrt{-1}$) [2점]

① 3   ② 4   ③ 5   ④ 6   ⑤ 7

핵심개념 3 — 켤레복소수

복소수 $a+bi$ (a, b는 실수)의 허수부분의 부호를 바꾼 복소수 $a-bi$를 $a+bi$의 켤레복소수라 하고, 이것을 기호로 $\overline{a+bi}$와 같이 나타낸다.

$$\overline{a+bi}=a-bi$$
$$\overline{a-bi}=a+bi$$

[2016학년도 교육청]

04 복소수 $z=3+i$에 대하여 $z+\bar{z}$의 값은? (단, $i=\sqrt{-1}$이고, $\bar{z}$는 z의 켤레복소수이다.) [2점]

① 6   ② $6+i$ ③ 8   ④ $8+i$ ⑤ 10

[2012학년도 교육청]

05 $z=1+2i$일 때, $2z+\bar{z}$의 값은? (단, $i=\sqrt{-1}$이고, $\bar{z}$는 z의 켤레복소수이다.) [2점]

① $3-2i$ ② $2-i$ ③ 0   ④ $2+i$ ⑤ $3+2i$

핵심개념 **4** 　　복소수의 사칙연산

a, b, c, d가 실수일 때

① $(a+bi)+(c+di)=(a+c)+(b+d)i$

② $(a+bi)-(c+di)=(a-c)+(b-d)i$

③ $(a+bi)(c+di)=(ac-bd)+(ad+bc)i$

④ $\dfrac{a+bi}{c+di}=\dfrac{ac+bd}{c^2+d^2}+\dfrac{bc-ad}{c^2+d^2}i$ (단, $c+di\neq0$)

> 복소수의 나눗셈은 중학교 때 배운 무리수의 나눗셈에서 분모를 유리화하는 것처럼 분모와 켤레인 복소수를 분모, 분자에 곱한다.

> • 복소수의 사칙연산
> ⇨ i를 문자처럼 생각하고 다항식의 사칙연산과 같은 방법으로 계산한 후 $i^2=-1$로 고친다.

[2011학년도 교육청]

06 $(1+2i)(2-i)$를 계산하면? (단, $i=\sqrt{-1}$) [2점]

　① $4+3i$　　　　② $4-3i$　　　　③ $3+4i$　　　　④ $3-4i$　　　　⑤ $-3+4i$

07 $\dfrac{2+3i}{2-3i}$ 를 계산하면? (단, $i=\sqrt{-1}$) [2점]

　① $-\dfrac{7}{15}+\dfrac{13}{15}i$　　② $-\dfrac{5}{13}+\dfrac{12}{13}i$　　③ $\dfrac{5}{12}-\dfrac{7}{12}i$　　④ $\dfrac{15}{13}-\dfrac{12}{13}i$　　⑤ $\dfrac{7}{15}-\dfrac{13}{15}i$

핵심개념 **5** 　　이차방정식의 판별식

(1) 이차방정식의 판별식

　계수가 실수인 이차방정식 $ax^2+bx+c=0$의 근은 $x=\dfrac{-b\pm\sqrt{b^2-4ac}}{2a}$ 이므로 근호 안에 있는 b^2-4ac의 부호에 따라

　이차방정식의 근이 실수(실근)인지, 허수(허근)인지를 알 수 있다.

　이때 b^2-4ac를 이차방정식 $ax^2+bx+c=0$의 판별식이라 하고, 기호 D로 나타낸다.

(2) 이차방정식의 근의 판별

　계수가 실수인 이차방정식 $ax^2+bx+c=0$에서

　① $b^2-4ac>0$, 즉 $D>0$이면 서로 다른 두 실근을 갖는다.

　② $b^2-4ac=0$, 즉 $D=0$이면 중근(서로 같은 두 실근)을 갖는다.

　③ $b^2-4ac<0$, 즉 $D<0$이면 서로 다른 두 허근을 갖는다.

> x의 계수가 짝수인 이차방정식 $ax^2+2b'x+c=0$의 근을 판별할 때에는 판별식 D 대신 $\dfrac{D}{4}=b'^2-ac$를 이용하면 편리하다.

> 실근을 가질 조건은 $D\geq0$

> 한 근이 $p+qi$이면 다른 한 근은 이것과 켤레인 $p-qi$가 될 거야. 근호 안이 같기 때문이지.

[2015학년도 교육청]

08 x에 대한 이차방정식 $x^2-2ax+3=0$이 서로 다른 두 허근을 갖도록 하는 정수 a의 개수는? [3점]

　① 1　　　　　② 2　　　　　③ 3　　　　　④ 4　　　　　⑤ 5

[2013학년도 교육청]

09 x에 대한 이차방정식 $x^2+2kx+3k-2=0$이 중근을 갖도록 하는 모든 실수 k의 값의 합은? [3점]

　① 3　　　　　② 4　　　　　③ 5　　　　　④ 6　　　　　⑤ 7

핵심개념 6 　이차방정식의 근과 계수의 관계

이차방정식 $ax^2+bx+c=0$의 두 근을 α, β라 하면

(1) 두 근의 합 : $\alpha+\beta=-\dfrac{b}{a}$

(2) 두 근의 곱 : $\alpha\beta=\dfrac{c}{a}$

근과 계수의 관계를 이용하면 이차방정식의 두 근을 직접 구하지 않아도 두 근의 합과 곱을 구할 수 있어.

> 이차방정식의 근과 계수의 관계는 이차방정식이 실근을 가질 때뿐만 아니라 이차방정식이 서로 다른 두 허근을 가질 때도 성립한다.

[2018학년도 교육청]

10 이차방정식 $x^2-7x+10=0$의 두 근의 합을 구하시오. [3점]

[2017학년도 교육청]

11 이차방정식 $x^2-x+2=0$의 두 근의 곱은? [2점]

① -2 　　② -1 　　③ 0 　　④ 1 　　⑤ 2

[2011학년도 교육청]

12 실수 계수를 갖는 x에 대한 이차방정식 $x^2-ax+b=0$의 한 근이 $3+2i$일 때, ab의 값을 구하시오. (단, $i=\sqrt{-1}$) [3점]

핵심개념 7 　이차방정식의 근의 활용

(1) 두 수를 근으로 하는 이차방정식의 작성

　　두 수 α, β를 근으로 하고 x^2의 계수가 1인 이차방정식은

　　$\underbrace{x^2-(\alpha+\beta)}_{\text{두 근의 합}}\underbrace{x+\alpha\beta}_{\text{두 근의 곱}}=0$

(2) 이차식의 인수분해

　　이차방정식 $ax^2+bx+c=0$의 두 근을 α, β라 하면

　　$ax^2+bx+c=a(x-\alpha)(x-\beta)$

　　로 인수분해된다.

> 이차방정식의 근을 이용하여 이차식을 인수분해하면 모든 이차식을 복소수 범위에서 인수분해할 수 있어.

(두 근의 합)$=(3+2i)+(3-2i)$
　　　　　　$=6$

$x^2-6x+13=0$

(두 근의 곱)$=(3+2i)(3-2i)$
　　　　　　$=13$

13 이차방정식 $x^2-5x+3=0$의 두 근을 α, β라 할 때, $\alpha+1$, $\beta+1$의 합과 곱을 두 근으로 하고, x^2의 계수가 1인 이차방정식은? [3점]

① $x^2-12x+60=0$ 　② $x^2-16x+63=0$ 　③ $x^2-16x+60=0$ 　④ $x^2-12x+63=0$ 　⑤ $x^2+16x+63=0$

친절한 해설 14쪽

기출유형 01 복소수의 사칙연산

[2017학년도 교육청]

$(2+i)(1+i)$의 값은? (단, $i=\sqrt{-1}$) [3점]

① $1+3i$ ② $1+4i$ ③ $2+3i$ ④ $3+3i$ ⑤ $3+4i$

Act①
i를 문자처럼 생각하여 계산한 후 $i^2=-1$로 고친다.

해결의 실마리

복소수의 사칙연산

① i를 문자처럼 생각하고 다항식의 사칙연산과 같은 방법으로 계산한 후 $i^2=-1$로 고친다.

② 분모에 i가 있으면 분모, 분자에 켤레복소수를 곱하여 분모를 실수로 만들어 준다.

01
[2018학년도 교육청]

$(1+2i)+(3-i)$의 값은? (단, $i=\sqrt{-1}$) [2점]

① $2+i$ ② $2-i$ ③ $4+i$

④ $4-i$ ⑤ $5+i$

03
[2012학년도 교육청]

$(1+i)\left(1-\dfrac{1}{i}\right)$의 값은? (단, $i=\sqrt{-1}$) [2점]

① $-2i$ ② $-i$ ③ 0

④ i ⑤ $2i$

02
[2015학년도 교육청]

두 복소수 $z_1=2-3i$, $z_2=2+3i$에 대하여 z_1z_2의 값은? (단, $i=\sqrt{-1}$) [2점]

① 9 ② 11 ③ 13

④ 15 ⑤ 17

04
[2010학년도 교육청]

$(1-2i)+\dfrac{3+i}{1-i}$를 계산하면? (단, $i=\sqrt{-1}$) [2점]

① 2 ② $2i$ ③ $4i$

④ $2-2i$ ⑤ $2+2i$

$\sqrt{2} \times \sqrt{-2} + \dfrac{\sqrt{2}}{\sqrt{-2}}$ 의 값은? (단, $i = \sqrt{-1}$) [2점]

① $-2i$ ② $-i$ ③ 0 ④ i ⑤ $2i$

Act ❶
근호 안이 음수이면 계산하기 전에 허수단위 i를 써서 나타낸 후 계산한다.

해결의 실마리

(1) 주어진 식에서 근호 안에 음수가 있으면 계산하기 전에 허수단위 i를 써서 나타낸다.

즉 $\sqrt{-2} \times \sqrt{-3} = \sqrt{2}\,i \times \sqrt{3}\,i = \sqrt{6}\,i^2 = -\sqrt{6}$과 같이 계산한다. ────▶ $\sqrt{-2}\sqrt{-3}$을 $\sqrt{(-2)(-3)} = \sqrt{6}$과 같이 계산하지 않도록 주의해야 해.

(2) 음수의 제곱근의 성질

① $\sqrt{a}\sqrt{b} = \begin{cases} -\sqrt{ab} & (a<0,\ b<0 \text{일 때}) \\ \sqrt{ab} & (a<0,\ b<0 \text{이 아닐 때}) \end{cases}$

② $\dfrac{\sqrt{a}}{\sqrt{b}} = \begin{cases} -\sqrt{\dfrac{a}{b}} & (a>0,\ b<0 \text{일 때}) \\ \sqrt{\dfrac{a}{b}} & (a>0,\ b<0 \text{이 아닐 때}) \end{cases}$

05
[2014학년도 교육청]

$\sqrt{-2}\sqrt{-18} + \dfrac{\sqrt{12}}{\sqrt{-3}}$ 의 값은? (단, $i = \sqrt{-1}$이다.) [3점]

① $6+2i$ ② $6-2i$ ③ $-8i$
④ $-6+2i$ ⑤ $-6-2i$

07
[2006학년도 0교육청]

$\sqrt{-3}\sqrt{-2}\sqrt{2}\sqrt{3} + \dfrac{\sqrt{6}}{\sqrt{-2}}$ 을 간단히 하면? (단, $i = \sqrt{-1}$) [3점]

① $6+\sqrt{3}\,i$ ② $6-\sqrt{3}\,i$ ③ 0
④ $-6+\sqrt{3}\,i$ ⑤ $-6-\sqrt{3}\,i$

06
[2006학년도 교육청]

복소수 z에 대하여 $z = \sqrt{-1}\sqrt{-4} + \dfrac{\sqrt{18}}{\sqrt{-2}}$ 일 때, $z\bar{z}$의 값은? (단, $\bar{z}$는 z의 켤레복소수) [3점]

① 4 ② 7 ③ 11
④ 13 ⑤ 17

08
[2005학년도 교육청]

0이 아닌 두 실수 a, b에 대하여 $\dfrac{\sqrt{a}}{\sqrt{b}} = -\sqrt{\dfrac{a}{b}}$ 일 때, $\sqrt{(a-2b)^2} + |3b|$ 를 간단히 하면? [3점]

① $a-b$ ② $-a+b$ ③ $a+5b$
④ $a-5b$ ⑤ $-a-5b$

기출유형 03 복소수가 서로 같을 조건

[2010학년도 교육청]

등식 $(5+3i)x-(2-3i)y=-7+6i$를 만족시키는 두 실수 x, y에 대하여 $x+y$의 값은?
(단, $i=\sqrt{-1}$) [2점]

Act①
복소수가 서로 같을 조건을 이용하여 실수 $x+y$의 값을 구한다.

① 1   ② 2   ③ 3   ④ 4   ⑤ 5

해결의 실마리

두 복소수 $a+bi$, $c+di$(a, b, c, d는 실수)에 대하여

① $a+bi=c+di$이면 $a=c$, $b=d$

② $a+bi=0$이면 $a=0$, $b=0$

---

09 [2016학년도 교육청]

등식 $a+2i=4+(b-1)i$를 만족하는 두 실수 a, b에 대하여 $a+b$의 값을 구하시오. (단, $i=\sqrt{-1}$이다.) [3점]

11 [2006학년도 교육청]

등식 $\dfrac{x}{1-i}+\dfrac{y}{1+i}=12-9i$를 만족시키는 실수 x, y에 대하여 $x+10y$의 값을 구하시오. (단, $i=\sqrt{-1}$) [3점]

10 [2007학년도 인천교육청]

실수 x, y가 $(x+i)^2+(2+3i)^2=y+26i$를 만족할 때, $x+y$의 값을 구하시오. (단, $i=\sqrt{-1}$) [3점]

12 [2005학년도 교육청]

$(a+2i)(2-bi)=6+5i$를 만족하는 두 실수 a, b에 대하여 a^2+b^2의 값은? (단, $i=\sqrt{-1}$) [3점]

① 7   ② 8   ③ 9
④ 10   ⑤ 11

[2010학년도 교육청]

두 복소수 z_1, z_2가 $\overline{z_1}-\overline{z_2}=1+2i$, $\overline{z_1 z_2}=4-3i$를 만족시킬 때, $(z_1-1)(z_2+1)$의 값은? (단, $i=\sqrt{-1}$, $\bar{z}$는 z의 켤레복소수이다.) [3점]

① 4　　　② $4+5i$　　　③ $4-5i$　　　④ $4+i$　　　⑤ $4-i$

Act ①
켤레복소수의 성질을 이용하여 z_1-z_2, $z_1 z_2$의 값을 구한다.

Act ②
$(z_1-1)(z_2+1)$을 전개한 식에 z_1-z_2, $z_1 z_2$의 값을 대입한다.

해결의 실마리

두 복소수 z_1, z_2에 대하여
① $\overline{(\overline{z_1})}=z_1$　　　② $\overline{z_1+z_2}=\overline{z_1}+\overline{z_2}$　　　③ $\overline{z_1-z_2}=\overline{z_1}-\overline{z_2}$

④ $\overline{z_1 z_2}=\overline{z_1}\times\overline{z_2}$　　　⑤ $\overline{\left(\dfrac{z_1}{z_2}\right)}=\dfrac{\overline{z_1}}{\overline{z_2}}$ (단, $z_2\neq 0$)

13　　　[2015학년도 교육청]

복소수 $z=2-3i$에 대하여 $(1+2i)\bar{z}$의 값은? (단, $i=\sqrt{-1}$이고, $\bar{z}$는 z의 켤레복소수이다.) [3점]

① $-4+7i$　　　② $-4+4i$　　　③ $3-4i$

④ $3+7i$　　　⑤ $7-4i$

15　　　[2010학년도 교육청]

$\alpha=2-7i$, $\beta=-1+4i$일 때, $\alpha\overline{\alpha}+\overline{\alpha}\beta+\alpha\overline{\beta}+\beta\overline{\beta}$의 값은? (단, $i=\sqrt{-1}$이고 $\overline{\alpha}$, $\overline{\beta}$는 각각 α, β의 켤레복소수이다.) [2점]

① 8　　　② 9　　　③ 10

④ 11　　　⑤ 12

14　　　[2006학년도 교육청]

복소수 z에 대하여 $z=\sqrt{-1}\sqrt{-4}+\dfrac{\sqrt{18}}{\sqrt{-2}}$일 때, $z\bar{z}$의 값은? (단, $\bar{z}$는 z의 켤레복소수) [3점]

① 4　　　② 7　　　③ 11

④ 13　　　⑤ 17

16　　　[2011학년도 0교육청]

복소수 z에 대하여 등식 $(2+i)z+3i\bar{z}=2+6i$가 성립할 때, $z\bar{z}$의 값은? (단, $i=\sqrt{-1}$이고, $\bar{z}$는 z의 켤레복소수이다.) [3점]

① 2　　　② 5　　　③ 8

④ 10　　　⑤ 13

기출유형 05 i의 거듭제곱

두 실수 x, y에 대하여

$$\frac{1}{i}+\frac{3}{i^2}+\frac{5}{i^3}+\cdots+\frac{19}{i^{10}}=x+yi$$

가 성립할 때, $y-x$의 값은? (단, $i=\sqrt{-1}$) [3점]

① 2   ② 4   ③ 6   ④ 8   ⑤ 10

Act ①
i의 거듭제곱은 i, -1, $-i$, 1이 반복하여 나타남을 이용하여 좌변의 식을 간단히 한다.

해결의 실마리

$i^2=-1$임을 이용하여 i, i^2, i^3, i^4, $\cdots$의 값을 차례로 구하면

$$i,\ -1,\ -i,\ 1$$

이 반복되어 나타난다.
따라서 i의 거듭제곱은 다음과 같은 규칙성을 갖는다. a

$i^{4n}=1,\ i^{4n+1}=i,\ i^{4n+2}=-1,\ i^{4n+3}=-i$ (단, n은 음이 아닌 정수)

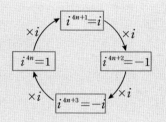

i의 거듭제곱은 i, -1, $-i$, 1이 반복되어 나타나거든. 그러니까 아무리 거듭제곱을 여러 번 해도 결과는 넷 중 하나가 되겠지?

17

$\dfrac{1}{i}+\dfrac{1}{i^2}+\dfrac{1}{i^3}+\cdots+\dfrac{1}{i^{50}}=a+bi$일 때, 두 실수 a, b에 대하여 ab의 값은? [3점]

① 1   ② 2   ③ 3
④ 4   ⑤ 5

18

[2013학년도 교육청]

등식 $i-\left(\dfrac{1-i}{1+i}\right)^{2013}=a+bi$를 만족하는 두 실수 a, b에 대하여 $a+b$의 값은? (단, $i=\sqrt{-1}$) [3점]

① 4   ② 2   ③ 0
④ -2 ⑤ -4

19

[2009학년도 교육청]

$\left(\dfrac{1+i}{1-i}\right)^{2009}+\left(\dfrac{1-i}{1+i}\right)^{2011}$의 값은? (단, $i=\sqrt{-1}$) [3점]

① $-i$ ② $2i$ ③ 2
④ $1-i$ ⑤ $1+i$

20

[2015학년도 교육청]

등식
$$(i+i^2)+(i^2+i^3)+(i^3+i^4)+\cdots+(i^{18}+i^{19})=a+bi$$
를 만족시키는 실수 a, b에 대하여 $4(a+b)^2$의 값을 구하시오. (단, $i=\sqrt{-1}$이다.) [4점]

[2007학년도 교육청]

복소수 $z=\dfrac{1+3i}{1-i}$일 때, z^3+2z^2+6z+1을 간단히 하면? (단, $i=\sqrt{-1}$) [3점]

① 1   ② $2i$ ③ $-2i$ ④ $2+2i$ ⑤ $-2+2i$

Act①

$z=a+bi$ (a, b는 실수)로 나타내어 $z-a=bi$ 꼴로 변형한 후 양변을 제곱한다.

Act②

주어진 식에 $z^2+2z+5=0$을 대입한다.

해결의 실마리

복소수 $z=a+bi$ (a, b는 실수)의 거듭제곱에서

(1) 양변을 제곱했을 때 우변이 순허수인 경우
  ⇨ z^2, z^4, z^8, …의 규칙성을 찾는다.

(2) 양변을 제곱했을 때 우변이 순허수가 아닌 경우
  ⇨ 복소수 $z=a+bi$ (a, b는 실수)를 $z-a=bi$ 꼴로 변형한 후 양변을 제곱하여 나온 z의 이차식을 구하는 식에 대입하여 간단히 한다.

21

[2010학년도 교육청]

복소수 $z=\dfrac{\sqrt{2}}{1+i}$일 때, z^{2010}의 값은? (단, $i=\sqrt{-1}$) [3점]

① $2i$ ② $-2i$ ③ 1

④ i ⑤ $-i$

23

[2016학년도 교육청]

복소수 $z=1+\sqrt{3}\,i$에 대하여 z^2-2z+1의 값은?
(단, $i=\sqrt{-1}$) [3점]

① -3 ② $-2+i$ ③ -1

④ $2-i$ ⑤ 3

22

[2012학년도 교육청]

$z=\dfrac{1-i}{\sqrt{2}}$일 때, z^8+z^{12}의 값은? (단, $i=\sqrt{-1}$) [3점]

① $-2i$ ② -2 ③ 0

④ $2i$ ⑤ 2

24

$z=\dfrac{1-\sqrt{3}i}{2}$일 때, z^3-z^2+z+1의 값은? (단, $i=\sqrt{-1}$) [3점]

① -2 ② -1 ③ 0

④ 1   ⑤ 2

기출유형 07 이차방정식의 판별식

x에 대한 이차방정식 $x^2-kx+k-1=0$이 중근 α를 가질 때, $k+\alpha$의 값은? (단, k는 상수이다.) [3점]   [2013학년도 교육청]

① 1   ② 2   ③ 3   ④ 4   ⑤ 5

Act ①
판별식이 $D=0$인 정수 k를 구한다.

Act ②
$D=0$인 정수 k를 주어진 방정식에 대입하여 중근 α를 구한다.

해결의 실마리

이차방정식의 근의 판별

계수가 실수인 이차방정식 $ax^2+bx+c=0$의 판별식을 $D=b^2-4ac$라 할 때

① $D>0$이면 서로 다른 두 실근을 갖는다.
② $D=0$이면 중근(서로 같은 두 실근)을 갖는다.
③ $D<0$이면 서로 다른 두 허근을 갖는다.

> x의 계수가 짝수인 이차방정식 $ax^2+2b'x+c=0$의 근의 판별은 $\dfrac{D}{4}=(b')^2-ac$를 이용하면 계산이 간편해질 거야.

25
[2018학년도 교육청]

x에 대한 이차방정식 $x^2+4x+k-3=0$이 실근을 갖도록 하는 모든 자연수 k의 개수는? [3점]

① 4   ② 5   ③ 6
④ 7   ⑤ 8

26
[2014학년도 교육청]

x에 대한 이차방정식 $x^2-2kx+8k-12=0$이 허근을 갖도록 하는 모든 정수 k의 값의 합을 구하시오. [3점]

27
[2011학년도 교육청]

이차방정식 $x^2+2\sqrt{2}x-m(m+1)=0$은 실근을 갖고, 이차방정식 $x^2-(m-2)x+4=0$은 허근을 갖도록 하는 실수 m의 값의 범위는? [3점]

① $-3\le m<4$ ② $-2<m<6$ ③ $0<m\le 7$
④ $1<m<8$ ⑤ $2\le m<9$

28

x의 이차방정식
$$2x^2+(k-2)x+k-2=0,$$
$$x^2-2(2k+1)x+3k^2+8k+6=0$$
이 모두 허근을 갖도록 하는 정수 k의 개수는? [3점]

① 1   ② 2   ③ 3
④ 4   ⑤ 5

이차방정식 $x^2-3x+1=0$의 두 근이 α, β일 때, $\dfrac{1}{\alpha}+\dfrac{1}{\beta}$의 값은? [3점]

[2013학년도 교육청]

Act ❶
근과 계수의 관계에서 $\alpha+\beta$, $\alpha\beta$의 값을 구해서 $\dfrac{1}{\alpha}+\dfrac{1}{\beta}$을 변형한 식에 대입한다.

① -5 ② -3 ③ 0 ④ 3 ⑤ 5

해결의 실마리

이차방정식의 근과 계수의 관계 ────→ 근과 계수의 관계를 이용하면 이차방정식의 두 근을 직접 구하지 않아도 이차방정식의 두 근의 합, 두 근의 곱을 구할 수 있어.

이차방정식 $ax^2+bx+c=0$의 두 근을 α, β라 하면

① 두 근의 합 : $\alpha+\beta=-\dfrac{b}{a}$ ② 두 근의 곱 : $\alpha\beta=\dfrac{c}{a}$

> 이차방정식의 근과 계수의 관계는 이차방정식이 실근을 가질 때뿐만 아니라 이차방정식이 서로 다른 두 허근을 가질 때도 성립한다.

29
[2016학년도 교육청]

이차방정식 $x^2-ax+a-3=0$의 두 근의 합이 10일 때, 두 근의 곱을 구하시오. (단, a는 상수이다.) [3점]

31
[2018학년도 교육청]

이차방정식 $x^2+3x+1=0$의 서로 다른 두 실근을 α, β라 할 때, $\alpha^2+\beta^2-3\alpha\beta$의 값은? [3점]

① 4 ② 5 ③ 6
④ 7 ⑤ 8

30
[2018학년도 교육청]

x에 대한 이차방정식 $x^2+ax+b=0$의 두 근이 3, 4일 때, 두 상수 a, b에 대하여 $a+b$의 값을 구하시오. [3점]

32
[2011학년도 교육청]

0이 아닌 세 실수 p, q, r에 대하여 이차방정식 $x^2+px+q=0$의 두 근을 α, β라 할 때, $x^2+rx+p=0$은 두 근 2α, 2β를 갖는다. 이때 $\dfrac{r}{q}$의 값은? [3점]

① 6 ② $\dfrac{13}{2}$ ③ 7
④ $\dfrac{15}{2}$ ⑤ 8

기출유형 09 **한 근이 주어진 이차방정식의 다른 한 근**

x에 대한 이차방정식 $x^2+ax+b=0$의 한 근이 $1+i$일 때, 두 실수 a, b의 곱 ab의 값은? [2012학년도 교육청]

(단, $i=\sqrt{-1}$) [3점]

① -4 ② -2 ③ 0 ④ 2 ⑤ 4

Act ①
계수가 실수인 이차방정식의 한 근이 $p+qi$이면 다른 한 근은 $p-qi$임을 이용한다.

해결의 실마리

이차방정식 $ax^2+bx+c=0$에서
$q\neq0$일 때, $p+q\sqrt{m}$과 $p-q\sqrt{m}$,
$p+qi$와 $p-qi$를 각각 켤레근이라 해.

① a, b, c가 유리수일 때
   한 근이 $p+q\sqrt{m}$이면 다른 근은 $p-q\sqrt{m}$이다. (단, p, q는 유리수, $q\neq0$, $\sqrt{m}$은 무리수)

② a, b, c가 실수일 때
   한 근이 $p+qi$이면 다른 근은 $p-qi$이다. (단, p, q는 실수, $q\neq0$, $i=\sqrt{-1}$)

⚠️ 이차방정식의 계수가 유리수라는 조건이 없으면 $p+q\sqrt{m}$이 방정식의 한 근일 때, 다른 한 근이 반드시 $p-q\sqrt{m}$이 되는 것은 아니야. 마찬가지로 이차방정식의 계수가 실수라는 조건이 없으면 $p+qi$가 이 방정식의 한 근일 때, 다른 한 근이 반드시 $p-qi$가 되는 것이 아님에 주의해야 해.

33

[2012학년도 교육청]

실수 a, b에 대하여 x에 대한 이차방정식 $x^2+ax+b=0$의 한 근이 $2-4i$일 때, $a+b$의 값은? (단, $i=\sqrt{-1}$) [3점]

① 16 ② 19 ③ 22
④ 25 ⑤ 28

35

[2010학년도 교육청]

x에 대한 이차방정식 $x^2+(m+n)x-mn=0$의 한 근이 $4+\sqrt{2}\,i$일 때, m^2+n^2의 값을 구하시오.
(단, $i=\sqrt{-1}$이고 m, n은 실수이다.) [3점]

34

[2006학년도 교육청]

유리수 a, b에 대하여 이차방정식 $x^2+ax+b=0$의 한 근이 $-4+\sqrt{3}$일 때, $a+b$의 값을 구하시오. [3점]

36

[2016학년도 교육청]

이차방정식 $x^2+5x-2=0$의 두 근을 α, β라 할 때, $\alpha^2-5\beta$의 값을 구하시오. [3점]

01

$\alpha=1+i$, $\beta=1-i$일 때, $\dfrac{1}{\alpha}+\dfrac{1}{\beta}$의 값은? [3점]

① $-i$ ② i ③ -1

④ 0 ⑤ 1

02

$4-7i+\dfrac{1-2i}{1-i}+2i+\dfrac{-1+2i}{1+i}$를 계산하여 $a+bi$ 꼴로 나타낼 때, 실수 a, b의 합 $a+b$의 값은? [3점]

① -2 ② -1 ③ 0

④ 1 ⑤ 2

03

$\sqrt{-5}\times\sqrt{-4}+\dfrac{\sqrt{20}}{\sqrt{-4}}-\dfrac{\sqrt{15}}{\sqrt{3}}i=a+bi$일 때, 실수 a, b의 합 $a+b$의 값은? [3점]

① $-4\sqrt{5}$ ② $-2\sqrt{5}$ ③ $-\sqrt{5}$

④ $2\sqrt{5}$ ⑤ $4\sqrt{5}$

04

등식 $(4-3i)x+(2-i)y=2-3i$를 만족시키는 두 실수 x, y에 대하여 xy의 값은? (단, $i=\sqrt{-1}$) [3점]

① -6 ② -3 ③ 2

④ 3 ⑤ 6

05

등식 $i(a+bi)+2a+3bi=10-2i$를 만족하는 실수 a, b에 대하여 $a-b$의 값을 구하시오. [3점]

06

등식 $(2+i)x+(3-2i)y=4+9i$를 만족하는 실수 x, y에 대하여 $2x+y$의 값은? [3점]

① 3 ② 5 ③ 8

④ 10 ⑤ 13

07

$(1+i)x-(2i-1)y=-4+2i$를 만족시키는 두 실수 x, y에 대하여 $3x-2y$의 값은? [3점]

① -2　　　　② -1　　　　③ 1

④ 4　　　　⑤ 8

08

복소수 $z=a(2+i)-1+2i$에 대하여 z^2이 실수가 되게 하는 모든 실수 a의 값의 곱은? [3점]

① $-\dfrac{5}{2}$　　　　② -1　　　　③ $\dfrac{1}{2}$

④ 2　　　　⑤ $\dfrac{5}{2}$

09

복소수 z가 $z+\bar{z}=4$, $zi-\bar{z}=0$을 만족시킬 때, $z\bar{z}$의 값은? (단, $i=\sqrt{-1}$이고, $\bar{z}$는 z의 켤레복소수이다.) [3점]

① 1　　　　② 2　　　　③ 4

④ 6　　　　⑤ 8

10

두 복소수 z_1, z_2에 대하여 다음 [보기] 중 옳은 것을 모두 고른 것은? (단, $\bar{z_1}$, $\bar{z_2}$는 각각 z_1, z_2의 켤레복소수이다.) [3점]

│보기│
ㄱ. $z_1=\bar{z_2}$이고 $z_1 z_2=0$이면 $z_1=0$이다.
ㄴ. $z_1=z_2 i$이면 $z_1=z_2=0$이다.
ㄷ. $z_1^2+z_2^2=0$이면 $z_1=z_2=0$이다.

① ㄱ　　　　② ㄴ　　　　③ ㄱ, ㄴ

④ ㄱ, ㄷ　　　　⑤ ㄴ, ㄷ

11

두 복소수 z_1, z_2에 대하여 다음 [보기] 중 옳은 것을 모두 고른 것은? (단, $\bar{z_1}$, $\bar{z_2}$는 각각 z_1, z_2의 켤레복소수이다.) [3점]

│보기│
ㄱ. $z_1=\bar{z_2}$이면 $z_1 z_2$는 실수이다.
ㄴ. $z_1+z_2=0$이면 $\bar{z_1}+\bar{z_2}=0$ 이다.
ㄷ. $z_1 \bar{z_2}=1$이면 $\bar{z_1}+\dfrac{1}{z_1}=\dfrac{1}{z_2}+\bar{z_2}$이다.

① ㄱ　　　　② ㄱ, ㄴ　　　　③ ㄱ, ㄷ

④ ㄴ, ㄷ　　　　⑤ ㄱ, ㄴ, ㄷ

12

$\dfrac{1}{i}+\dfrac{1}{i^2}+\dfrac{1}{i^3}+\dfrac{1}{i^4}+\cdots+\dfrac{1}{i^{97}}+\dfrac{1}{i^{98}}$ 을 간단히 하면? [3점]

① $-1-i$　　　　② $-1+i$　　　　③ 0

④ $1-i$　　　　⑤ $1+i$

13

$\left(\dfrac{1+i}{1-i}\right)^{2015} - \left(\dfrac{1-i}{1+i}\right)^{2013}$ 의 값은? [3점]

① $-i$　　　② $2i$　　　③ i

④ 0　　　⑤ 1

14

이차방정식 $2x^2-x+3=0$의 근이 $x=\dfrac{a\pm\sqrt{b}\,i}{4}$ 일 때, 두 유리수 a, b에 대하여 $a+b$의 값을 구하시오. [3점]

15

x에 대한 이차방정식 $x^2-k(2x-1)+6=0$이 중근을 갖도록 하는 양수 k의 값과 중근 α에 대하여 $k-\alpha$의 값은? [3점]

① -6　　　② -4　　　③ 0

④ 4　　　⑤ 6

16

x에 대한 이차방정식 $x^2-(2k-1)x+k^2-2ak+b=0$이 k의 값에 관계없이 중근을 가질 때, $\dfrac{a}{b}$의 값을 구하시오. [3점]

17

이차방정식 $x^2-6x+3=0$의 두 근을 α, β라 할 때, $\dfrac{1}{\alpha}+\dfrac{1}{\beta}$의 값은? [3점]

① 1　　　② 2　　　③ 3

④ 4　　　⑤ 5

18

이차방정식 $x^2+(a-4)x-4=0$의 두 근의 차가 4가 되게 하는 실수 a의 값은? [3점]

① 3　　　② 4　　　③ 5

④ 6　　　⑤ 7

19

이차방정식 $x^2-(m+2)x+3m-1=0$의 두 근을 α, β라 할 때, $\alpha^2+\beta^2=9$를 만족하는 양수 m의 값을 구하시오. [3점]

20

이차방정식 $x^2-ax+b=0$의 한 근이 $1+i$일 때, 두 실수 a, b에 대하여 $a+b$의 값은? [3점]

① 0   ② 1   ③ 2

④ 3   ⑤ 4

21

이차방정식 $x^2-mx+n=0$의 두 근이 α, β이고, 이차방정식 $x^2-4x+2=0$의 두 근이 $\alpha+\beta$, $\alpha\beta$일 때, m^3+n^3의 값은? [3점]

① 30   ② 33   ③ 36

④ 40   ⑤ 43

22

다항식 $f(x)=x^2+px+q$ (p, q는 실수)가 다음 두 조건을 만족시킨다.

> (가) 다항식 $f(x)$를 $x-1$로 나눈 나머지는 1이다.
>
> (나) 실수 a에 대하여 이차방정식 $f(x)=0$의 한 근은 $a+i$이다.

$p+2q$의 값은? (단, $\sqrt{-1}$) [3점]

① 2   ② 4   ③ 6

④ 8   ⑤ 10

23

이차방정식 $x^2+ax+b=0$의 두 근이 2, α이고 이차방정식 $x^2-bx+(a-3)=0$의 두 근이 -1, β일 때, α, β를 두 근으로 하고 x^2의 계수가 1인 이차방정식은? [3점]

① $x^2-36x-13=0$ ② $x^2-13x-36=0$

③ $x^2-13x+36=0$ ④ $x^2+13x+36=0$

⑤ $x^2+36x+13=0$

24

이차방정식 $x^2-2x+2=0$의 두 근을 α, β라 할 때, $\alpha-1$, $\beta-1$을 두 근으로 하는 이차방정식이 $x^2+ax+b=0$이다. 이때 ab의 값을 구하시오. (단, a, b는 상수) [3점]

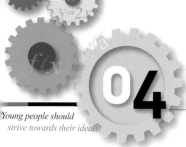

04 이차방정식과 이차함수

이차함수 $y=ax^2+bx+c$의 그래프와 x축의 위치 관계는 방정식 $ax^2+bx+c=0$의 판별식 $D=b^2-4ac$의 부호를 조사한다.

출제경향 이차함수의 그래프와 직선의 위치 관계, 이차함수의 최대, 최소의 의미를 묻는 문제가 출제된다. 이차함수의 그래프와 직선의 위치 관계를 만족시키는 미지수의 범위를 이차방정식의 판별식을 이용하여 구하는 방법, 제한된 범위에서 이차함수의 최댓값과 최솟값을 구하는 방법을 알고 있어야 한다.

핵심개념 1 이차방정식과 이차함수의 그래프의 관계

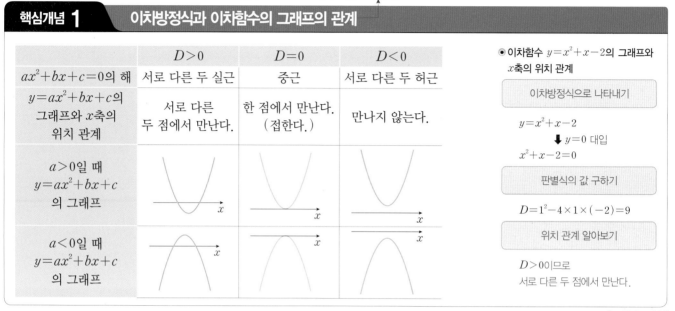

● 이차함수 $y=x^2+x-2$의 그래프와 x축의 위치 관계

이차방정식으로 나타내기

$y=x^2+x-2$

⬇ $y=0$ 대입

$x^2+x-2=0$

판별식의 값 구하기

$D=1^2-4\times1\times(-2)=9$

위치 관계 알아보기

$D>0$이므로
서로 다른 두 점에서 만난다.

[2017학년도 교육청]

01 이차함수 $y=x^2+2(a-4)x+a^2+a-1$ 의 그래프가 x축과 만나지 않도록 하는 정수 a의 최솟값을 구하시오. [3점]

이차함수 $y=ax^2+bx+c$의 그래프와 직선 $y=mx+n$의 위치 관계는 방정식 $ax^2+bx+c=mx+n$의 판별식 D의 부호를 조사한다.

핵심개념 2 이차함수의 그래프와 직선의 위치 관계

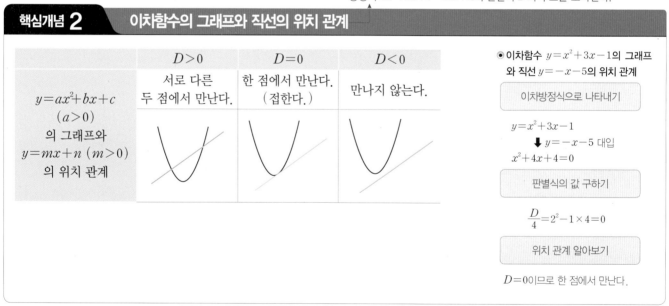

● 이차함수 $y=x^2+3x-1$의 그래프와 직선 $y=-x-5$의 위치 관계

이차방정식으로 나타내기

$y=x^2+3x-1$

⬇ $y=-x-5$ 대입

$x^2+4x+4=0$

판별식의 값 구하기

$\dfrac{D}{4}=2^2-1\times4=0$

위치 관계 알아보기

$D=0$이므로 한 점에서 만난다.

[2015학년도 교육청]

02 이차함수 $y=-x^2+4x$의 그래프와 직선 $y=2x+k$가 적어도 한 점에서 만나도록 하는 실수 k의 최댓값은? [3점]

① $\dfrac{1}{2}$ ② 1 ③ $\dfrac{3}{2}$ ④ 2 ⑤ $\dfrac{5}{2}$

핵심개념 **3** 이차함수 $y=ax^2+bx+c$의 최댓값과 최솟값

(1) 어떤 함수의 함숫값 중에서 가장 큰 값을 그 함수의 최댓값이라 하고, 가장 작은

값을 그 함수의 최솟값이라 한다.

(2) 이차함수의 **최댓값 · 최솟값**

└─ 꼭짓점에서 최대 또는 최소가 되겠지?

이차함수 $y=ax^2+bx+c$를 $y=a(x-p)^2+q$ 꼴로 고쳤을 때

① $a>0$이면

② $a<0$이면

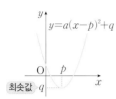

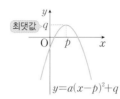

최솟값은 $x=p$일 때 q이고,
최댓값은 없다.

최댓값은 $x=p$일 때 q이고,
최솟값은 없다.

> **중학교에서 배운 내용**
>
> $y=a(x-p)^2+q$ 꼴로 고치는 것은 중학
> 교에서 배운 내용이야. 완전제곱식을 이용
> 하여 변형할 때 가장 중요한 것은 더한 만
> 큼 빼 주는 거야. 그래야 똑같은 식이 되겠
> 지? 다음과 같이 하면 되는 건데 아주 중요
> 하니까 꼭 잊지 말도록 해.
>
> 완전제곱식을 이용한 식의 변형
> $$y=2x^2-4x+3$$
> $$=2(x^2-2x+1-1)+3$$
> $$=2(x^2-2x+1)-2\times1+3$$
> $$=2(x-1)^2+1$$

[2012학년도 교육청]

03 이차함수 $y=x^2-4x+10$의 최솟값은? [2점]

① 6   ② 7   ③ 8   ④ 9   ⑤ 10

핵심개념 **4** 제한된 범위에서 이차함수의 최댓값과 최솟값

x의 값의 범위가 $\alpha\le x\le\beta$일 때, 이차함수 $f(x)=a(x-p)^2+q$의 최댓값과 최솟값은 다음과 같다.

└─ 꼭짓점의 x좌표가 범위에 포함되는지를 살펴보자.

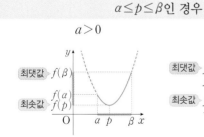

| $\alpha\le p\le\beta$인 경우 | | $p<\alpha$ 또는 $p>\beta$인 경우 | |

꼭짓점의 x좌표가 제한된 범위에 포함되면
⇨ $f(\alpha)$, $f(\beta)$, $f(p)$ 중에서 가장 큰 값이 최댓값이고, 가장 작은
값이 최솟값이다.

꼭짓점의 x좌표가 제한된 범위에 포함되지 않으면
⇨ $f(\alpha)$, $f(\beta)$ 중에서 큰 값이 최댓값이고, 작은 값이
최솟값이다.

04 함수 $f(x)=x^2-4x$ $(1\le x\le4)$의 최댓값은? [3점]

① 0   ② -1 ③ -2 ④ -3 ⑤ -4

이차함수 $y=x^2+(m+1)x+m+1$의 그래프가 x축과 접할 때, 양수 m의 값은? [3점]

① 3   ② 4   ③ 5   ④ 6   ⑤ 7

Act①
판별식을 이용하여 m의 값을 구한다.

해결의 실마리

(1) 이차함수 $y=ax^2+bx+c$의 그래프와 x축의 위치 관계는

   ⇨ 이차방정식 $ax^2+bx+c=0$의 판별식 $D=b^2-4ac$의 부호를 조사한다.

(2) 이차함수 $y=ax^2+bx+c$의 그래프와 x축의 교점의 x좌표는

   ⇨ 이차방정식 $ax^2+bx+c=0$의 실근이다.

> x의 계수가 짝수인 이차방정식 $ax^2+2b'x+c=0$의 근의 판별은 $\dfrac{D}{4}=(b')^2-ac$를 이용하면 계산이 간편해질 거야.

01

[2018학년도 교육청]

이차함수 $y=x^2-5x+k$의 그래프와 x축이 서로 다른 두 점에서 만나도록 하는 자연수 k의 최댓값은? [3점]

① 4   ② 6   ③ 8

④ 10   ⑤ 12

02

이차함수 $f(x)=x^2+2(2a-k)x+k^2-3k+b$의 그래프가 실수 k의 값에 관계없이 항상 x축에 접할 때, 두 상수 a, b에 대하여 $a+b$의 값은? [3점]

① 1   ② 2   ③ 3

④ 4   ⑤ 5

03

[2013학년도 교육청]

그림은 최고차항의 계수가 1이고 $f(-2)=f(4)=0$인 이차함수 $y=f(x)$의 그래프이다. 방정식 $f(2x-1)=0$의 두 근의 합은? [3점]

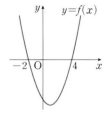

① 1   ② 2

③ 3   ④ 4

⑤ 5

04

최고차항의 계수가 1인 이차함수 $y=f(x)$의 그래프가 오른쪽 그림과 같을 때, 방정식 $f(2x+1)=0$의 두 근의 합은? [3점]

① 0   ② $\dfrac{1}{2}$

③ 1   ④ $\dfrac{3}{2}$ ⑤ 2

기출유형 02 이차함수의 그래프와 직선의 위치 관계와 교점

이차함수 $y=-2x^2+5x$의 그래프와 직선 $y=2x+k$가 적어도 한 점에서 만나도록 하는 실수 k의 최댓값은? [3점]

[2017학년도 교육청]

Act①
두 식을 연립한 이차방정식의 판별식이 $D \geq 0$임을 이용하여 실수 k의 최댓값을 구한다.

① $\dfrac{3}{8}$ ② $\dfrac{3}{4}$ ③ $\dfrac{9}{8}$ ④ $\dfrac{3}{2}$ ⑤ $\dfrac{15}{8}$

해결의 실마리

(1) 이차함수 $y=f(x)$의 그래프와 직선 $y=g(x)$의 위치 관계는
  ⇨ 이차방정식 $f(x)=g(x)$, 즉 $f(x)-g(x)=0$의 판별식의 부호를 조사한다.

(2) 이차함수 $y=ax^2+bx+c$의 그래프와 직선 $y=mx+n$의 교점의 x좌표가 α, β이면
  ⇨ 이차방정식 $ax^2+bx+c=mx+n$, 즉 $ax^2+(b-m)x+c-n=0$의 실근은 $x=\alpha$ 또는 $x=\beta$이다.

05

[2015학년도 교육청]

이차함수 $y=3x^2-4x+k$의 그래프와 직선 $y=8x+12$가 한 점에서 만날 때, 실수 k의 값을 구하시오. [3점]

07

이차함수 $y=x^2+mx+1$의 그래프와 직선 $y=x+n$이 오른쪽 그림과 같을 때, 상수 m, n에 대하여 mn의 값은? [3점]

① 5   ② 6
③ 7   ④ 8
⑤ 9

06

[2008학년도 교육청]

이차함수 $y=x^2+ax+b$의 그래프가 두 직선 $y=-x+4$와 $y=5x+7$에 동시에 접할 때, 두 상수 a, b의 곱 ab의 값을 구하시오. [3점]

08

[2010학년도 수능]

이차함수 $y=x^2+ax+3$의 그래프와 직선 $y=2x+b$가 서로 다른 두 점에서 만나고 두 교점의 x좌표가 -2와 1일 때, $2b-a$의 값을 구하시오. (단, a, b는 상수이다.) [3점]

[2008학년도 국가수준]

모든 실수에서 정의된 이차함수 $f(x)=a(x-1)^2+b$가 최댓값 $3a$를 가질 때, [보기]의 설명 중 옳은 것을 모두 고른 것은? (단, a, b는 상수이다.) [3점]

Act①
이차함수 $f(x)=a(x-1)^2+b$ 의 그래프의 모양, 즉 꼭짓점과 볼록인 방향을 염두에 두고 [보기]의 참, 거짓을 판단한다.

┤보기├

ㄱ. $a<0$ ㄴ. $b=3a$

ㄷ. $y=f(x)$의 그래프는 직선 $x=1$에 대하여 대칭이다.

① ㄱ   ② ㄱ, ㄴ   ③ ㄱ, ㄷ   ④ ㄴ, ㄷ   ⑤ ㄱ, ㄴ, ㄷ

해결의 실마리

(1) 이차함수 $y=ax^2+bx+c$의 최댓값 또는 최솟값은 $y=a(x-p)^2+q$ 꼴로 변형하여 구한다.

(2) 이차함수의 그래프와 x축의 교점의 x좌표가 α, β이면 축의 방정식은 $x=\dfrac{\alpha+\beta}{2}$이다.

즉 $x=\dfrac{\alpha+\beta}{2}$에서 최댓값 또는 최솟값을 갖는다.

$a>0$이면 그래프가 아래로 볼록하므로 $x=p$에서 최 솟값 q, $a<0$이면 그래프가 위로 볼록하므로 $x=p$에서 최댓값 q를 갖는다.

09 [2017학년도 교육청]

이차함수 $y=2x^2-4x+5$의 최솟값은? [3점]

① 3   ② 4   ③ 5

④ 6   ⑤ 7

11 [2008학년도 교육청]

이차함수 $y=-2x^2+ax+b$의 축의 방정식이 $x=1$이고, 최댓값이 3이다. 이때 상수 a, b에 대하여 $a+b$의 값을 구하시오. [3점]

10 [2008학년도 교육청]

어떤 이차함수의 그래프는 x축과 두 점 $(-4, 0)$, $(2, 0)$에서 만나고, 이 이차함수의 최댓값은 18이다. 이 그래프의 y절편을 구하시오. [3점]

12 [2014학년도 교육청]

그림과 같이 이차함수 $y=-x(x-6)$의 그래프가 x축과 만나는 점 중 원점 O가 아닌 점을 A라 하고, 제1사분면에 있는 그래프 위의 점을 P라 하자. 삼각형 $\triangle$OAP의 넓이가 최대일 때, 점 P의 y좌표는? [3점]

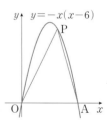

① 6   ② 7   ③ 8

④ 9   ⑤ 10

기출유형 04 제한된 범위에서의 이차함수의 최대·최소

[2015학년도 교육청]

$-2 \leq x \leq 3$에서 이차함수 $y=(x+1)^2-2$의 최댓값을 M, 최솟값을 m이라 할 때, $M+m$의 값은? [3점]

① 10   ② 12   ③ 14   ④ 16   ⑤ 18

Act ①

꼭짓점의 x좌표가 $-2 \leq x \leq 3$에 속하므로 $f(-2)$, $f(-1)$, $f(3)$의 대소를 비교한다.

해결의 실마리

(1) 제한된 범위에서의 이차함수의 최대·최소

x의 범위가 $a \leq x \leq \beta$로 제한된 경우

① 꼭짓점의 x좌표가 제한된 범위에 포함되면 ⇨ 범위의 양끝에서의 함숫값, 꼭짓점의 y좌표 비교

② 꼭짓점의 x좌표가 제한된 범위에 포함되지 않으면 ⇨ 범위의 양끝에서의 함숫값 비교

(2) 치환을 이용한 이차함수의 최대·최소

공통부분이 있는 함수의 최대·최소는

⇨ 공통부분을 치환하여 구한다. 이때 치환한 문자에 대한 범위를 꼭 구한다.

> 이차함수의 그래프는 축에 대하여 좌우대칭이므로 꼭짓점의 y좌표, 축에서 먼 경곗값에서의 함숫값만 비교해도 돼!

13

[2017학년도 교육청]

$0 \leq x \leq 3$에서 함수 $f(x)=2x^2-4x+1$의 최댓값을 구하시오. [3점]

14

[2018학년도 교육청]

$0 \leq x \leq 4$에서 정의된 이차함수 $f(x)=x^2-6x+k$의 최댓값이 17일 때, 이차함수 $f(x)$의 최솟값은? (단, k는 상수이다.) [3점]

① 4   ② 5   ③ 6
④ 7   ⑤ 8

15

[2018학년도 교육청]

$-2 \leq x \leq 3$일 때, 이차함수 $f(x)=2x^2-4x+k$의 최솟값은 1이고 최댓값은 M이다. $k+M$의 값을 구하시오. (단, k는 상수이다.) [3점]

16

[2014학년도 교육청]

$1 \leq x \leq 4$에서 이차함수 $y=(2x-1)^2-4(2x-1)+3$의 최댓값을 M, 최솟값을 m이라 할 때, $M-m$의 값을 구하시오. [3점]

길이가 100 cm인 철사를 모두 이용하여 직사각형을 만들 때, 직사각형의 대각선의 길이의 최솟값은? [3점]

① $20\sqrt{2}$ cm   ② $20\sqrt{3}$ cm   ③ 50 cm   ④ $25\sqrt{2}$ cm   ⑤ $25\sqrt{3}$ cm

Act❶
피타고라스 정리를 이용하여 대각선의 길이를 가로와 세로의 길이로 나타낸다.

Act❷
이차함수의 최대·최소를 이용하여 대각선의 길이의 최솟값을 구한다.

해결의 실마리

이차함수의 최대·최소의 활용 문제는

① 문제에 적합하도록 미지수 x, y를 정하고 조건을 만족하는 범위를 구한다.   ② 조건을 이용하여 x, y에 대한 함수의 식을 세운다.

③ x, y의 범위 안에서 이차함수의 최댓값 또는 최솟값을 구한다.

[2013학년도 교육청]

[17~18] 지면으로부터 35 m의 높이에서 지면과 수직인 방향으로 30 m/s의 속력으로 쏘아 올린 물체의 x초 후의 지면으로부터 높이를 $f(x)$라 할 때, 다음 식이 성립한다고 한다.

$$f(x)=-5x^2+30x+35$$

17

물체가 처음으로 지면으로부터 75 m의 높이에 도달하는데 걸리는 시간은? [3점]

① 1초   ② 2초   ③ 3초

④ 4초   ⑤ 5초

18

그림과 같이 이차함수 $y=\dfrac{1}{5}f(x)$의 그래프가 x축의 양의 부분과 만나는 점을 A, 이 그래프의 꼭짓점을 B라 할 때, 삼각형 OAB의 넓이는? (단, O는 원점이다.) [3점]

① 41   ② 46

③ 51   ④ 56   ⑤ 61

19

[2014학년도 교육청]

처음 속도 v_0으로 지면과 수직하게 위로 던져진 물체의 운동은 위쪽을 (＋) 방향으로 하면 처음 속도의 방향과 가속도의 방향이 반대가 되어 가속도가 $-g$인 등가속도 직선운동을 한다. 이때 시간 t초에 대한 물체의 높이 $h(\text{m})$는

$$h=v_0t-\dfrac{1}{2}gt^2 \ (g: \text{천체의 중력가속도})$$

이다. 지구에서의 중력가속도가 $10(\text{m/s}^2)$일 때 처음 속도 $10(\text{m/s})$로 던져진 물체의 높이 $h(\text{m})$의 최댓값은 M_1, 목성의 한 위성에서의 중력가속도가 $6(\text{m/s}^2)$일 때 처음 속도 $10(\text{m/s})$로 던져진 물체의 높이 $h(\text{m})$의 최댓값은 M_2이다. M_2-M_1의 값은? [3점]

① 3   ② $\dfrac{10}{3}$ ③ $\dfrac{11}{3}$

④ 4   ⑤ $\dfrac{13}{3}$

20

그림과 같이 밑변의 길이가 12, 높이가 8인 이등변삼각형 ABC에 내접하는 직사각형 DEFG의 넓이의 최댓값을 구하시오. [3점]

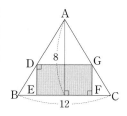

01

이차함수 $y=2x^2+ax-3$의 그래프가 그림과 같을 때, 두 실수 a, b에 대하여 $a+b$의 값은? [3점]

① $\dfrac{11}{2}$ ② 6

③ $\dfrac{13}{2}$ ④ 7

⑤ $\dfrac{15}{2}$

02

이차함수 $y=-x^2+b$의 그래프와 직선 $y=ax+2$가 그림과 같을 때, 두 실수 a, b에 대하여 ab의 값은? [3점]

① -36 ② -30

③ -24 ④ -18

⑤ -12

03

이차함수 $y=x^2+2(k-2)x+k^2$의 그래프가 x축과 서로 다른 두 점에서 만나도록 하는 실수 k의 값의 범위는? [3점]

① $k<-1$ ② $k<1$ ③ $k<0$

④ $k>-1$ ⑤ $k>1$

04

이차함수 $y=x^2+2(k-2a)x+k^2-6k+4a^2$의 그래프가 k의 값에 관계없이 x축에 접할 때, 실수 a의 값은? [3점]

① 0 ② $\dfrac{1}{2}$ ③ 1

④ $\dfrac{3}{2}$ ⑤ 2

05

직선 $y=2x$와 이차함수 $y=x^2+4x+m$의 그래프가 만나지 않기 위한 자연수 m의 최솟값은? [3점]

① 1 ② 2 ③ 3

④ 4 ⑤ 5

06

이차함수 $f(x)=-x^2+(a-2)x+b+2$에 대하여 함수 $y=f(x)$의 그래프와 직선 $y=-2x+7$이 점 $(2, 3)$에서 접할 때, $f(1)$의 값을 구하시오. [3점]

07

그림과 같이 최고차항의 계수가 1인 이차함수 $y=f(x)$의 그래프와 직선 $y=x+5$가 두 점 A, B에서 만날 때, $f(5)$의 값은? [3점]

① 22   ② 24

③ 26   ④ 28

⑤ 30

08

이차함수 $f(x)=ax^2+bx+c$가 $x=2$에서 최솟값 -3을 갖고 $f(0)=5$일 때, 세 실수 a, b, c에 대하여 $a+b+c$의 값은? [3점]

① -5 ② -4 ③ -3

④ -2 ⑤ -1

09

그림과 같이 이차함수 $y=-x(x-2)$의 그래프가 x축과 만나는 두 점을 A, B라고 하자. 그래프 위의 점 P에 대하여 삼각형 ABP의 넓이의 최댓값은? (단, 점 P는 제1사분면 위에 있다.) [3점]

① $\dfrac{1}{2}$ ② 1   ③ $\dfrac{3}{2}$

④ 2   ⑤ $\dfrac{5}{2}$

10

$2 \le x \le a$에서 이차함수 $y=x^2-2x-1$의 최댓값이 14일 때, 실수 a의 값은? [3점]

① 3   ② 4   ③ 5

④ 6   ⑤ 7

11

$-2 \le x \le 0$에서 이차함수 $y=ax^2-2ax+b$의 최댓값이 3, 최솟값이 1일 때, 두 실수 a, b에 대하여 $\dfrac{b}{a}$의 값은?

(단, $a<0$) [3점]

① -3 ② -6 ③ -9

④ -12 ⑤ -15

12

$-1 \le x \le 3$에서 정의된 이차함수 $f(x)=x^2-4x+k$의 최댓값과 최솟값의 합이 11일 때, 상수 k의 값은? [3점]

① 1   ② 2   ③ 3

④ 4   ⑤ 5

13

$0 \leq x \leq 3$에서 이차함수 $y = -x^2 + 4x + 1$의 최댓값을 M, 최솟값을 m이라 할 때, $M - m$의 값을 구하시오. [3점]

14

두 실수 a, b에 대하여 $-1 \leq a \leq 2$이고 $2a + b = 4$일 때, ab의 최댓값을 M, 최솟값을 m이라 하면 Mm의 값은? [3점]

① -13 ② -12 ③ -11
④ -10 ⑤ -9

15

이차함수 $f(x) = -x^2 + ax$ $(-1 \leq x \leq 1)$의 최댓값이 4일 때, 함수의 최솟값을 m이라 하면 $a + m$의 값은?
(단, $a \geq 2$) [3점]

① -5 ② -4 ③ -3
④ -2 ⑤ -1

16

$1 \leq x \leq 3$일 때, 함수
$$y = -(x^2 - 4x + 3)^2 + 2(x^2 - 4x + 3) + 4$$
의 최댓값과 최솟값의 합을 구하시오. [3점]

17

$-2 \leq x \leq 5$에서 정의된 이차함수 $f(x) = -x^2 + ax + b$가 다음 조건을 만족시킨다.

> (가) $f(0) = f(4)$
> (나) 함수 $f(x)$의 최댓값은 7이다.

$-2 \leq x \leq 5$에서 함수 $f(x)$의 최솟값은? [3점]

① -9 ② -8 ③ -7
④ -6 ⑤ -5

18

그림과 같이 $\angle B = 90°$, $\overline{AB} = 2$, $\overline{BC} = 4$인 직각삼각형 ABC에서 점 P가 변 AC 위를 움직일 때, $\overline{PB}^2 + \overline{PC}^2$의 최솟값은? [3점]

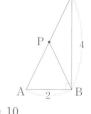

① $\dfrac{42}{5}$ ② $\dfrac{44}{5}$
③ $\dfrac{46}{5}$ ④ $\dfrac{48}{5}$
⑤ 10

Ⅱ. 방정식과 부등식

05 여러 가지 방정식

출제경향 삼차방정식과 사차방정식의 해, 연립이차방정식의 해를 구하는 문제가 출제된다. 인수분해 공식이나 인수정리를 이용한 방정식의 풀이 방법, 방정식의 실근과 허근의 성질, 연립이차방정식의 풀이 방법을 알고 있어야 한다.

핵심개념 1 　 인수분해를 이용한 삼차, 사차방정식의 풀이

(1) 방정식 $P(x)=0$에서 다항식 $P(x)$가 x에 대한 삼차식, 사차식일 때, 방정식 $P(x)=0$을 각각 x에 대한 삼차방정식, 사차방정식이라 한다.

　　└─ 삼차 이상의 방정식을 통틀이 고차방정식이라 해.

(2) 인수분해를 이용한 삼차, 사차방정식의 풀이

　① 방정식 $P(x)=0$을 풀 때는 $P(x)$를 일차식 또는 이차식의 곱으로 인수분해한 후, 다음 성질을 이용한다.

　　• $AB=0$이면 $A=0$ 또는 $B=0$

　　• $ABC=0$이면 $A=0$ 또는 $B=0$ 또는 $C=0$

　② 주어진 방정식에 공통부분이 있는 경우

　　• 공통부분을 한 문자로 바꾸어서 식을 간단히 한 후 인수분해한다. $\begin{array}{l}(x^2+x)^2-8(x^2+x)+12=0 \\ \rightarrow X^2-8X+12=0\end{array}$

　　• 복이차방정식($x^4+ax^2+b=0$ 꼴)은 $x^2=X$로 놓고 인수분해한다. $\rightarrow \begin{array}{l}x^4-2x^2-3=0 \\ \rightarrow X^2-2X-3=0\end{array}$

● $x^3-1=0$은 x에 대한 삼차방정식이고, $x^4-3x^2-10=0$은 x에 대한 사차방정식이다.

[2016학년도 교육청]

01 사차방정식 $(x^2-3x)^2+5(x^2-3x)+6=0$의 모든 실근의 곱은? [3점]

　① -4　　　　② -1　　　　③ 2　　　　④ 5　　　　⑤ 8

핵심개념 2 　 인수정리와 조립제법을 이용한 삼차, 사차방정식의 풀이

삼차방정식, 사차방정식에서 인수분해 공식을 적용할 수 없을 때는 인수정리와 조립제법을 이용하여 인수분해한다. 즉

> 다항식 $P(x)$에 대하여 $P(\alpha)=0$이면 $P(x)$는 $x-\alpha$를 인수로 갖는다.

를 이용하여

step 1. $P(\alpha)=0$이 되는 α의 값을 찾은 다음

step 2. $P(x)=(x-\alpha)Q(x)$ 꼴로 인수분해하여 푼다.

　　이때 몫 $Q(x)$는 조립제법으로 찾는 것이 편리하다.

방정식 $P(x)=0$에서 $P(\alpha)=0$을 만족하는 α의 값은

$$\pm\frac{(P(x)의\ 상수항의\ 양의\ 약수)}{(P(x)의\ 최고차항의\ 계수의\ 양의\ 약수)}$$

중에서 찾는다. 예를 들어 $x^4-5x^2-6x-2=0$인 경우 상수항의 양의 약수는 1, 2이고 최고차항의 계수의 양의 약수는 1이므로 ±1, ±2 중에서 α의 값을 찾는다.

[2016학년도교육청]

02 사차방정식 $x^4-5x^3+5x^2+5x-6=0$의 네 실근 중 가장 작은 것을 α, 가장 큰 것을 β라 할 때, $\beta-\alpha$의 값은? [3점]

　① 1　　　　② 2　　　　③ 3　　　　④ 4　　　　⑤ 5

핵심개념 3 　 방정식의 허근의 성질

(1) 이차방정식이 두 허근 z_1, z_2를 가지면 서로 켤레이므로

$$\Rightarrow z_1 = \overline{z_2},\ z_2 = \overline{z_1}$$

(2) 삼차방정식 $x^3 = 1$의 한 허근을 ω라 하면 다음이 성립한다.

　(단, $\overline{\omega}$는 ω의 켤레복소수)

　① $\omega^3 = 1$, $\omega^2 + \omega + 1 = 0$　　② $\omega + \overline{\omega} = -1$, $\omega\overline{\omega} = 1$

　③ $\omega^2 = \overline{\omega} = \dfrac{1}{\omega}$

(3) (2)와 마찬가지로 삼차방정식 $x^3 = -1$의 한 허근을 ω라 하면 다음이 성립한다.

　(단, $\overline{\omega}$는 ω의 켤레복소수)

　① $\omega^3 = -1$, $\omega^2 - \omega + 1 = 0$　　② $\omega + \overline{\omega} = 1$, $\omega\overline{\omega} = 1$

　③ $\omega^2 = -\overline{\omega} = -\dfrac{1}{\omega}$

① ω는 $x^3 = 1$의 근이므로

　$\omega^3 = 1$　　$\cdots\cdots$ ㉠

　$x^3 - 1 = (x-1)(x^2+x+1) = 0$에서

　한 허근이 ω이므로 $\omega^2 + \omega + 1 = 0$

② 실계수 이차방정식 $x^2 + x + 1 = 0$에서

　한 허근이 ω이면 그 켤레복소수 $\overline{\omega}$도

　근이 되므로 이차방정식의 근과 계수

　의 관계에서

　두 근의 합 : $\omega + \overline{\omega} = -1$

　두 근의 곱 : $\omega\overline{\omega} = 1$ $\cdots\cdots$ ㉡

③ ㉠, ㉡의 양변을 ω로 나누면

　$\omega^2 = \overline{\omega} = \dfrac{1}{\omega}$

방정식 $x^3 + 1 = (x+1)(x^2-x+1) = 0$ 의 한 허근 ω에 대한 성질도 (2)와 마찬가지 방법으로 증명할 수 있다.

03 x에 대한 삼차방정식 $x^3 + ax^2 + bx - 5 = 0$에서 한 근이 $2 + i$일 때, 실수 a, b의 합 $a + b$의 값을 구하시오. (단, $i = \sqrt{-1}$) [3점]

[2016학년도 교육청]

04 삼차방정식 $x^3 + x^2 + x - 3 = 0$의 두 허근을 α, β라 할 때, $(\alpha - 1)(\beta - 1)$의 값은? [3점]

① 6　　　　② 7　　　　③ 8　　　　④ 9　　　　⑤ 10

핵심개념 4 　 연립이차방정식의 풀이

(1) 일차방정식과 이차방정식으로 이루어진 연립이차방정식

　일차방정식을 한 미지수에 대하여 정리하고, 이것을 이차방정식에 대입하여 푼다.

$$\begin{cases} (일차식) = 0 & \cdots\cdots ㉠ \\ (이차식) = 0 & \cdots\cdots ㉡ \end{cases}$$
미지수가 2개
$$\rightarrow \begin{cases} (이차식) = 0 \\ \text{미지수가 1개} \end{cases}$$

(2) 두 이차방정식으로 이루어진 연립이차방정식

　인수분해를 이용하여 일차방정식과 이차방정식으로 이루어진 연립이차방정식으로 고쳐서 푼다.

$$\begin{cases} (이차식) = 0 \\ (이차식) = 0 \end{cases} \rightarrow \begin{cases} (이차식)(이차식) = 0 \\ (이차식) = 0 \end{cases} \rightarrow \begin{cases} (일차식) = 0 \\ (일차식) = 0 \end{cases} \text{또는} \begin{cases} (일차식) = 0 \\ (일차식) = 0 \end{cases}$$

㉠을 한 미지수에 대하여 정리한 후 ㉡에 대입하면 미지수가 1개인 이차방정식이 만들어지므로 해를 구할 수 있겠지?

[2017학년도 교육청]

05 연립방정식 $\begin{cases} y = 2x + 3 \\ x^2 + y = 2 \end{cases}$ 의 해를 $x = a$, $y = b$라 할 때, $a + 3b$의 값은? [3점]

① -2　　　　② -1　　　　③ 0　　　　④ 1　　　　⑤ 2

[2015학년도 교육청]

삼차방정식 $x^3-2x^2+3x-2=0$의 두 허근을 α, β라 할 때, $\dfrac{1}{\alpha}+\dfrac{1}{\beta}$의 값은? [3점]

① $\dfrac{1}{6}$　　② $\dfrac{1}{3}$　　③ $\dfrac{1}{2}$　　④ $\dfrac{2}{3}$　　⑤ $\dfrac{5}{6}$

Act ❶
인수정리와 조립제법을 이용하여 인수분해한다.

Act ❷
근과 계수의 관계를 이용하여 $\dfrac{1}{\alpha}+\dfrac{1}{\beta}$의 값을 구한다.

해결의 실마리

방정식 $P(x)=0$을 풀 때는 $P(x)$를 일차식 또는 이차식의 곱으로 인수분해하여 푼다.

삼차방정식, 사차방정식에서 인수분해 공식을 적용할 수 없을 때는 인수정리와 조립제법을 이용하여 인수분해한다. 즉

| $P(\alpha)=0$이 되는 α의 값 찾기 | ➡ | $P(x)=(x-\alpha)Q(x)$ 꼴로 인수분해하기 | ➡ | $P(x)=0$의 근 구하기 |

α의 값은 $\pm\dfrac{(P(x)\text{의 상수항의 양의 약수})}{(P(x)\text{의 최고차항의 계수의 양의 약수})}$ 에서 찾는다.

01

[2018학년도 교육청]

x에 대한 삼차방정식 $ax^3+x^2+x-3=0$의 한 근이 1일 때, 나머지 두 근의 곱은? (단, a는 상수이다.) [3점]

① 1　　② 2　　③ 3
④ 4　　⑤ 5

03

[2014학년도 교육청]

사차방정식 $x^4-6x^3+15x^2-22x+12=0$의 모든 실근의 합을 구하시오. [3점]

02

[2017학년도 교육청]

x에 대한 사차방정식 $x^4-x^3+ax^2+x+6=0$의 한 근이 -2일 때, 네 실근 중 가장 큰 것을 b라 하자. $a+b$의 값은? (단, a는 상수이다.) [3점]

① -7　　② -6　　③ -5
④ -4　　⑤ -3

04

[2017학년도 교육청]

삼차방정식 $x^3-2x^2-5x+6=0$의 세 실근 α, β, γ $(\alpha<\beta<\gamma)$에 대하여 $\alpha+\beta+2\gamma$의 값은? [3점]

① 3　　② 4　　③ 5
④ 6　　⑤ 7

기출유형 02   치환을 이용한 사차방정식의 풀이

사차방정식 $(x^2+x-1)(x^2+x+3)-5=0$의 서로 다른 두 허근을 α, β라 할 때, $\alpha\bar{\alpha}+\beta\bar{\beta}$의 값은?

(단, $\bar{z}$는 z의 켤레복소수이다.) [3점]

① 4   ② 5   ③ 6   ④ 7   ⑤ 8

Act ①
공통부분을 한 문자로 바꾸어서 식을 간단히 한 후 인수분해한다.

Act ②
두 허근 α, β는 켤레복소수이므로 $\bar{\alpha}=\beta$, $\bar{\beta}=\alpha$를 이용하여 $\alpha\bar{\alpha}+\beta\bar{\beta}$의 값을 구한다.

해결의 실마리

(1) 주어진 방정식에 공통부분이 있는 경우 ⇨ 공통부분을 한 문자로 바꾸어서 식을 간단히 한 후 인수분해하여 푼다.

| 공통부분을 X로 치환하여 X에 대한 이차방정식 풀기 | ➡ | X에 치환하기 전의 공통부분을 대입하여 x에 대한 이차방정식 풀기 |

(2) 복이차방정식($x^4+ax^2+b=0$ 꼴)은 $x^2=X$로 놓고 인수분해한다.

중요

공통부분이 보이지 않으면??
상수항의 합이 같은 두 일차식끼리 곱하여 공통부분을 만든 다음 풀면 돼.
예를 들어 $x(x+1)(x+2)(x+3)=24$를
$\{x(x+3)\}\{(x+1)(x+2)\}=24$, $(x^2+3x)(x^2+3x+2)=24$
처럼 상수항의 합이 같은 두 일차식끼리 곱해서 공통부분 x^2+3x를 만드는 거야.

05
[2010학년도 교육청]

사차방정식 $(x^2+x)^2+(x^2+x)-6=0$의 두 실근을 α, β, 두 허근을 γ, δ라 할 때, $\gamma\delta-\alpha\beta$의 값은? [3점]

① 2   ② 3   ③ 4

④ 5   ⑤ 6

07
[2013학년도 교육청]

방정식 $(x^2-4x+3)(x^2-6x+8)=120$의 한 허근을 ω라 할 때, $\omega^2-5\omega$의 값은? [4점]

① -16 ② -14 ③ -12

④ -10 ⑤ -8

06
[2011학년도 교육청]

사차방정식 $x(x-1)(x-2)(x-3)-24=0$의 모든 허근의 곱은? [3점]

① -4 ② -2 ③ 2

④ 4   ⑤ 6

08

방정식 $(x+1)(x+2)(x+3)(x+4)-8=0$의 두 실근의 곱을 a, 두 허근의 곱을 b라 할 때, $b-a$의 값을 구하시오. [3점]

[2017학년도 교육청]

삼차방정식 $x^3+x^2+x-3=0$의 두 허근을 각각 z_1, z_2라 할 때, $z_1\overline{z_1}+z_2\overline{z_2}$의 값은? (단, $\overline{z_1}$, $\overline{z_2}$는 각각 z_1, z_2의 켤레복소수이다.) [3점]

Act❶
이차방정식의 두 허근을 z_1, z_2라 하면 $\overline{z_1}=z_2$, $\overline{z_2}=z_1$임을 이용한다.

① 2 ② 4 ③ 6 ④ 8 ⑤ 10

해결의 실마리

(1) 이차방정식이 두 허근 z_1, z_2를 가지면 서로 켤레이므로 ⇨ $\overline{z_1}=z_2$, $\overline{z_2}=z_1$

(2) 이차방정식 $ax^2+bx+c=0$의 한 허근이 z이면 이와 켤레인 $\overline{z}$도 이 방정식의 근이므로 ⇨ 근과 계수의 관계에서 $z+\overline{z}=-\dfrac{b}{a}$, $z\overline{z}=\dfrac{c}{a}$

(3) 삼차방정식 $x^3=1$, 즉 $(x-1)(x^2+x+1)=0$의 한 허근을 ω라 하면 (단, $\overline{\omega}$는 ω의 켤레복소수)

  ① $\omega^3=1$, $\omega^2+\omega+1=0$ ← 근의 정의 ② $\omega+\overline{\omega}=-1$, $\omega\overline{\omega}=1$ ← 이차방정식의 근과 계수의 관계

  ③ $\omega^2=\overline{\omega}=\dfrac{1}{\omega}$ ← $\omega^3=1$의 양변을 ω로 나누면 $\omega^2=\dfrac{1}{\omega}$, $\omega\overline{\omega}=1$의 양변을 ω로 나누면 $\overline{\omega}=\dfrac{1}{\omega}$

(4) (3)과 마찬가지로 삼차방정식 $x^3=-1$, 즉 $(x+1)(x^2-x+1)=0$의 한 허근을 ω라 하면 (단, $\overline{\omega}$는 ω의 켤레복소수)

  ① $\omega^3=-1$, $\omega^2-\omega+1=0$ ② $\omega+\overline{\omega}=1$, $\omega\overline{\omega}=1$ ③ $\omega^2=-\overline{\omega}=-\dfrac{1}{\omega}$

09

[2006학년도 교육청]

삼차방정식 $x^3+1=0$의 한 허근을 α라 할 때, 옳은 내용을 [보기]에서 모두 고른 것은? (단, $\overline{\alpha}$는 α의 켤레복소수이다.) [3점]

┌─ **보기** ────────────────────┐
ㄱ. $\alpha^2-\alpha+1=0$ ㄴ. $\alpha+\overline{\alpha}=\alpha\overline{\alpha}=1$
ㄷ. $\alpha^3+(\overline{\alpha})^3=\alpha^2+(\overline{\alpha})^2$
└──────────────────────────┘

① ㄱ ② ㄱ, ㄴ ③ ㄱ, ㄷ
④ ㄴ, ㄷ ⑤ ㄱ, ㄴ, ㄷ

10

$x^3=-1$의 한 허근을 ω라 할 때, $\dfrac{\omega}{1-\omega}+\dfrac{\overline{\omega}}{1-\overline{\omega}}$의 값은? [3점]

① -3 ② -1 ③ 1
④ 3 ⑤ 5

11

[2016학년도 교육청]

방정식 $x^3+8=0$의 근 중 허수부분이 양수인 근을 α라 하자. $\alpha-\overline{\alpha}$의 값은? (단, $i=\sqrt{-1}$이고, $\overline{\alpha}$는 α의 켤레복소수이다.) [3점]

① $-2\sqrt{3}\,i$ ② $-\sqrt{3}\,i$ ③ $\sqrt{3}\,i$
④ $2\sqrt{3}\,i$ ⑤ $4\sqrt{3}\,i$

12

삼차방정식 $x^3=1$의 두 허근을 α, β라 할 때,

$$\dfrac{1}{\alpha+\beta}+\dfrac{1}{\alpha^2+\beta^2}+\dfrac{1}{\alpha^3+\beta^3}+\cdots+\dfrac{1}{\alpha^{12}+\beta^{12}}$$

의 값은? [3점]

① -6 ② -2 ③ 2
④ 6 ⑤ 10

기출유형 04 일차방정식과 이차방정식으로 이루어진 연립이차방정식

[2015학년도 교육청]

두 양수 α, β에 대하여 $x=\alpha$, $y=\beta$가 연립이차방정식 $\begin{cases} 2x-y=-3 \\ 2x^2+y^2=27 \end{cases}$ 의 해일 때, $\alpha \times \beta$의 값은? [3점]

① 1 ② 2 ③ 3 ④ 4 ⑤ 5

Act ❶
일차방정식을 한 문자에 대하여 정리한 후 이차방정식에 대입하여 푼다.

해결의 실마리

일차방정식과 이차방정식을 연립하는 경우
⇨ 일차방정식을 한 문자에 대하여 정리한 후 이차방정식에 대입하여 푼다.

13

[2018학년도 교육청]

연립방정식 $\begin{cases} 3x-y=0 \\ x^2+y^2=90 \end{cases}$ 의 해를 $x=a$, $y=b$라 할 때, 두 수 a, b의 곱 ab의 값은? [3점]

① 24 ② 27 ③ 30
④ 33 ⑤ 36

15

[2017학년도 교육청]

x, y에 대한 연립방정식 $\begin{cases} x+y=k \\ xy+2x-1=0 \end{cases}$ 이 오직 한 쌍의 해를 갖도록 하는 모든 실수 k의 값의 합은? [3점]

① -5 ② -4 ③ -3
④ -2 ⑤ -1

14

[2016학년도 교육청]

연립방정식 $\begin{cases} x-y=3 \\ xy+x+1=0 \end{cases}$ 의 해를 $x=a$, $y=b$라 할 때, $a+b$의 값은? [3점]

① -1 ② -2 ③ -3
④ -4 ⑤ -5

16

[2018학년도 교육청]

x, y에 대한 두 연립방정식 $\begin{cases} 3x+y=a \\ 2x+2y=1 \end{cases}$, $\begin{cases} x^2-y^2=-1 \\ x-y=b \end{cases}$ 의 해가 일치할 때, 두 상수 a, b에 대하여 ab의 값은? [3점]

① 1 ② 2 ③ 3
④ 4 ⑤ 5

연립방정식 $\begin{cases} x^2-3xy+2y^2=0 \\ x^2+3xy-4y^2=6 \end{cases}$ 의 해를 $x=\alpha$, $y=\beta$라 할 때, $\alpha\beta$의 값은? [3점]

① 1 ② 2 ③ 3 ④ 4 ⑤ 5

Act①

어느 한 이차방정식이 인수분해되는 경우 인수분해하여 얻은 각각의 일차방정식과 다른 이차방정식을 연립하여 푼다.

해결의 실마리

(1) 어느 한 이차방정식이 인수분해되는 경우 ⇨ 인수분해하여 얻은 각각의 일차방정식과 다른 이차방정식을 연립하여 푼다.

(2) 두 이차방정식이 모두 인수분해되지 않고, xy항이 있으면 ⇨ 상수항을 소거한다.

(3) 두 이차방정식이 모두 인수분해되지 않고, xy항이 없으면 ⇨ 이차항을 소거한다.

17 [2016학년도 교육청]

연립방정식 $\begin{cases} x^2+y^2=0 \\ 4x^2+y^2=4xy \end{cases}$ 의 해를 $x=\alpha$, $y=\beta$라 할 때, $\alpha\beta$의 값은? [3점]

① 16 ② 17 ③ 18
④ 19 ⑤ 20

18 [2018학년도 교육청]

연립방정식 $\begin{cases} x^2-3xy^2+2y^2=0 \\ 2x^2-y^2=2 \end{cases}$ 의 해를 $x=\alpha$, $y=\beta$라 할 때, $\alpha^2+\beta^2$의 최댓값은? [3점]

① 4 ② $\dfrac{9}{2}$ ③ 5
④ $\dfrac{11}{2}$ ⑤ 6

19

연립방정식 $\begin{cases} 16x^2-y^2=-6 \\ 2x^2+xy=-2 \end{cases}$ 의 실근이 $x=\alpha$, $y=\beta$일 때, $|\alpha-\beta|$의 값은? [3점]

① $\sqrt{6}$ ② $2\sqrt{6}$ ③ $3\sqrt{6}$
④ $4\sqrt{6}$ ⑤ $5\sqrt{6}$

20

연립방정식 $\begin{cases} 4x^2-9xy+y^2=-14 \\ x^2-xy+y^2=7 \end{cases}$ 의 해를 $x=\alpha$, $y=\beta$라 할 때, 다음 중 $\alpha+\beta$의 값이 될 수 <u>없는</u> 것은? [3점]

① -5 ② -4 ③ 0
④ 4 ⑤ 5

Very Important Test

칠절한 해설 32쪽

01
다음 중 방정식 $x^4-3x^2-4=0$의 실수인 해는? [3점]

① 0   ② -1 ③ -2

④ -3 ⑤ -4

02
삼차방정식 $x^3+4x^2+6x+4=0$의 두 허근을 α, β라 할 때, $\alpha\beta$의 값은? [3점]

① 2   ② 3   ③ 4

④ 5   ⑤ 6

03
삼차방정식 $x^3+ax^2+bx+12=0$의 중근이 $x=2$일 때, ab의 값을 구하시오. (단, a, b는 실수) [3점]

04
사차방정식 $x^4+2x^3+x^2-2x-2=0$의 두 실근을 a, b라 하고 두 허근을 c, d라 할 때, $ab+cd$의 값은? [3점]

① 1   ② 2   ③ 3

④ 4   ⑤ 5

05
사차방정식 $x^4+ax^2+b=0$의 두 근이 1, $\sqrt{2}$일 때, 나머지 두 근의 곱은? (단, a, b는 상수) [3점]

① $-2\sqrt{2}$ ② -2 ③ $\sqrt{2}$

④ 2   ⑤ 4

06
삼차방정식 $x^3-2x^2+(k-3)x-3k=0$의 근이 모두 실수가 되도록 하는 실수 k의 값의 범위는? [3점]

① $k\geq4$ ② $k\geq\dfrac{1}{4}$ ③ $k\geq0$

④ $k\leq\dfrac{1}{4}$ ⑤ $k\leq4$

07

1을 한 근으로 갖는 삼차방정식 $ax^3+2x^2-2x-a=0$이 1 이외의 실근을 갖게 하는 정수 a의 개수는? [3점]

① 1   ② 2   ③ 3

④ 4   ⑤ 5

08

삼차방정식 $x^3-9(m+1)x+27m=0$이 중근을 갖게 하는 모든 실수 m의 값의 합은? [3점]

① 1   ② $\dfrac{7}{4}$ ③ 3

④ 5   ⑤ $\dfrac{11}{2}$

09

방정식 $x^3+2x^2+ax-10=0$의 한 근이 2일 때, 나머지 두 근을 α, β라 하자. 이때 $\alpha^2+\beta^2$의 값은? [3점]

① 5   ② 6   ③ 7

④ 8   ⑤ 9

10

연립방정식 $\begin{cases} x-y=3 \\ x^2+3xy+y^2=-1 \end{cases}$을 만족하는 x, y에 대하여 xy의 값은? [3점]

① -4 ② -2 ③ -1

④ 2   ⑤ 4

11

연립방정식 $\begin{cases} x-y=-1 \\ 2x^2-xy=2 \end{cases}$의 해를 순서쌍 (x, y)로 나타내면 (a, b), (c, d)일 때, $a+b+c+d$의 값은? [3점]

① 1   ② 2   ③ 3

④ 4   ⑤ 5

12

연립방정식 $\begin{cases} 2x-y=k \\ 2x^2+y^2=4 \end{cases}$가 한 쌍의 해를 가질 때, 양수 k의 값은? [3점]

① $\sqrt{2}$ ② 2   ③ $2\sqrt{2}$

④ $2\sqrt{3}$ ⑤ 4

13

연립방정식 $\begin{cases} 2x-y+k=0 \\ x^2+y^2-3=0 \end{cases}$ 이 오직 한 쌍의 해를 가질 때, 모든 실수 k의 값의 곱은? [3점]

① -15 ② -12 ③ -8

④ -6 ⑤ -2

14

연립방정식 $\begin{cases} x^2-3xy+2y^2=0 \\ x^2+4xy-3y^2=18 \end{cases}$ 의 해를 $x=\alpha$, $y=\beta$라 할 때, $\alpha+\beta$의 최댓값은? [3점]

① 3   ② 4   ③ 5

④ 6   ⑤ 7

15

연립방정식 $\begin{cases} 2x+y=k \\ x^2+y^2=5 \end{cases}$ 의 해가 오직 한 쌍만 존재하도록 하는 모든 실수 k의 값의 합은? [3점]

① 0   ② 1   ③ 2

④ 3   ⑤ 4

16

연립방정식 $\begin{cases} x+2y=1 \\ x^2+xy+y^2=a \end{cases}$ 가 실근을 가질 때, 실수 a의 값의 범위는? [3점]

① $a\geq\dfrac{1}{3}$ ② $a\geq\dfrac{1}{4}$ ③ $a\leq\dfrac{1}{3}$

④ $a\leq1$ ⑤ $a\leq3$

17

연립방정식 $2xy=x^2=y^2-y$를 만족시키는 x, y에 대하여 순서쌍 (x, y)의 개수를 구하시오. [3점]

18

정육면체의 가로의 길이와 세로의 길이를 각각 2씩 줄이고, 높이를 4 줄여서 만든 직육면체의 부피가 32이었다. 이때 처음 정육면체의 한 모서리의 길이를 구하시오. [3점]

06 여러 가지 부등식

출제경향 부등식은 방정식과 함께 문제를 해결하는 중요한 수단이다. 각종 모의고사에서는 연립일차부등식, 절댓값을 포함한 일차부등식, 이차부등식과 연립이차부등식에 대한 문제가 출제되므로 이러한 부등식을 풀 수 있어야 하며, 이차부등식과 이차함수의 관계에 대한 충분한 이해가 필요하다.

핵심개념 1 　 연립일차부등식의 풀이

(1) 연립부등식

① 연립부등식 : 두 개 이상의 부등식을 한 쌍으로 묶어서 나타낸 것을 연립부등식이라 한다. 이때 각각의 부등식이 일차부등식인 연립부등식을 **연립일차부등식**이라 한다.

② 연립부등식의 해 : 연립부등식의 각 부등식을 동시에 만족시키는 미지수의 값 또는 범위

(2) 연립일차부등식의 풀이

각 부등식의 해를 구한다.	→	각 부등식의 해를 수직선 위에 나타낸다.	→	수직선 위의 공통부분을 찾아 연립부등식의 해를 구한다.

연립부등식에서 두 부등식의 공통인 해가 없으면 그 연립부등식의 해는 없다고 한다. 또 공통인 해가 한 개인 경우에는 그 연립부등식의 해를 등호를 사용하여 나타낸다.

⚠️ 부등식 $A < B < C$는 두 부등식 $A < B$와 $B < C$를 하나로 나타낸 것이므로 $\begin{cases} A < B \\ A < C \end{cases}$ 또는 $\begin{cases} A < C \\ B < C \end{cases}$ 꼴로 고치지 않도록 주의한다.

(3) $A < B < C$ 꼴의 연립부등식 : $A < B < C$ 꼴의 연립부등식은 $\begin{cases} A < B \\ B < C \end{cases}$ 꼴로 고쳐서 푼다.

01 연립부등식 $\begin{cases} x - 2 \le 2x \\ 3x - 5 \le 3 - x \end{cases}$ 의 해가 $\alpha \le x \le \beta$일 때, $\alpha^2 + \beta^2$의 값을 구하시오. [3점]

핵심개념 2 　 절댓값을 포함한 일차부등식의 풀이

(1) $|x| < a$, $|x| > a$ 꼴의 일차부등식의 해

실수 x의 절댓값 $|x|$는 수직선 위에서 원점과 x를 나타내는 점 사이의 거리이므로 $a > 0$일 때

(i) $|x| < a$의 해 ⇨ $-a < x < a$

(ii) $|x| > a$의 해 ⇨ $x < -a$ 또는 $x > a$

(2) 절댓값 기호를 포함한 일차부등식의 풀이

일반적으로 $|x-a| + |x-b| < c$와 같이 절댓값을 포함한 일차부등식은 절댓값 기호 안의 식의 값이 0이 되는 x의 값을 경계로 범위를 나누어 푼다.

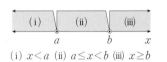

(i) $x < a$ (ii) $a \le x < b$ (iii) $x \ge b$

[2017학년도 교육청]

02 x에 대한 부등식 $|x-2| < a$를 만족시키는 모든 정수 x의 개수가 19일 때, 자연수 a의 값은? [3점]

① 10　　　　② 12　　　　③ 14　　　　④ 16　　　　⑤ 18

[2018학년도 교육청]

03 x에 대한 부등식 $|x-a| < 2$를 만족시키는 모든 정수 x의 값의 합이 33일 때, 자연수 a의 값은? [3점]

① 11　　　　② 12　　　　③ 13　　　　④ 14　　　　⑤ 15

핵심개념 **3** · 이차부등식의 해와 이차함수의 그래프

이차방정식 $ax^2+bx+c=0$ $(a>0)$의 판별식 $D=b^2-4ac$에 대하여

D의 부호	$D>0$	$D=0$	$D<0$
$y=ax^2+bx+c$ $(a>0)$의 그래프	(그래프) α β x	(그래프) α x	(그래프) x
$ax^2+bx+c>0$의 해	$x<\alpha$ 또는 $x>\beta$	$x\neq\alpha$인 모든 실수	모든 실수
$ax^2+bx+c<0$의 해	$\alpha<x<\beta$	없다.	없다.
$ax^2+bx+c\geq0$의 해	$x\leq\alpha$ 또는 $x\geq\beta$	모든 실수	모든 실수
$ax^2+bx+c\leq0$의 해	$\alpha\leq x\leq\beta$	$x=\alpha$	없다.

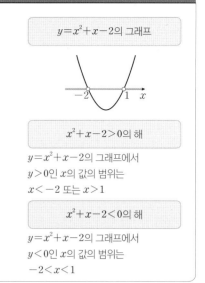

$y=x^2+x-2$의 그래프

$x^2+x-2>0$의 해

$y=x^2+x-2$의 그래프에서
$y>0$인 x의 값의 범위는
$x<-2$ 또는 $x>1$

$x^2+x-2<0$의 해

$y=x^2+x-2$의 그래프에서
$y<0$인 x의 값의 범위는
$-2<x<1$

[2018학년도 교육청]

04 이차부등식 $x^2-6x+5\leq0$의 해가 $\alpha\leq x\leq\beta$일 때, $\beta-\alpha$의 값은? [2점]

① 1   ② 2   ③ 3   ④ 4   ⑤ 5

핵심개념 **4** · 연립이차부등식의 풀이

(1) 연립이차부등식

　연립부등식을 이루는 부등식 중에서 차수가 가장 높은 부등식이 이차부등식인 연립부등식을 연립이차부등식이라 한다.

(2) 연립이차부등식의 풀이

　연립일차부등식을 풀 때와 마찬가지로 연립이차부등식을 이루고 있는 각 부등식의 해를 구한 후에 이들의 공통부분을 구한다.

> 각 부등식의 해를 구한다. → 각 부등식의 해를 수직선 위에 나타낸다. → 수직선 위의 공통부분을 찾아 연립부등식의 해를 구한다.

[2016학년도 교육청]

05 연립부등식 $\begin{cases} x-1\geq2 \\ x^2-5x\leq0 \end{cases}$ 의 해가 $\alpha\leq x\leq\beta$이다. $\alpha^2+\beta^2$의 값을 구하시오. [3점]

[2015학년도 교육청]

06 연립부등식 $\begin{cases} 2x-1\geq7 \\ (x-3)(x-7)\leq0 \end{cases}$ 을 만족시키는 실수 x의 최댓값을 M, 최솟값을 m이라 할 때, $M\times m$의 값을 구하시오. [3점]

기출유형 01   연립일차부등식

[2016학년도 교육청]

Act ❶
각 부등식의 해를 구한 다음 공통부분을 찾아 연립부등식의 해를 구한다.

연립부등식 $\begin{cases} 4x > x-9 \\ x+2 \le 2x-3 \end{cases}$ 을 만족시키는 정수 x의 개수는? [3점]

① 8   ② 9   ③ 10   ④ 11   ⑤ 12

해결의 실마리

(1) 연립일차부등식의 풀이

| 각 부등식의 해를 구한다. | → | 각 부등식의 해를 수직선 위에 나타낸다. | → | 수직선 위의 공통부분을 찾아 연립부등식의 해를 구한다. |

(2) $A < B < C$ 꼴의 연립부등식은 반드시 $\begin{cases} A < B \\ B < C \end{cases}$ 꼴로 고쳐서 푼다.

01

[2017학년도 교육청]

연립부등식 $\begin{cases} 2x < x+9 \\ x+5 \le 5x-3 \end{cases}$ 을 만족시키는 정수 x의 개수는? [3점]

① 3   ② 4   ③ 5
④ 6   ⑤ 7

03

[2012학년도 교육청]

연립부등식 $\begin{cases} 3x-5 < 4 \\ x \ge a \end{cases}$ 를 만족하는 정수 x의 값이 2개일 때, 상수 a의 값의 범위는? [3점]

① $0 \le a < 1$ ② $0 < a \le 1$ ③ $1 < a < 2$
④ $1 \le a < 2$ ⑤ $1 < a \le 2$

02

[2014학년도 교육청]

연립부등식 $\begin{cases} 3(x+4) > 6x \\ x-1 > 0 \end{cases}$ 을 만족시키는 정수 x의 개수는? [3점]

① 1   ② 2   ③ 3
④ 4   ⑤ 5

04

연립부등식 $3x-7 \le 4x-3 < 2(x-4)$를 만족시키는 정수 x의 개수를 구하시오. [3점]

기출유형 **02** 절댓값 기호를 포함한 일차부등식

[2017학년도 교육청]

두 상수 a, b에 대하여 부등식 $|x+a| \leq 8$의 해가 $b \leq x \leq 2$일 때, $a-b$의 값은? [3점]

① 17   ② 18   ③ 19   ④ 20   ⑤ 21

Act①
부등식 $|x| < k$의 해는
$-k < x < k$임을 이용하여 푼다.

해결의 실마리

(1) $|x| < a$, $|x| > a$ 꼴의 일차부등식의 해

    실수 x의 절댓값 $|x|$는 수직선 위에서 원점과 x를 나타내는 점 사이의 거리이므로 $a > 0$일 때

    (i) $|x| < a$의 해 ⇨ $-a < x < a$ (ii) $|x| > a$의 해 ⇨ $x < -a$ 또는 $x > a$

(2) 절댓값 기호를 포함한 일차부등식의 풀이

절댓값 기호 안의 식의 값이 0이 되는 x의 값을 경계로 x의 값의 범위를 나눈다.	⇨	**중요** 각 범위에서 절댓값 기호를 없앤 후 해를 구한다.	⇨	각 범위에서 구한 해를 합한 범위를 구한다.

05

[2018학년도 교육청]

부등식 $|3x-2| \leq a$의 해가 $b \leq x \leq 2$일 때, 두 상수 a, b에 대하여 $a+b$의 값은? (단, $a > 0$) [3점]

① $\dfrac{8}{3}$ ② 3   ③ $\dfrac{10}{3}$

④ $\dfrac{11}{3}$ ⑤ 4

06

[2016학년도 교육청]

x에 대한 부등식 $|x-a| < 5$를 만족시키는 정수 x의 최댓값이 12일 때, 정수 a의 값은? [3점]

① 4   ② 6   ③ 8

④ 10   ⑤ 12

07

[2011학년도 교육청]

부등식 $|x+1| + |x-2| < 5$를 만족하는 정수 x의 개수를 구하시오. [3점]

08

부등식 $|x| + |x-2| \leq 4$를 만족하는 정수 x의 개수를 구하시오. [3점]

[2017학년도 교육청]

이차부등식 $x^2-7x+12 \geq 0$의 해가 $x \leq \alpha$ 또는 $x \geq \beta$일 때, $\beta-\alpha$의 값은? [3점]

① 1   ② 3   ③ 5   ④ 7   ⑤ 9

Act ①

$f(x) \geq 0$의 해는 $y=f(x)$의 그래프가 x축과 만나거나 x축보다 위쪽에 있는 x의 값의 범위를 구한다.

해결의 실마리

(1) 이차부등식의 해

① 부등식 $f(x) < g(x)$의 해 ⇨ $y=f(x)$의 그래프가 $y=g(x)$의 그래프보다 아래쪽에 있는 x의 값의 범위

② 부등식 $f(x) \geq g(x)$의 해 ⇨ $y=f(x)$의 그래프가 $y=g(x)$의 그래프와 만나거나 $y=g(x)$의 그래프보다 위쪽에 있는 x의 값의 범위

(2) 해가 주어진 이차부등식의 작성

① 해가 $\alpha < x < \beta$이고 이차항의 계수가 1인 이차부등식

⇨ $(x-\alpha)(x-\beta) < 0$, 즉 $x^2-(\alpha+\beta)x+\alpha\beta < 0$

② 해가 $x < \alpha$ 또는 $x > \beta$ $(\alpha < \beta)$이고 이차항의 계수가 1인 이차부등식

⇨ $(x-\alpha)(x-\beta) > 0$, 즉 $x^2-(\alpha+\beta)x+\alpha\beta > 0$

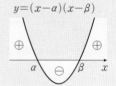

$\alpha < \beta$라 할 때
$(x-\alpha)(x-\beta) > 0$의 해는 ⇨ $x < \alpha$ 또는 $x > \beta$
$(x-\alpha)(x-\beta) < 0$의 해는 ⇨ $\alpha < x < \beta$

09

[2015학년도 교육청]

부등식 $x^2-7x+12 \leq 0$의 해가 $a \leq x \leq b$일 때, $b-a$의 값은? [3점]

① 1   ② 2   ③ 3

④ 4   ⑤ 5

11

[2016학년도 교육청]

이차함수 $f(x)$에 대하여 $f(1)=8$이고 부등식 $f(x) \leq 0$의 해가 $-3 \leq x \leq 0$일 때, $f(4)$의 값은? [3점]

① 56   ② 60   ③ 64

④ 68   ⑤ 72

10

[2016학년도 교육청]

이차부등식 $x^2+ax+b < 0$의 해가 $-1 < x < 5$가 되도록 하는 두 상수 a, b의 곱 ab의 값은? [3점]

① 20   ② 25   ③ 30

④ 35   ⑤ 40

12

[2011학년도 교육청]

x에 대한 이차부등식 $ax^2+bx+c \geq 0$의 해가 오직 $x=3$ 뿐일 때, $bx^2+cx+6a < 0$을 만족시키는 정수 x의 개수는? [3점]

① 1   ② 2   ③ 3

④ 4   ⑤ 5

기출유형 04 | 이차부등식이 항상 성립할 조건

[2014학년도 교육청]

모든 실수 x에 대하여 이차부등식 $x^2-2(k-2)x-k^2+5k-3\geq0$이 성립하도록 하는 모든 정수 k의 값의 합은? [3점]

Act ①
$ax^2+bx+c\geq0$이 항상 성립하면 $a>0$, $D\leq0$임을 이용한다.

① 2   ② 4   ③ 6   ④ 8   ⑤ 10

해결의 실마리

(1) 이차부등식이 항상 성립할 조건
    ① $ax^2+bx+c>0$이 항상 성립 ⇨ $a>0$, $D<0$ ② $ax^2+bx+c\geq0$이 항상 성립 ⇨ $a>0$, $D\leq0$
    ③ $ax^2+bx+c<0$이 항상 성립 ⇨ $a<0$, $D<0$ ④ $ax^2+bx+c\leq0$이 항상 성립 ⇨ $a<0$, $D\leq0$

(2) 제한된 범위에서 이차부등식이 항상 성립할 조건
    ① $\alpha\leq x\leq\beta$에서 $f(x)\leq0$이 성립 ⇨ 주어진 범위에서 $y=f(x)$의 최댓값이 0보다 작거나 같다.
    ② $\alpha\leq x\leq\beta$에서 $f(x)\geq0$이 성립 ⇨ 주어진 범위에서 $y=f(x)$의 최솟값이 0보다 크거나 같다.

13

[2015학년도 교육청]

모든 실수 x에 대하여 부등식 $x^2+6x+a\geq0$이 성립하도록 하는 상수 a의 최솟값은? [3점]

① 1   ② 3   ③ 5
④ 7   ⑤ 9

15

[2015학년도 교육청]

$3\leq x\leq5$인 실수 x에 대하여 부등식 $x^2-4x-4k+3\leq0$이 항상 성립하도록 하는 상수 k의 최솟값은? [3점]

① 1   ② 2   ③ 3
④ 4   ⑤ 5

14

[2016학년도 교육청]

이차함수 $f(x)=x^2-2ax+9a$에 대하여 이차부등식 $f(x)<0$을 만족시키는 해가 없도록 하는 정수 a의 개수는? [3점]

① 9   ② 10   ③ 11
④ 12   ⑤ 13

16

[2011학년도 교육청]

$-1\leq x\leq1$에서 이차부등식 $x^2-2x+3\leq-x^2+k$가 항상 성립할 때, 실수 k의 최솟값을 구하시오. [3점]

연립부등식 $\begin{cases} 2x+1 < x-3 \\ x^2+6x-7 < 0 \end{cases}$ 의 해가 $\alpha < x < \beta$일 때, $\beta-\alpha$의 값을 구하시오. [3점]

[2017학년도 교육청]

Act ①
각 부등식의 해를 구한 후에 이들의 공통부분을 구한다.

해결의 실마리

연립이차부등식의 풀이

연립일차부등식을 풀 때와 마찬가지로 연립이차부등식을 이루고 있는 각 부등식의 해를 구한 후에 이들의 공통부분을 구한다.

각 부등식의 해를 구한다.	→	각 부등식의 해를 수직선 위에 나타낸다.	→	수직선 위의 공통부분을 찾아 연립부등식의 해를 구한다.

---

17 [2018학년도 교육청]

연립부등식 $\begin{cases} x-1 \geq 2 \\ x^2-6x \leq -8 \end{cases}$ 의 해가 $\alpha \leq x \leq \beta$이다. $\alpha+\beta$의 값을 구하시오. [3점]

---

19 [2012학년도 교육청]

연립부등식 $\begin{cases} x^2-2x-3 \leq 0 \\ (x-4)(x-a) \leq 0 \end{cases}$ 을 만족하는 정수 x의 개수가 4개가 되도록 하는 실수 a의 값의 범위는? [3점]

① $-1 \leq a \leq 0$ ② $-1 \leq a < 0$ ③ $-1 < a \leq 0$
④ $0 \leq a < 1$ ⑤ $0 < a \leq 1$

---

18 [2015학년도 교육청]

연립부등식 $\begin{cases} x^2+x \geq 6 \\ x^2+5 < 6x \end{cases}$ 를 만족시키는 정수 x의 개수는? [3점]

① 1   ② 2   ③ 3
④ 4   ⑤ 5

---

20 [2013학년도 교육청]

연립부등식 $\begin{cases} |2x-1| < 5 \\ x^2-5x+4 \leq 0 \end{cases}$ 을 만족시키는 모든 정수 x의 개수는? [3점]

① 1   ② 2   ③ 3
④ 4   ⑤ 5

Very Important Test

01

두 부등식 $x<-2$, $x-3a>-1$을 동시에 만족시키는 정수 x가 존재하지 않을 때, 실수 a의 최솟값은? [3점]

① -2 ② $-\dfrac{5}{3}$ ③ $-\dfrac{4}{3}$

④ -1 ⑤ $-\dfrac{2}{3}$

02

부등식 $|3-2x|<7-x$를 만족시키는 정수 x의 개수는? [3점]

① 6개   ② 7개   ③ 8개

④ 9개   ⑤ 10개

03

부등식 $|2x-a|\leq5$의 해가 $b\leq x\leq3$일 때, $a-b$의 값을 구하시오. [3점]

04

부등식 $|2x-3|\leq k+2$를 만족시키는 실수 x의 최댓값과 최솟값의 곱이 -4일 때, 상수 k의 값은? (단, $k\geq-2$) [3점]

① -2 ② -1 ③ 1

④ 3 ⑤ 5

05

부등식 $|x+3|+2|x-1|<8$의 해가 $\alpha<x<\beta$일 때, 두 상수 α, β에 대하여 $\alpha^2+9\beta^2$의 값을 구하시오. [3점]

06

이차부등식 $ax^2+2bx+10>0$의 해가 $-1<x<5$일 때, 실수 a, b에 대하여 $a+b$의 값은? [3점]

① 2 ② 3 ③ 4

④ 5 ⑤ 6

07

x에 대한 이차부등식 $(2x+1)(x-5) \leq a$의 해가
$\frac{1}{2} \leq x \leq b$일 때, 두 상수 a, b에 대하여 a^2+b^2의 값을 구하시오. [3점]

08

이차부등식 $2x^2+4x-1 \leq 0$의 해가 $\alpha \leq x \leq \beta$일 때,
$\frac{1}{\alpha}+\frac{1}{\beta}$의 값은? [3점]

① 1 ② 2 ③ 3
④ 4 ⑤ 5

09

이차부등식 $-2kx^2+(k+3)x-2 \geq 0$이 한 개의 실근을 갖도록 하는 모든 실수 k의 값의 곱은? [3점]

① 1 ② 3 ③ 5
④ 7 ⑤ 9

10

이차부등식 $x^2-2ax+a+6 \leq 0$의 해가 존재하지 않을 때, 실수 a의 값의 범위는? [3점]

① $-3 < a < -2$ ② $-3 < a < 1$ ③ $-2 < a < 3$
④ $1 < a < 2$ ⑤ $2 < a < 3$

11

이차부등식 $(k+1)x^2-x+k+1 > 0$이 모든 실수 x에 대하여 성립하도록 하는 실수 k의 값의 범위는? [3점]

① $k < -1$ ② $k > -1$ ③ $k > -\frac{1}{2}$
④ $k < -\frac{1}{2}$ ⑤ $k > 0$

12

모든 실수 x에 대하여 이차부등식 $ax^2-2(a-3)x+4 > 0$이 성립하도록 하는 모든 정수 a의 값의 합은? [3점]

① 31 ② 32 ③ 33
④ 34 ⑤ 35

13

연립부등식 $\begin{cases} x^2-2x-8\leq 0 \\ 2x^2-7x+6\geq 0 \end{cases}$ 을 만족시키는 정수 x의 개수는? [3점]

① 5   ② 6   ③ 7

④ 8   ⑤ 9

14

연립부등식 $4x+3\leq x^2+3x+1<9x-4$를 만족시키는 정수 x의 개수는? [3점]

① 1   ② 2   ③ 3

④ 4   ⑤ 5

15

연립부등식 $\begin{cases} x^2-5x-6<0 \\ (x-k)(x-1)\geq 0 \end{cases}$ 의 해가 $1\leq x<6$이 되게 하는 실수 k의 값의 범위는? [3점]

① $k\leq -1$ ② $k<0$ ③ $k\leq 1$

④ $0<k\leq 2$ ⑤ $k\geq 2$

16

연립부등식 $\begin{cases} x^2-x-12\leq 0 \\ x^2-(a+2)x+2a\leq 0 \end{cases}$ 의 정수인 해가 3개가 되도록 하는 실수 a의 값의 범위가 $\alpha<a\leq\beta$ 또는 $\gamma\leq a$일 때, 세 상수 α, β, γ에 대하여 $\alpha+\beta+\gamma$의 값은? [3점]

① -1 ② 0   ③ 1

④ 2   ⑤ 3

17

연립부등식 $\begin{cases} 2x^2<2x+24 \\ x^2-(2k+3)x+k^2+3k+2>0 \end{cases}$ 을 만족시키는 정수 해의 개수가 4가 되도록 하는 k의 개수는? (단, k는 정수) [3점]

① 1   ② 2   ③ 3

④ 4   ⑤ 5

18

연립부등식 $\begin{cases} |2x-7|<k \\ x^2-7x+10\geq 0 \end{cases}$ 을 만족시키는 정수 x의 개수가 4가 되도록 하는 모든 정수 k의 값의 합을 구하시오. [3점]

07 평면좌표

출제경향 기본적인 개념만 알면 풀 수 있는 문제가 출제된다. 두 점 사이의 거리, 선분의 내분점과 외분점의 좌표를 구할 수 있어야 한다.

핵심개념 1 — 두 점 사이의 거리

(1) 수직선 위의 두 점 사이의 거리

수직선 위의 두 점 $A(x_1)$, $B(x_2)$ 사이의 거리는

$$\overline{AB}=|x_2-x_1|$$

(2) 좌표평면 위의 두 점 사이의 거리

좌표평면 위의 두 점 $A(x_1, y_1)$, $B(x_2, y_2)$ 사이의 거리는

$$\overline{AB}=\sqrt{(x_2-x_1)^2+(y_2-y_1)^2}$$

특히 원점 $O(0, 0)$과 점 $A(x_1, y_1)$ 사이의 거리는

$$\overline{OA}=\sqrt{x_1{}^2+y_1{}^2}$$

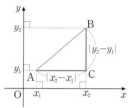

삼각형 ABC는 직각삼각형이므로 피타고라스 정리에 의하여
$$\overline{AB}^2=\overline{AC}^2+\overline{BC}^2$$
$$=(x_2-x_1)^2+(y_2-y_1)^2$$

[2018학년도 교육청]

01 좌표평면 위의 두 점 $A(2, 0)$, $B(0, a)$ 사이의 거리가 $\sqrt{13}$일 때, 양수 a의 값은? [3점]

① 1   ② 2   ③ 3   ④ 4   ⑤ 5

핵심개념 2 — 수직선 위의 선분의 내분점과 외분점

수직선 위의 두 점 $A(x_1)$, $B(x_2)$에 대하여

(1) 선분 AB 위의 점 P에 대하여

$$\overline{AP} : \overline{PB}=m : n \ (m>0, \ n>0)$$

일 때, 점 P는 선분 AB를 $m:n$으로 내분한다고 하고, 점 P를 선분 AB의 내분점이라 한다.

이때 점 P의 좌표는 $P\left(\dfrac{mx_2+nx_1}{m+n}\right)$이고, 특히 선분 AB의 중점 M의 좌표는 $M\left(\dfrac{x_1+x_2}{2}\right)$이다.

(2) 선분 AB의 연장선 위의 점 Q에 대하여

$$\overline{AQ} : \overline{QB}=m : n \ (m>0, \ n>0, \ m\neq n)$$

일 때, 점 Q는 선분 AB를 $m:n$으로 외분한다고 하고, 점 Q를 선분 AB의 외분점이라 한다.

이때 점 Q의 좌표는 $Q\left(\dfrac{mx_2-nx_1}{m-n}\right)$이다.

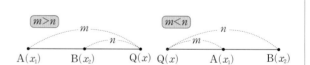

[2014학년도 교육청]

02 수직선 위의 두 점 $A(1)$, $B(7)$에 대하여 선분 AB를 $1:3$으로 내분하는 점을 $P(a)$라 할 때, a의 값은? [2점]

① $\dfrac{3}{2}$ ② 2   ③ $\dfrac{5}{2}$ ④ 3   ⑤ $\dfrac{7}{2}$

[2009학년도 교육청]

03 수직선 위의 두 $A(-1)$, $B(2)$를 이은 선분 AB 를 $3:2$로 외분하는 점 P의 좌표는? [2점]

① $P\left(\dfrac{4}{5}\right)$ ② $P\left(\dfrac{6}{5}\right)$ ③ $P\left(\dfrac{8}{5}\right)$ ④ $P(4)$ ⑤ $P(8)$

핵심개념 3 　좌표평면 위의 선분의 내분점과 외분점

좌표평면 위의 두 점 $A(x_1, y_1)$, $B(x_2, y_2)$에 대하여

(1) 선분 AB를 $m : n$ $(m>0, n>0)$으로 내분하는 점 P는

$$P\left(\frac{mx_2+nx_1}{m+n}\right), \left(\frac{my_2+ny_1}{m+n}\right)$$

특히 선분 AB의 중점 M은 $M\left(\dfrac{x_1+x_2}{2}, \dfrac{y_1+y_2}{2}\right)$

(2) 선분 AB를 $m : n$ $(m>0, n>0)$으로 외분하는 점 Q는

$$Q\left(\frac{mx_2-nx_1}{m-n}, \frac{my_2-ny_1}{m-n}\right) \ (단, m\neq n)$$

[2016학년도 교육청]

04 좌표평면에서 두 점 $O(0, 0)$, $A(8, 0)$에 대하여 선분 OA를 $3 : 1$로 내분하는 점의 좌표는? [3점]

① $(2, 0)$ ② $(3, 0)$ ③ $(4, 0)$ ④ $(5, 0)$ ⑤ $(6, 0)$

[2017학년도 교육청]

05 좌표평면 위의 두 점 $A(3, 4)$, $B(-3, 2)$에 대하여 선분 AB의 중점의 y 좌표는? [2점]

① 1   ② 2   ③ 3   ④ 4   ⑤ 5

06 좌표평면 위의 두 점 $A(2, 4)$, $B(-2, 5)$에 대하여 선분 AB 를 $1 : 2$ 로 외분하는 점의 좌표를 (x, y)라 할 때, xy 의 값을 구하시오. [3점]

핵심개념 4 　삼각형의 무게중심

세 점 $A(x_1, y_1)$, $B(x_2, y_2)$, $C(x_3, y_3)$을 꼭짓점으로 하는
삼각형 ABC의 무게중심 G는

$$G\left(\frac{x_1+x_2+x_3}{3}, \frac{y_1+y_2+y_3}{3}\right)$$

🔖 중학교에서 배운 내용

삼각형의 무게중심은 세 중선을 각 꼭짓점으로부터 $2 : 1$로 내분한다. 삼각형의 무게중심의 성질을 이용한 좌표평면 위의 삼각형의 변의 길이에 관한 문제도 자주 출제되니까 삼각형의 무게중심의 성질은 꼭 알아 둬야 해.

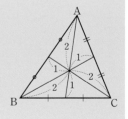

[2013학년도 교육청]

07 좌표평면 위의 세 점 $A(a, 3)$, $B(-1, b)$, $C(4, -5)$를 꼭짓점으로 하는 삼각형 ABC의 무게중심의 좌표가 $(4, 0)$일 때, $a+b$의 값은? [2점]

① 7   ② 8   ③ 9   ④ 10   ⑤ 11

08 세 점 $A(-2, a)$, $B(2, 5)$, $C(b, 3)$을 꼭짓점으로 하는 삼각형 ABC의 무게중심의 좌표가 $G(2a, 4)$일 때, $b-a$의 값을 구하시오. [3점]

유형따라잡기

세 점 A$(2, 4)$, B$(3, 1)$, C$(a, 0)$에 대하여 $\overline{AC}=\overline{BC}$가 되도록 하는 a의 값은? [2점]

① -5　　② -4　　③ -3　　④ -2　　⑤ -1

Act①
두 점 사이의 거리 공식을 이용한다.

해결의 실마리

좌표평면 위의 두 점 A(x_1, y_1), B(x_2, y_2) 사이의 거리는
$$\overline{AB}=\sqrt{(x_2-x_1)^2+(y_2-y_1)^2}$$

01

세 점 A$(3, 2)$, B$(a, -5)$, C$(0, -3)$에 대하여 $\overline{AB}=\overline{BC}$일 때, 상수 a의 값은? [2점]

① 5　　② 7　　③ 9
④ 11　　⑤ 13

02
[2017학년도 교육청]

좌표평면 위의 두 점 A$(2, 0)$, B$(0, 5)$에 대하여 선분 AB의 길이를 l이라 할 때, l^2의 값을 구하시오. [3점]

03
[2016학년도 교육청]

좌표평면에서 두 점 A$(a, 3)$, B$(2, 1)$ 사이의 거리가 $\sqrt{13}$일 때, 양수 a의 값은? [3점]

① 1　　② 2　　③ 3
④ 4　　⑤ 5

04
[2012학년도 교육청]

좌표평면 위에 있는 두 점 A$(a-1, 4)$, B$(5, a-4)$ 사이의 거리가 $\sqrt{10}$이 되도록 하는 모든 실수 a의 값의 합을 구하시오. [3점]

기출유형 02 | 두 점에서 같은 거리에 있는 점

직선 $y=x+4$ 위의 점 P(a, b)가 두 점 A$(2, 1)$, B$(-3, 4)$로부터 같은 거리에 있을 때, $a+b$의 값은? [3점]

① 4　　　　② 5　　　　③ 6　　　　④ 7　　　　⑤ 8

Act ①
점 P(a, b)가 직선 $y=x+4$ 위의 점이므로 $b=a+4$로 놓고 두 점 사이의 거리 공식을 이용한다.

해결의 실마리

두 점에서 같은 거리에 있는 점의 좌표

① x축 위에 있는 점의 좌표는 $(a, 0)$으로, y축 위에 있는 점의 좌표는 $(0, b)$로 놓는다.

② 직선 $y=mx+n$ 위에 있는 점의 좌표는 $(a, am+n)$으로 놓는다.

05

두 점 A$(-4, 1)$, B$(-3, -2)$에서 같은 거리에 있는 x축 위의 점 P의 x좌표는? [3점]

① -2　　　② -1　　　③ 0

④ 1　　　　⑤ 2

06

두 점 A$(3, 3)$, B$(5, 1)$에서 같은 거리에 있는 x축 위의 점을 P, y축 위의 점을 Q라 할 때, 선분 PQ의 길이는? [3점]

① $\sqrt{2}$　　　② $2\sqrt{2}$　　　③ $2\sqrt{3}$

④ $3\sqrt{2}$　　　⑤ $2\sqrt{5}$

07

직선 $y=x-1$ 위의 점 P(a, b)에서 두 점 A$(2, -1)$, B$(0, 3)$에 이르는 거리가 같을 때, $a+b$의 값은? [3점]

① 1　　　　② 2　　　　③ 3

④ 4　　　　⑤ 5

08

두 점 A$(2, -3)$, B $(4, 1)$과 직선 $y=x+2$ 위의 점 P(a, b)에 대하여 $\overline{AP}=\overline{BP}$일 때, a^2+b^2의 값은? [3점]

① 1　　　　② 2　　　　③ 3

④ 4　　　　⑤ 5

세 점 O(0, 0), A(3, 1), B(3, −1)에 대하여 $\overline{OP}^2 + \overline{AP}^2 + \overline{BP}^2$의 값이 최소가 되는 점 P의 좌표는? [3점]

Act ①
거리의 제곱의 합의 최솟값은 두 점 사이의 거리를 구하는 공식을 이용하여 이차식을 세운 후, 이차식의 최솟값을 구한다

① (1, 0)   ② (2, 0)   ③ (3, 0)   ④ (4, 0)   ⑤ (5, 0)

해결의 실마리

거리의 제곱의 합의 최솟값은 두 점 사이의 거리를 구하는 공식을 이용하여 이차식을 세운 후, 완전제곱식을 포함하도록 식을 변형하여 푼다. 즉

두 점 A, B와 임의의 점 P(x, y)에 대하여 $\overline{PA}^2 + \overline{PB}^2$의 최솟값은

⇨ $\overline{PA}^2 + \overline{PB}^2$을 $(x-a)^2 + (y-b)^2 + c$ 꼴로 나타낸다.

⇨ 이때 $\overline{PA}^2 + \overline{PB}^2$의 최솟값은 c이고, 최솟값을 가지는 점 P의 좌표는 (a, b)이다.

09

두 점 A(1, −1), B(5, 3)에 대하여 $\overline{PA}^2 + \overline{PB}^2$의 값이 최소가 되는 점 P의 좌표를 (a, b)라 할 때, $a+b$의 값은? [3점]

① 1   ② 2   ③ 3
④ 4   ⑤ 5

11

[2012학년도 교육청]

좌표평면 위의 세 점 O(0, 0), A(3, 0), B(0, 6)을 꼭짓점으로 하는 삼각형 OAB의 내부에 점 P가 있다. 이때 $\overline{OP}^2 + \overline{AP}^2 + \overline{BP}^2$의 최솟값은? [3점]

① 18   ② 21   ③ 24
④ 27   ⑤ 30

10

두 점 A(−1, −2), B(1, 4)와 y축 위의 점 P에 대하여 $\overline{AP}^2 + \overline{BP}^2$의 최솟값을 구하시오. [3점]

12

두 점 A(−2, 0), B(2, 0)과 직선 $y=x+3$ 위의 한 점 P에 대하여 $\overline{PA}^2 + \overline{PB}^2$의 값이 최소일 때, 점 P의 x좌표는? [3점]

① −2   ② $-\dfrac{3}{2}$ ③ −1
④ $-\dfrac{1}{2}$ ⑤ 0

기출유형 04 내분점과 외분점

[2013학년도 교육청]

Act①
내분점과 외분점의 위치를 수직선 위에 나타낸다. 이때 선분 PQ를 $m:n$으로 외분하는 점의 위치는 $m>n$이면 Q의 오른쪽에 있음을 생각한다.

그림과 같이 두 점 $P(\sqrt{2})$, $Q(\sqrt{3})$을 수직선 위에 나타내었다.

세 점 $A\left(\dfrac{\sqrt{2}+\sqrt{3}}{2}\right)$, $B\left(\dfrac{\sqrt{3}+3\sqrt{2}}{1+3}\right)$, $C\left(\dfrac{3\sqrt{3}-\sqrt{2}}{3-1}\right)$를 수직선 위에 나타낼 때, 세 점의 위치를 왼쪽부터 순서대로 나열한 것은? [3점]

① A, B, C   ② A, C, B   ③ B, A, C   ④ B, C, A   ⑤ C, B, A

해결의 실마리

(1) 두 점 $A(x_1, y_1)$, $B(x_2, y_2)$에 대하여

① 선분 AB를 $m:n$으로 내분하는 점 P는 ⇨ $P\left(\dfrac{mx_2+nx_1}{m+n}, \dfrac{my_2+ny_1}{m+n}\right)$

② 선분 AB를 $m:n$으로 외분하는 점 Q는 ⇨ $Q\left(\dfrac{mx_2-nx_1}{m-n}, \dfrac{my_2-ny_1}{m-n}\right)$ (단, $m\neq n$)

(2) 선분 AB를 $m:n$으로 외분하는 점 Q의 위치는

$m>n$이면 ⇨ B의 오른쪽,

$m<n$이면 ⇨ A의 왼쪽이다.

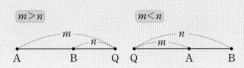

13

[2016학년도 교육청]

좌표평면 위의 두 점 $A(-1, -2)$, $B(5, a)$에 대하여 선분 AB를 $2:1$로 내분하는 점 P의 좌표가 $(b, 0)$일 때, $a+b$의 값은? [3점]

① 1   ② 2   ③ 3

④ 4   ⑤ 5

15

[2015학년도 교육청]

두 점 $A(a, 4)$, $B(-9, 0)$에 대하여 선분 AB를 $4:3$으로 내분하는 점이 y축 위에 있을 때, a의 값은? [3점]

① 6   ② 8   ③ 10

④ 12   ⑤ 14

16

[2005학년도 교육청]

수직선 위에 일정한 간격으로 7개의 점이 있다. 7개의 점을 각각 A, B, C, D, E, F, G라 할 때, [보기]에서 옳은 것을 모두 고른 것은? [3점]

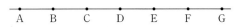

| 보기 |

ㄱ. $\overline{AC}$를 $3:1$로 외분하는 점은 D

ㄴ. $\overline{CD}$를 $2:3$으로 외분하는 점은 F

ㄷ. $\overline{AG}$를 $2:1$로 내분하는 점은 E

14

[2011학년도 교육청]

좌표평면 위의 두 점 $A(2, 4)$, $B(-2, 5)$에 대하여 선분 AB를 $1:2$로 외분하는 점의 좌표를 (x, y)라 할 때, xy의 값을 구하시오. [3점]

① ㄱ   ② ㄷ   ③ ㄱ, ㄴ

④ ㄱ, ㄷ   ⑤ ㄴ, ㄷ

[2012학년도 교육청]

꼭짓점 A의 좌표가 $(1, -2)$인 $\triangle ABC$에서 변 BC의 중점의 좌표가 $(-2, 4)$일 때, $\triangle ABC$의 무게중심의 좌표는? [3점]

① $\left(-\dfrac{1}{2}, 1\right)$ ② $(-1, 2)$ ③ $\left(-\dfrac{3}{2}, 3\right)$ ④ $(0, 0)$ ⑤ $\left(\dfrac{1}{2}, -1\right)$

Act ①
삼각형의 무게중심은 세 중선을 각 꼭짓점으로부터 2 : 1로 내분하는 점임을 생각한다

해결의 실마리

(1) $A(x_1, y_1)$, $B(x_2, y_2)$, $C(x_3, y_3)$을 꼭짓점으로 하는 삼각형 ABC의 무게중심 G는

$$G\left(\frac{x_1+x_2+x_3}{3}, \frac{y_1+y_2+y_3}{3}\right)$$

(2) 삼각형의 무게중심은 세 중선을 각 꼭짓점으로부터 2 : 1로 내분한다.

(3) 삼각형의 각 변의 중점을 이어 만든 삼각형의 무게중심 G'은 원래의 삼각형의 무게중심 G와 일치한다.

17

삼각형 ABC의 두 꼭짓점이 $A(-1, 3)$, $B(0, 4)$이고 무게중심이 $G(1, 2)$일 때, 꼭짓점 C의 좌표는? [2점]

① $(8, -4)$ ② $(6, -3)$ ③ $(4, -1)$
④ $(5, 1)$ ⑤ $(1, 3)$

19

[2009학년도 교육청]

삼각형 ABC의 세 변 AB, BC, CA의 중점이 각각 $(1, 2)$, $(3, 5)$, (a, b)일 때, $\triangle ABC$의 무게중심의 좌표는 $\left(\dfrac{8}{3}, \dfrac{14}{3}\right)$이다. 이때 $a+b$의 값은? [3점]

① 5 ② 7 ③ 9
④ 11 ⑤ 13

18

[2011학년도 교육청]

좌표평면 위의 세 점 $A(a, b)$, $B(1, 3)$, $C(2, 2)$에 대하여 선분 AB의 중점을 M, 선분 CM을 2 : 1로 내분하는 점을 G라 하자. 점 G의 좌표가 $(4, 5)$일 때, $a+b$의 값을 구하시오. [3점]

20

[2013학년도 교육청]

점 $A(1, 6)$을 한 꼭짓점으로 하는 삼각형 ABC의 두 변 AB, AC의 중점을 각각 $M(x_1, y_1)$, $N(x_2, y_2)$라 하자. $x_1+x_2=2$, $y_1+y_2=4$일 때, 삼각형 ABC의 무게중심의 좌표는? [3점]

① $\left(\dfrac{1}{2}, \dfrac{2}{3}\right)$ ② $\left(\dfrac{1}{2}, 1\right)$ ③ $\left(1, \dfrac{2}{3}\right)$
④ $(1, 2)$ ⑤ $(2, 1)$

Very Important Test

01

두 점 $A(-1, a)$, $B(a, 2)$ 사이의 거리가 $\sqrt{17}$일 때, 양수 a의 값은? [2점]

① 1　　　　② 2　　　　③ 3

④ 4　　　　⑤ 5

02

두 점 $A(3, a)$, $B(-1, 2)$ 사이의 거리가 $2\sqrt{5}$일 때, 상수 a의 값을 모두 구하면? [2점]

① -2　　　② $-2, 2$　　　③ 0

④ 4　　　　⑤ 0, 4

03

두 점 $A(4, -1)$, $B(2, 3)$으로부터 같은 거리에 있는 x축 위의 점의 좌표는? [3점]

① $(0, 0)$　　② $(1, 0)$　　③ $(2, 0)$

④ $(3, 0)$　　⑤ $(4, 0)$

04

두 점 $A(-1, 3)$, $B(2, 4)$로부터 같은 거리에 있는 y축 위의 점 P의 좌표는? [3점]

① $(0, 1)$　　② $(0, 2)$　　③ $(0, 3)$

④ $(0, 4)$　　⑤ $(0, 5)$

05

두 점 $A(-1, 1)$, $B(5, 3)$에서 같은 거리에 있는 x축 위의 점을 P, y축 위의 점을 Q라 할 때, $\overline{PQ}$의 길이는? [3점]

① $\dfrac{\sqrt{10}}{3}$　　② $\dfrac{2\sqrt{10}}{3}$　　③ $\dfrac{4\sqrt{10}}{3}$

④ $\dfrac{6\sqrt{10}}{3}$　　⑤ $\dfrac{8\sqrt{10}}{3}$

06

두 점 $A(-2, 4)$, $B(6, -2)$에서 같은 거리에 있는 x축 위의 점을 P, y축 위의 점을 Q라 할 때, 삼각형 OPQ의 넓이는? (단, O는 원점이다.) [3점]

① $\dfrac{5}{12}$　　② $\dfrac{5}{8}$　　③ $\dfrac{5}{6}$

④ $\dfrac{25}{24}$　　⑤ $\dfrac{5}{4}$

07

세 점 $A(-1, 1)$, $B(1, -1)$, $C(a, a)$를 꼭짓점으로
하는 $\triangle ABC$가 정삼각형일 때, 양수 a의 값은? [3점]

① 1   ② $\sqrt{2}$ ③ $\sqrt{3}$
④ 2   ⑤ $\sqrt{5}$

08

두 점 $A(2t, -3)$, $B(-1, 2t)$에 대하여 선분 AB의 길
이의 최솟값은? (단, t는 실수) [3점]

① 1   ② $\sqrt{2}$ ③ $\sqrt{3}$
④ 2   ⑤ $\sqrt{5}$

09

두 점 $A(-3, 4)$, $B(5, 2)$에 대하여 x축 위의 점 P의
좌표가 $(a, 0)$일 때, $\overline{AP}^2 + \overline{BP}^2$은 최솟값 m을 가진다.
이때 $a+m$의 값은? [3점]

① 51   ② 52   ③ 53
④ 54   ⑤ 55

10

두 점 $A(-3, 5)$, $B(5, -3)$을 잇는 선분 AB의 중점
의 좌표는? [2점]

① $(0, 0)$ ② $(0, 1)$ ③ $(1, 0)$
④ $(1, 1)$ ⑤ $(1, 2)$

11

평행사변형 ABCD의 네 꼭짓점이
$$A(-3, 2), B(-1, -2), C(4, 3), D(x, y)$$
일 때, $x+y$의 값은? [3점]

① -3 ② 0   ③ 3
④ 6   ⑤ 9

12

마름모 ABCD의 네 꼭짓점이
$$A(a, 3), B(3, -1), C(7, 4), D(b, 8)$$
일 때, $b-a$의 값을 구하시오. (단, $a<0$) [3점]

13

두 점 A(2, 7), B(−3, 2)에 대하여 선분 AB를 3 : 2로 외분하는 점 Q의 좌표가 (a, b)일 때, $a+b$의 값은? [2점]

① −21   ② −15   ③ −9

④ −3   ⑤ 3

14

수직선 위의 두 점 A, B에 대하여 선분 AB를 2:1로 내분하는 점이 P(3), 선분 AB를 2 : 1로 외분하는 점이 Q(7)이다. 선분 PQ의 중점을 M이라 할 때, 선분 AM의 길이는? [3점]

① 2   ② 4   ③ 6

④ 8   ⑤ 10

15

좌표평면에서 두 점 A$(−1, 4)$, B$(5, −5)$를 이은 선분 AB를 2 : 1로 내분하는 점이 직선 $y=2x+k$ 위에 있을 때, 상수 k의 값은? [3점]

① −8   ② −7   ③ −6

④ −5   ⑤ −4

16

△ABC의 세 꼭짓점 A(2, −1), B(3, 6), C(4, 1)에 대하여 선분 BC의 중점을 M이라 할 때, 선분 AM을 2 : 1로 내분하는 점 G의 좌표는? [3점]

① (2, 1)   ② (2, 2)   ③ (2, 3)

④ (3, 1)   ⑤ (3, 2)

17

꼭짓점 A의 좌표가 $(−1, 5)$인 삼각형 ABC에서 변 BC의 중점의 좌표가 $(−4, −1)$일 때, 삼각형 ABC의 무게중심의 좌표는? [3점]

① $(−3, 1)$ ② $\left(−3, \dfrac{1}{3}\right)$ ③ $(−1, 2)$

④ $(1, 0)$ ⑤ $\left(3, \dfrac{1}{3}\right)$

18

세 점 A(4, 7), B(a, b), C(c, d)를 세 꼭짓점으로 하는 삼각형 ABC의 무게중심의 좌표가 (8, 5)이다. 변 BC의 중점의 좌표를 (p, q)라 할 때, $p+q$의 값을 구하시오. [3점]

Ⅲ. 도형의 방정식

08 직선의 방정식

출제경향 개념만 정확히 알면 풀 수 있는 쉬운 문제가 출제된다. 직선의 방정식, 두 직선의 평행 조건과 수직 조건, 점과 직선 사이의 거리를 알고 이를 구할 수 있어야 한다.

핵심개념 1 직선의 기울기

(1) 두 점 (x_1, y_1), (x_2, y_2)를 지나는 직선에 대하여

$$(기울기) = \frac{(y의\ 증가량)}{(x의\ 증가량)} = \frac{y_2 - y_1}{x_2 - x_1}$$

(2) 직선이 x축의 양의 방향과 이루는 각의 크기가 θ일 때

$$(기울기) = \tan \theta$$

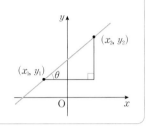

01 세 점 $A(3, 0)$, $B(-1, 4)$, $C(1, a)$가 한 직선 위에 있을 때, a의 값은? [2점]

① -2 ② -1 ③ 0 ④ 1 ⑤ 2

02 세 점 $A(-5, 4)$, $B(7, -2)$, $C\left(k, \frac{1}{2}k+1\right)$이 일직선 위에 있을 때, 실수 k의 값은? [2점]

① 0 ② $\frac{1}{4}$ ③ $\frac{1}{2}$ ④ $\frac{3}{4}$ ⑤ 1

핵심개념 2 직선의 방정식

(1) 기울기가 m, y절편이 n인 직선의 방정식 ⇨ $y = mx + n$

(2) 기울기가 m이고 점 (x_1, y_1)을 지나는 직선의 방정식 ⇨ $y - y_1 = m(x - x_1)$

(3) 두 점 (x_1, y_1), (x_2, y_2)를 지나는 직선의 방정식

⇨ $\begin{cases} x_1 \neq x_2일\ 때\ y - y_1 = \dfrac{y_2 - y_1}{x_2 - x_1}(x - x_1) \\ \\ x_1 = x_2일\ 때\ x = x_1 \end{cases}$

(4) x절편이 a, y절편이 b인 직선의 방정식

⇨ $\dfrac{x}{a} + \dfrac{y}{b} = 1$ (단, $a \neq 0$, $b \neq 0$)

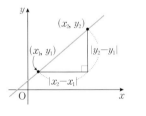
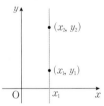

03 두 점 $(1, -3)$, $(-2, 6)$의 중점을 지나고, x축의 양의 방향과 $45°$의 각을 이루는 직선의 방정식은? [2점]

① $y = x + 2$ ② $y = x + 3$ ③ $y = x + 4$ ④ $y = \sqrt{2}x + 2$ ⑤ $y = \sqrt{2}x + 3$

04 두 점 $A(0, -2)$, $B(4, 10)$을 지나는 직선의 방정식을 $y = ax + b$라 할 때, 상수 a, b의 합 $a + b$의 값은? [2점]

① -3 ② -1 ③ 1 ④ 3 ⑤ 5

핵심개념 3 두 직선의 평행과 수직

(1) 두 직선 $y=mx+n$과 $y=m'x+n'$에서

　① 두 직선이 서로 평행하다. $\Rightarrow m=m',\ n\neq n'$

　② 두 직선이 서로 수직이다. $\Rightarrow mm'=-1$

(2) 두 직선 $ax+by+c=0$과 $a'x+b'y+c'=0$에서

　① 두 직선이 서로 평행하다. $\Rightarrow \dfrac{a}{a'}=\dfrac{b}{b'}\neq\dfrac{c}{c'}$

　② 두 직선이 서로 수직이다. $\Rightarrow aa'+bb'=0$

　　└ 두 직선을 $y=mx+n$ 꼴로 바꾸면 두 직선의 기울기는 각각

　　　$-\dfrac{a}{b},\ -\dfrac{a'}{b'}$이지? $\left(-\dfrac{a}{b}\right)\times\left(-\dfrac{a'}{b'}\right)=-1$이므로

　　　$aa'=-bb'$, 즉 $aa'+bb'=0$이 되는 거야.

> $y=mx+n,\ y=m'x+n'$이 서로 수직이면 $y=mx,\ y=m'x$도 서로 수직이야.

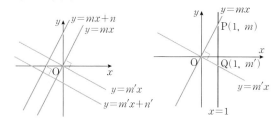

삼각형 OPQ는 직각삼각형이므로 피타고라스 정리에 의해
$(1+m^2)+(1+m'^2)=(m-m')^2$
따라서 $mm'=-1$

[2008학년도 국가수준]

05 두 직선 $ax+3y+5=0$, $3x+ay+5=0$이 평행할 때, 상수 a의 값은? [2점]

① -3　　　　② -1　　　　③ 0　　　　④ 3　　　　⑤ 5

[2007학년도 국가수준]

06 두 점 $A(1,\ -4)$, $B(3,\ 2)$를 지나는 직선과 수직인 직선의 기울기는? [2점]

① -3　　　　② $-\dfrac{1}{3}$　　　　③ -1　　　　④ $\dfrac{1}{3}$　　　　⑤ 3

핵심개념 4 점과 직선 사이의 거리

(1) 점과 직선 사이의 거리

　점 $(x_1,\ y_1)$과 직선 $ax+by+c=0$ 사이의 거리 d는 $d=\dfrac{|ax_1+by_1+c|}{\sqrt{a^2+b^2}}$

　특히 원점과 직선 $ax+by+c=0$ 사이의 거리는 $\dfrac{|c|}{\sqrt{a^2+b^2}}$

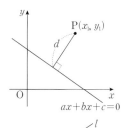

(2) 평행한 두 직선 사이의 거리

　평행한 두 직선 사이의 거리는 한 직선 위의 점에서 다른 직선 사이의 거리와 같다.

　이때 한 직선 위의 점 $(x_1,\ y_1)$은 (x절편, 0) 또는 (0, y절편)과 같이 계산하기 편한 점을 택한다.

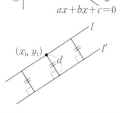

[2006학년도 교육청]

07 좌표평면 위의 점 $(1,\ 2)$와 직선 $x+2y=0$ 사이의 거리는? [3점]

① 1　　　　② $\sqrt{2}$　　　　③ 2　　　　④ $\sqrt{5}$　　　　⑤ 5

두 점 A$(3, 3)$, B$(-2, -5)$를 지나는 직선의 방정식이 $ax+by-9=0$일 때, 두 실수 a, b에 대하여 $a+b$의 값은? [3점]

① 1　　　　　② 2　　　　　③ 3　　　　　④ 4　　　　　⑤ 5

Act ①

두 점 (x_1, y_1), (x_2, y_2)를 지나는 직선의 방정식

$y-y_1=\dfrac{y_2-y_1}{x_2-x_1}(x-x_1)$을 이용한다.

해결의 실마리

(1) 기울기가 m, y절편이 n인 직선의 방정식 ⇨ $y=mx+n$

(2) 기울기가 m이고 점 (x_1, y_1)을 지나는 직선의 방정식 ⇨ $y-y_1=m(x-x_1)$

(3) 두 점 (x_1, y_1), (x_2, y_2)를 지나는 직선의 방정식 ⇨ $\begin{cases} x_1 \neq x_2일 \ 때 \ y-y_1=\dfrac{y_2-y_1}{x_2-x_1}(x-x_1) \\ x_1=x_2일 \ 때 \ x=x_1 \end{cases}$

(4) x절편이 a, y절편이 b인 직선의 방정식 ⇨ $\dfrac{x}{a}+\dfrac{y}{b}=1$ (단, $a\neq0$, $b\neq0$)

01

점 $(3, 4)$를 지나고 직선 $x+3y-5=0$에 평행한 직선의 x절편은? [3점]

① 3　　　　② 6　　　　③ 9

④ 12　　　⑤ 15

03

두 점 A$(2, 4)$, B$(-1, -5)$를 지나는 직선의 x절편과 y절편을 각각 a, b라 할 때, $a-b$의 값은? [3점]

① 2　　　　　② $\dfrac{7}{3}$　　　　　③ $\dfrac{8}{3}$

④ 3　　　　　⑤ $\dfrac{10}{4}$

02

[2015학년도 교육청]

좌표평면에서 두 점 $(-2, -3)$, $(2, 5)$를 지나는 직선이 점 $(a, 7)$을 지날 때, 상수 a의 값을 구하시오. [3점]

04

직선 $\dfrac{x}{2}+\dfrac{y}{3}=1$이 x축과 만나는 점을 P, 직선 $x+\dfrac{y}{4}=1$이 y축과 만나는 점을 Q라 할 때, 두 점 P, Q를 지나는 직선의 방정식은 $\dfrac{x}{a}+\dfrac{y}{b}=1$이다. 두 실수 a, b에 대하여 $a+b$의 값을 구하시오. [3점]

기출유형 02 두 직선의 평행과 수직

두 직선 $2x-(a-3)y-2=0$, $ax-2y+1=0$이 서로 평행하도록 하는 상수 a의 값은? [3점]

① 1   ② 2   ③ 3   ④ 4   ⑤ 5

Act ❶

두 직선의 평행 조건
$\dfrac{2}{a}=\dfrac{-(a-3)}{-2}\neq\dfrac{-2}{1}$를 이용
한다.

해결의 실마리

(1) 두 직선 $y=mx+n$과 $y=m'x+n'$의 위치 관계

서로 평행	일치	한 점에서 만난다.	서로 수직
$m=m',\ n\neq n'$	$m=m',\ n=n'$	$m\neq m'$	$mm'=-1$

(2) 두 직선 $ax+by+c=0$과 $a'x+b'y+c'=0$의 위치 관계

서로 평행	일치	한 점에서 만난다.	서로 수직
$\dfrac{a}{a'}=\dfrac{b}{b'}\neq\dfrac{c}{c'}$	$\dfrac{a}{a'}=\dfrac{b}{b'}=\dfrac{c}{c'}$	$\dfrac{a}{a'}\neq\dfrac{b}{b'}$	$aa'+bb'=0$

05
[2010학년도 교육청]

두 직선 $(2+k)x-y-10=0$과 $y=-\dfrac{1}{3}x+1$이 서로 수직일 때, 상수 k의 값은? [3점]

① -5 ② -3 ③ -1
④ 1   ⑤ 3

07

직선 $x+ay+6=0$이 직선 $3x-by-5=0$과는 수직이고, 직선 $x-(b-4)y+3=0$과는 평행할 때, a^2+b^2의 값을 구하시오. (단, a, b는 상수) [3점]

06
[2009학년도 교육청]

직선 $y=mx+3$이 직선 $nx-2y-2=0$과는 수직이고, 직선 $y=(3-n)x-1$과는 평행할 때, m^2+n^2의 값을 구하시오. (단, m, n은 상수이다.) [3점]

08
[2011학년도 교육청]

세 직선 $l:x-ay+2=0$, $m:4x+by+2=0$, $n:x-(b-3)y-2=0$에 대하여 두 직선 l과 m은 수직이고 두 직선 l과 n은 평행할 때, a^2+b^2의 값을 구하시오. (단, a, b는 상수이다.) [3점]

두 점 A$(2, 0)$, B$(6, -4)$에 대하여 선분 AB의 중점을 지나고, 직선 AB에 수직인 직선의 방정식을 $x+ay+b=0$이라 할 때, ab의 값은? [3점]

Act ①
선분 AB의 수직이등분선 l은 선분 AB의 중점을 지나고, 선분 AB와 수직임을 이용한다.

① 6   ② 7   ③ 8   ④ 9   ⑤ 10

해결의 실마리

선분 AB의 수직이등분선을 l이라 하면
(i) 직선 l은 선분 AB의 중점을 지나고
(ii) 선분 AB와 직선 l은 서로 수직이다.

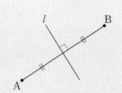

09

[2011학년도 교육청]

두 점 A$(1, a)$, B$(9, b)$를 이은 선분 AB의 수직이등분선의 방정식이 $2x+y-15=0$일 때, ab의 값은? [3점]

① 20   ② 21   ③ 22
④ 23   ⑤ 24

11

두 점 A$(7, 1)$, B$(-1, 9)$를 이은 선분 AB의 수직이등분선의 방정식이 $ax-y+b=0$일 때, $a+b$의 값은? (단, a, b는 상수) [3점]

① 1   ② 2   ③ 3
④ 4   ⑤ 5

10

두 점 A$(a, 2)$, B$(b, 6)$에 대하여 선분 AB의 수직이등분선의 방정식이 $x+2y-12=0$일 때, ab의 값을 구하시오 [3점]

12

두 점 A$(-8, 4)$, B$(4, 10)$을 잇는 선분 AB의 수직이등분선의 방정식이 x축과 만나는 점을 P, y축과 만나는 점을 Q라 하자. 이때 삼각형 OPQ의 넓이는? (단, O는 원점) [3점]

① 2   ② $\dfrac{9}{4}$ ③ $\dfrac{5}{2}$
④ $\dfrac{11}{4}$ ⑤ 3

기출유형 04 두 직선의 교점과 다른 한 점을 지나는 직선의 방정식

두 직선 $2x-y+3=0$, $x+2y-1=0$의 교점을 지나는 직선이 두 점 $(2, 0)$, $(-1, m)$을 지날 때, 실수 m의 값은? [3점]

Act①
두 직선의 교점 (α, β)를 구한 후 두 점 (α, β), $(2, 0)$을 지나는 직선의 방정식을 구한다.

① $\dfrac{1}{2}$　　② $\dfrac{2}{3}$　　③ $\dfrac{3}{4}$　　④ $\dfrac{4}{5}$　　⑤ 1

해결의 실마리

두 직선의 교점과 다른 한 점을 지나는 직선의 방정식은
⇨ 우선 두 직선의 방정식을 연립하여 교점의 좌표를 구한 다음 두 점을 지나는 직선의 방정식을 구한다.

13
[2016학년도 교육청]

좌표평면에서 두 직선 $x-2y+2=0$, $2x+y-6=0$이 만나는 점과 점 $(4, 0)$을 지나는 직선의 y절편은? [3점]

① $\dfrac{5}{2}$　　② 3　　③ $\dfrac{7}{2}$

④ 4　　⑤ $\dfrac{9}{2}$

15
두 직선 $x-4y+4=0$, $8x+4y+5=0$의 교점을 지나고 직선 $3x-9y-4=0$에 평행한 직선의 방정식이 $ax+by+c=0$일 때, 상수 a, b, c에 대하여 $a+b+c$의 값은? [3점]

① 2　　② 3　　③ 4

④ 5　　⑤ 6

14
[2015학년도 교육청]

좌표평면 위의 두 직선 $x-2y+2=0$, $2x+y-6=0$의 교점을 지나고 직선 $x-3y+6=0$에 수직인 직선의 y절편은? [3점]

① $\dfrac{13}{2}$　　② 7　　③ $\dfrac{15}{2}$

④ 8　　⑤ $\dfrac{17}{2}$

16
[2007학년도 교육청]

두 점 $(3, 5)$, $(5, 3)$을 지나는 직선이 두 직선 $y=x$, $y=3x$와 만나는 교점을 각각 A, B라 할 때, 삼각형 OAB의 넓이를 구하시오. (단, O는 원점이다.) [3점]

점 $(0, 1)$에서 직선 $y=ax$까지의 거리가 $\dfrac{\sqrt{2}}{2}$일 때, 양수 a의 값은? [3점]

① $\dfrac{1}{3}$ ② $\dfrac{1}{2}$ ③ 1 ④ 2 ⑤ 3

Act①
점 (x_1, y_1)과 직선
$ax+by+c=0$ 사이의 거리는
$\dfrac{|ax_1+by_1+c|}{\sqrt{a^2+b^2}}$임을 이용한다.

해결의 실마리

(1) (x_1, y_1)과 직선 $ax+by+c=0$ 사이의 거리 d는 ➡ $d=\dfrac{|ax_1+by_1+c|}{\sqrt{a^2+b^2}}$

특히 원점 $(0, 0)$과 직선 사이의 거리 d는 ➡ $d=\dfrac{|c|}{\sqrt{a^2+b^2}}$

(2) 평행한 두 직선 사이의 거리는 ➡ 한 직선 위의 점에서 다른 직선 사이의 거리와 같다.

평행한 두 직선 사이의 거리는 다음을 이용하여 계산해도 된다.
① 두 직선이 원점에 대하여 같은 쪽에 있으면

➡ 원점에서 두 직선에 이르는 거리의 차 $|d-d'|=\dfrac{|c-c'|}{\sqrt{a^2+b^2}}$

② 두 직선이 원점에 대하여 반대쪽에 있으면

➡ 원점에서 두 직선에 이르는 거리의 합 $|d|+|d'|=\dfrac{|c|+|c'|}{\sqrt{a^2+b^2}}$

17

[2016학년도 교육청]

좌표평면 위의 점 $(0, 1)$과 직선 $\sqrt{3}x+y+23=0$ 사이의 거리를 구하시오. [3점]

19

[2013학년도 교육청]

평행한 두 직선 $x+y-1=0$, $x+y+m=0$ 사이의 거리가 $8\sqrt{2}$일 때, 양수 m의 값을 구하시오. [3점]

18

[2011학년도 교육청]

점 $(\sqrt{3}, 1)$과 직선 $y=\sqrt{3}x+n$ 사이의 거리가 3일 때, 양수 n의 값은? [3점]

① 1 ② 2 ③ 3
④ 4 ⑤ 5

20

[2013학년도 교육청]

그림과 같이 가로의 길이가 6, 세로의 길이가 3인 직사각형 $OABC$에 대하여 선분 OB를 $1:2$로 내분하는 점을 D라 하자. 선분 OD를 $2:3$으로 외분하는 점과 직선 CD 사이의 거리는? [3점]

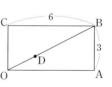

① $\dfrac{3}{2}\sqrt{2}$ ② $\dfrac{5}{2}\sqrt{2}$ ③ $\dfrac{7}{2}\sqrt{2}$

④ $\dfrac{9}{2}\sqrt{2}$ ⑤ $\dfrac{11}{2}\sqrt{2}$

Very Important Test

01

세 점 $A(-4, 3)$, $B(2, k)$, $C(3k, k+1)$이 한 직선 위에 있도록 하는 모든 실수 k의 값의 합은? [2점]

① $\dfrac{7}{3}$ ② $\dfrac{8}{3}$ ③ 3

④ $\dfrac{10}{3}$ ⑤ $\dfrac{11}{3}$

02

두 점 $(-1, 2)$, $(3, 6)$을 지나는 직선이 x축, y축에 의하여 잘려지는 선분의 길이는? [3점]

① $\sqrt{5}$ ② $2\sqrt{2}$ ③ $2\sqrt{3}$

④ $3\sqrt{2}$ ⑤ $2\sqrt{5}$

03

두 점 $A(9, -2)$, $B(-3, 2)$를 지나는 직선이 x축, y축과 만나는 점을 각각 C, D라 할 때, △OCD의 넓이는? (단, O는 원점이다.) [3점]

① $\dfrac{3}{2}$ ② 2 ③ $\dfrac{5}{2}$

④ 3 ⑤ $\dfrac{7}{2}$

04

좌표평면 위의 두 점 $A(1, 3)$, $B(3, 2)$에 대하여 점 B를 지나고 직선 AB에 수직인 직선이 점 $(5, b)$를 지날 때, b의 값을 구하시오. [3점]

05

두 직선 $ax-2y+2a-3=0$, $(a-3)x+9y+1=0$이 수직이 되도록 하는 모든 실수 a의 값의 합은? [3점]

① 1 ② 2 ③ 3

④ 4 ⑤ 5

06

직선 $x+ay+2=0$은 직선 $3x-by+2=0$과는 수직이고, 직선 $x-(b+4)y-4=0$과는 평행할 때, 상수 a, b에 대하여 a^2+b^2의 값은? [3점]

① 6 ② 7 ③ 8

④ 9 ⑤ 10

07

두 점 A$(-2,\ 1)$, B$(1,\ 5)$를 이은 선분 AB의 중점을 지나고 기울기가 -3인 직선의 y절편은? [3점]

① $\dfrac{1}{2}$ ② 1 ③ $\dfrac{3}{2}$

④ 2 ⑤ $\dfrac{5}{2}$

08

두 점 A$(3,\ 4)$, B$(-3,\ 2)$를 이은 선분 AB를 수직이등분하는 직선을 l이라 할 때, 직선 l과 x축, y축으로 둘러싸인 도형의 넓이는? [3점]

① $\dfrac{1}{2}$ ② 1 ③ $\dfrac{3}{2}$

④ 2 ⑤ $\dfrac{5}{2}$

09

두 직선 $x-3y+17=0$과 $2x+y-8=0$의 교점을 지나고 점 $(3,\ 8)$을 지나는 직선의 방정식은? [3점]

① $\dfrac{9}{2}$ ② 5 ③ $\dfrac{11}{2}$

④ 6 ⑤ $\dfrac{13}{2}$

10

직선 $-x+3y+6=0$에 수직이고, 점 $(1,\ 4)$를 지나는 직선의 y절편은? [3점]

① -7 ② -5 ③ 0

④ 7 ⑤ 9

11

두 직선 $2x-3y+6=0$, $x-3y+9=0$의 교점과 점 $(1,\ -4)$를 지나는 직선이 x축, y축에 의하여 잘려지는 선분의 길이는? [3점]

① $2\sqrt{7}$ ② $2\sqrt{10}$ ③ $3\sqrt{13}$

④ $2\sqrt{17}$ ⑤ $2\sqrt{19}$

12

세 점 A$(4,\ -6)$, B$(0,\ 1)$, C$(10,\ -7)$을 꼭짓점으로 하는 삼각형 ABC에 대하여 점 A를 지나고 삼각형 ABC의 넓이를 이등분하는 직선의 방정식을 $y=ax+b$라 할 때, 상수 a, b의 합 $a+b$의 값은? [3점]

① -16 ② -15 ③ -14

④ -13 ⑤ -12

13

직선 $(x+y+2)+k(3x+y-4)=0$에 대한 [보기]의 설명 중 옳은 것만을 있는 대로 고른 것은? [3점]

┃보기┃
ㄱ. k의 값에 관계없이 항상 점 $(3, -5)$를 지난다.
ㄴ. $k=-1$이면 y축에 평행한 직선이다.
ㄷ. 기울기가 -3인 직선은 나타낼 수 없다.

① ㄱ   ② ㄱ, ㄴ   ③ ㄱ, ㄷ
④ ㄴ, ㄷ   ⑤ ㄱ, ㄴ, ㄷ

14

점 $(3, 4)$와 직선 $6x+ky=10$ 사이의 거리가 4일 때, 실수 k의 값은? [3점]

① 5   ② 6   ③ 7
④ 8   ⑤ 9

15

두 직선 $3x+y-1=0$, $2x+ay+1=0$이 서로 평행할 때, 두 직선 사이의 거리는? [3점]

① $\dfrac{\sqrt{10}}{4}$ ② $\dfrac{\sqrt{10}}{2}$ ③ $\dfrac{3\sqrt{10}}{4}$
④ $\dfrac{4\sqrt{10}}{5}$ ⑤ $\sqrt{10}$

16

평행한 두 직선 $x+2y+3=0$, $x+2y+k=0$ 사이의 거리가 $\sqrt{5}$가 되도록 하는 모든 실수 k의 값의 합은? [3점]

① 2   ② 4   ③ 6
④ 8   ⑤ 10

17

수직인 두 직선 $ax+2y+5=0$, $x-y+b=0$에 대하여 점 $(-2, 1)$로부터 각 직선까지의 거리가 같을 때, 모든 실수 b의 값들의 합은? (단, a는 상수) [3점]

① -6 ② -1 ③ 1
④ 6   ⑤ 10

18

그림에서 사각형 ABCD는 정사각형이고 두 꼭짓점 A, C의 좌표가 각각 $(2, 4)$, $(6, 2)$이다. 이때 원점과 직선 BD 사이의 거리는? [3점]

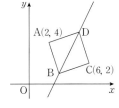

① $\sqrt{2}$ ② $\sqrt{3}$
③ $\sqrt{5}$ ④ $\sqrt{10}$
⑤ $\sqrt{13}$

09 원의 방정식

Young people should strive towards their ideals.

출제경향 원의 방정식, 원과 직선의 위치 관계, 원의 접선의 방정식을 구하는 방법을 숙지하여, 이차방정식으로 표현되어진 원과 관련된 여러 가지 문제를 해결할 수 있어야 한다.

핵심개념 1 원의 방정식

(1) 원의 방정식의 표준형

중심이 (a, b)이고 반지름의 길이가 r인 원의 방정식은

$(x-a)^2+(y-b)^2=r^2$ ← 원의 방정식의 표준형

특히, 중심이 원점이고 반지름의 길이가 r인 원의 방정식은

$x^2+y^2=r^2$

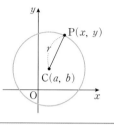

(2) 원의 방정식의 일반형

x, y에 대한 이차방정식

$x^2+y^2+Ax+By+C=0 \ (A^2+B^2-4C>0)$ ← 원의 방정식의 일반형

은 중심이 $\left(-\dfrac{A}{2}, \ -\dfrac{B}{2}\right)$이고 반지름의 길이가 $\dfrac{\sqrt{A^2+B^2-4C}}{2}$인 원이다.

> 원의 방정식을 표준형으로 고치면
> ⇨ 원의 중심과 반지름의 길이를 쉽게 알 수 있어.
> $x^2+y^2+2x-4y-4=0$
> ↓방정식을 변형
> $(x+1)^2+(y-2)^2=3^2$
> 중심이 $(-1, 2)$이고 반지름의 길이가 3인 원이야!

01 원 $x^2+y^2+2ax+2y-4=0$의 중심의 좌표가 $(-2, b)$이고 반지름의 길이가 r일 때, 세 실수 a, b, r에 대하여 $a+b+r$의 값은? [3점]

① 1   ② 2   ③ 3   ④ 4   ⑤ 5

핵심개념 2 여러 가지 원의 방정식

(1) 두 점 A, B를 지름의 양 끝점으로 하는 원

중심이 $\overline{AB}$의 중점이고, 반지름의 길이가 $\overline{AB}$의 길이의 $\dfrac{1}{2}$인 원이다.

> 원의 중심의 좌표가 (a, b)일 때
> ⇨ x축에 접하면 반지름의 길이는 $|b|$
> ⇨ y축에 접하면 반지름의 길이는 $|a|$
> ⇨ x축, y축에 동시에 접하면 원의 반지름의 길이는 $|a|=|b|$

(2) 좌표축에 접하는 원

① 중심이 (a, b)이고 x축에 접하는 원의 방정식

⇨ $(x-a)^2+(y-b)^2=b^2$ ← (반지름의 길이)=|중심의 y좌표|

② 중심이 (a, b)이고 y축에 접하는 원의 방정식

⇨ $(x-a)^2+(y-b)^2=a^2$ ← (반지름의 길이)=|중심의 x좌표|

③ 중심이 (a, b)이고 x축, y축에 동시에 접하는 원의 방정식

⇨ $(x-a)^2+(y-b)^2=a^2$ ← (반지름의 길이)=|중심의 x좌표|=|중심의 y좌표|
$\llcorner b^2$

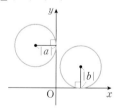

02 두 점 $A(1, 1)$, $B(-3, 5)$를 지름의 양 끝점으로 하는 원의 방정식이 $(x-a)^2+(y-b)^2=r^2$일 때, 세 실수 a, b, r에 대하여 $a+b+r^2$의 값은? [3점]

① 6   ② 7   ③ 8   ④ 9   ⑤ 10

핵심개념 **3** 원과 직선의 위치 관계

원 $x^2+y^2=r^2$과 직선 $y=mx+n$의 교점의 개수는

이차방정식 $x^2+(mx+n)^2=r^2$, 즉

$$(m^2+1)x^2+2mnx+n^2-r^2=0$$

의 서로 다른 실근의 개수와 같다.

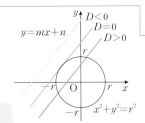

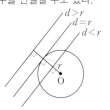

→ 원의 중심과 직선 사이의 거리 d를 구한 다음 원의 반지름의 길이 r와 비교해서 교점의 개수를 판별할 수도 있다.

판별식의 값의 부호	원과 직선의 위치 관계
$D>0$	서로 다른 두 점에서 만난다.
$D=0$	한 점에서 만난다. (접한다.)
$D<0$	만나지 않는다.

03 원 $x^2+y^2=5$와 직선 $y=2x+k$가 만나지 않도록 하는 실수 k의 값의 범위는? [3점]

① $-5<k<5$ ② $-5<k<3$ ③ $-2<k<5$ ④ $k<-5$ 또는 $k>5$ ⑤ $k<-2$ 또는 $k>5$

핵심개념 **4** 원의 접선의 방정식

(1) 기울기가 주어진 원의 접선의 방정식

원 $x^2+y^2=r^2$에 접하고 기울기가 m인 접선의 방정식은

$$y=mx\pm r\sqrt{m^2+1}$$

(2) 원 위의 점에서의 접선의 방정식

원 $x^2+y^2=r^2$ 위의 점 $\mathrm{P}(x_1,\,y_1)$에서의 접선의 방정식은

$$x_1x+y_1y=r^2$$

└→ 점 $\mathrm{P}(x_1,\,y_1)$에서의 접선의 기울기는 직선 OP와 수직이므로 $-\dfrac{x_1}{y_1}$이다.

따라서 접선의 방정식은 $y-y_1=-\dfrac{x_1}{y_1}(x-x_1)$이므로 정리하면

$x_1x+y_1y=\underline{x_1{}^2+y_1{}^2=r^2}$
└원 위의 점이므로

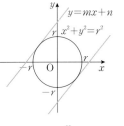

접선의 방정식을 $y=mx+n$이라 놓고 $x^2+y^2=r^2$에 대입하여 정리하면
$$(m^2+1)x^2+2mnx+n^2-r^2=0$$
원과 직선이 접하면
$$\frac{D}{4}=(mn)^2-(m^2+1)(n^2-r^2)$$
$$=(m^2+1)r^2-n^2=0$$
이므로
$$n=\pm r\sqrt{m^2+1}$$
따라서 접선의 방정식은
$$y=mx\pm r\sqrt{m^2+1}$$

04 직선 $y=3x+2$에 평행하고 원 $x^2+y^2=10$에 접하는 직선의 방정식이 $y=ax\pm b$일 때, $a+b$의 값은? [3점]

① 10 ② 11 ③ 12 ④ 13 ⑤ 14

05 원 $x^2+y^2=8$ 위의 점 $(2,\,-2)$에서의 접선의 방정식이 $y=ax+b$일 때, ab의 값은? (단, a, b는 상수) [3점]

① -4 ② -2 ③ 0 ④ 2 ⑤ 4

기출유형 01 원의 방정식 — 표준형, 일반형

원 $x^2+y^2-4x-2y-2k+8=0$의 반지름의 길이가 1일 때, 상수 k의 값을 구하시오. [3점]

Act ①
주어진 원의 방정식을
$(x-a)^2+(y-b)^2=r^2$
꼴로 변형한다.

해결의 실마리

원의 방정식 구하기

(1) 중심과 반지름의 길이가 주어지면 ⇨ $(x-a)^2+(y-b)^2=r^2$을 이용

(2) 세 점이 주어지면 ⇨ $x^2+y^2+Ax+By+C=0$을 이용

01

원 $x^2+y^2-10x-2y+1=0$의 중심의 좌표를 (a, b), 반지름의 길이를 r라 할 때, $a+b+r$의 값을 구하시오. [3점]

03

좌표평면 위의 두 점 $A(1, 3)$, $B(2, 1)$에 대하여 선분 AB를 3:2로 외분하는 점을 C라 하자. 선분 BC를 지름으로 하는 원의 중심의 좌표를 (a, b)라 할 때, $a+b$의 값은? [3점]

① 1   ② 2   ③ 3

④ 4   ⑤ 5

02

x, y에 대한 방정식 $x^2+y^2-2x+4y+2k=0$이 원이 되도록 하는 자연수 k의 개수는? [2점]

① 1   ② 2   ③ 3

④ 4   ⑤ 5

04

좌표평면에서 직선 $2x-y=5$와 수직이고 원 $x^2+y^2-2x=0$의 넓이를 이등분하는 직선의 방정식은? [3점]

① $x+2y=1$ ② $x+2y=-1$ ③ $2x+y=2$

④ $2x+y=-2$ ⑤ $2x+2y=1$

기출유형 02 여러가지 원의 방정식

[2005학년도 평가원]

중심의 좌표가 $(-1, 2)$이고 x축에 접하는 원의 방정식은? [2점]

① $x^2+y^2+2x-4y+1=0$　　② $x^2+y^2+2x-4y+3=0$

③ $x^2+y^2+2x+4y+1=0$　　④ $x^2+y^2-2x+4y+2=0$

⑤ $x^2+y^2-2x+4y+4=0$

Act.①

원의 중심의 좌표가 (a, b)인 원이 x축에 접하면 반지름의 길이는 $|b|$임을 이용한다

해결의 실마리

좌표축에 접하는 원

① 중심이 (a, b)이고 x축에 접하는 원의 방정식 ⇨ $(x-a)^2+(y-b)^2=b^2$

② 중심이 (a, b)이고 y축에 접하는 원의 방정식 ⇨ $(x-a)^2+(y-b)^2=a^2$

③ 중심이 (a, b)이고 x축, y축에 동시에 접하는 원의 방정식 ⇨ $(x-a)^2+(y-b)^2=a^2$

원의 중심의 좌표가 (a, b)일 때
⇨ x축에 접하면 반지름의 길이는 $|b|$
⇨ y축에 접하면 반지름의 길이는 $|a|$
⇨ x축, y축에 동시에 접하면 원의 반지름의 길이는 $|a|=|b|$

05

점 $(1, -2)$를 지나고 x축과 y축에 동시에 접하는 두 원의 넓이의 합은? [3점]

① 26π　　② 27π　　③ 28π

④ 29π　　⑤ 30π

07

[2011학년도 교육청]

중심이 직선 $y=x-1$ 위에 있는 원이 y축에 접하고 점 $(3, -1)$을 지날 때, 이 원의 반지름의 길이는? [3점]

① 2　　② 3　　③ 4

④ 5　　⑤ 6

06

점 $(-4, 2)$를 지나고 x축, y축에 모두 접하는 원은 2개가 있다. 두 원 중 큰 원의 넓이는? [3점]

① 25π　　② 50π　　③ 75π

④ 100π　　⑤ 125π

08

중심이 제1사분면 위에 있고, 반지름의 길이가 1인 원이 그림과 같이 y축과 직선 $y=\sqrt{3}x$에 동시에 접한다. 이 원의 중심의 좌표를 (a, b)라 할 때, $a+b$의 값은? [3점]

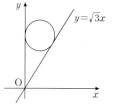

① $3-\sqrt{3}$　　② $1+\sqrt{3}$

③ $2+\sqrt{3}$　　④ $1+2\sqrt{3}$

⑤ $3+\sqrt{3}$

원 $x^2+y^2=36$과 직선 $2x-y-a=0$이 접할 때, 양수 a의 값은? [3점]

① $2\sqrt{5}$　　　② $3\sqrt{5}$　　　③ $4\sqrt{5}$　　　④ $5\sqrt{5}$　　　⑤ $6\sqrt{5}$

Act ①
판별식을 이용하여 풀면 계산이 많아지므로 원의 중심과 직선 사이의 거리를 이용하여 푼다.

해결의 실마리

원과 직선을 연립한 이차방정식의 판별식을 D라 할 때

① 서로 다른 두 점에서 만난다. ⇨ $D>0$

② 한 점에서 만난다. (접한다.) ⇨ $D=0$

③ 만나지 않는다. ⇨ $D<0$

> 원과 직선의 위치 관계는 판별식을 이용하여 풀면 계산이 많아지므로 원의 중심과 직선 사이의 거리를 이용하여 풀면 편리하다.

09
[2012학년도 교육청]

직선 $y=\sqrt{2}x+k$가 원 $x^2+y^2=4$에 접할 때, 양의 실수 k의 값은? [3점]

① $\sqrt{2}$　　　② $\sqrt{3}$　　　③ $2\sqrt{2}$

④ $2\sqrt{3}$　　　⑤ $3\sqrt{2}$

11
[2007학년도 교육청]

좌표평면에서 원 $x^2+y^2+6x-4y+9=0$에 직선 $y=mx$가 접하도록 상수 m의 값을 정할 때, 모든 m의 값의 합은? [3점]

① $-\dfrac{12}{5}$　　　② -2　　　③ 0

④ 2　　　⑤ $\dfrac{12}{5}$

10
[2010학년도 교육청]

직선 $y=\sqrt{3}x+k$가 원 $x^2+y^2-6y-7=0$에 접할 때, 모든 실수 k의 값의 합을 구하시오. [3점]

12
[2005학년도 평가원]

원 $x^2+y^2=4$와 제1사분면에서 접하고 기울기가 -1인 직선이 있다. 이 직선을 y축의 방향으로 n만큼 평행이동하였더니 이 원과 제3사분면에서 접하였다. 이때 n의 값은? [3점]

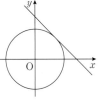

① $-2\sqrt{2}$　　　② $2\sqrt{2}$

③ $-4\sqrt{2}$　　　④ $4\sqrt{2}$　　　⑤ -8

기출유형 04 원 위의 점과 직선 사이의 거리의 최대, 최소

원 $x^2+y^2-2x+4y-4=0$ 위의 점과 직선 $4x-3y+15=0$ 사이의 거리의 최댓값을 M, 최솟값을 m이라 할 때, $M+m$의 값을 구하시오. [3점]

Act①
반지름의 길이가 r인 원의 중심에서 직선까지의 거리를 d라 할 때, 원 위의 점에서 직선까지의 거리의 최댓값, 최솟값은 각각 $d+r$, $d-r$임을 이용한다.

해결의 실마리

중심이 C이고 반지름이 길이가 r인 원이 직선 l과 만나지 않을 때, 원의 중심에서 직선 l까지의 거리를 d라 하면

(1) 원 위의 점에서 직선 l까지의 거리의 최댓값 ⇨ $d+r$

(2) 원 위의 점에서 직선 l까지의 거리의 최솟값 ⇨ $d-r$

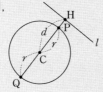

원 위의 점에서 직선 l까지의 거리의 최댓값은 $\overline{QH}=\overline{CH}+\overline{QC}=d+r$, 최솟값은 $\overline{PH}=\overline{CH}-\overline{CP}=d-r$ 인 것을 그림에서 알 수 있을 거야.

13

원 $(x-2)^2+(y+2)^2=5$ 위의 점에서 직선 $x-3y+2=0$에 이르는 거리의 최댓값을 M, 최솟값을 m이라 할 때, Mm의 값을 구하시오. [3점]

15

원 $(x-2)^2+(y-2)^2=4$ 위를 움직이는 점 P와 두 점 A$(-3, 0)$, B$(0, -4)$가 있다. 삼각형 ABP의 넓이의 최솟값을 구하시오. [3점]

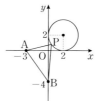

14

원 $x^2+y^2=9$ 위의 점에서 직선 $-4x+3y+k=0$에 이르는 거리의 최댓값을 M, 최솟값을 m이라 하자. $Mm=7$일 때, 실수 k의 값을 구하시오. (단, $k>15$) [3점]

16

[2011학년도 교육청]

좌표평면에서 원 $x^2+y^2=2$ 위를 움직이는 점 A와 직선 $y=x-4$ 위를 움직이는 두 점 B, C를 연결하여 삼각형 ABC를 만들 때, 정삼각형이 되는 삼각형 ABC의 넓이의 최솟값과 최댓값의 비는? [3점]

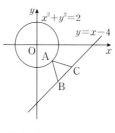

① 1:7   ② 1:8   ③ 1:9
④ 1:10   ⑤ 1:11

y절편이 6이고, 원 $x^2+y^2=9$에 접하는 두 직선의 기울기의 곱은? [3점]

① -9 　　② -8 　　③ -6 　　④ -5 　　⑤ -3

Act❶

원 $x^2+y^2=r^2$에 접하고 기울기가 m인 접선의 방정식은 $y=mx\pm r\sqrt{m^2+1}$임을 이용한다.

해결의 실마리

(1) 기울기가 주어진 원의 접선의 방정식 : 원 $x^2+y^2=r^2$에 접하고 기울기가 m인 접선의 방정식 ⇨ $y=mx\pm r\sqrt{m^2+1}$

(2) 원 위의 점에서의 접선의 방정식 : 원 $x^2+y^2=r^2$ 위의 점 $\mathrm{P}(x_1,\ y_1)$에서의 접선의 방정식 ⇨ $x_1x+y_1y=r^2$

(3) 원 밖의 한 점에서 그은 접선의 방정식을 구할 때는 다음 중 한 가지를 이용한다.

　① 접점을 $(x_1,\ y_1)$으로 놓고 공식 $x_1x+y_1y=r^2$을 이용 　　② (원의 중심에서 접선까지의 거리)=(반지름의 길이)임을 이용

　③ 판별식 $D=0$을 이용

17
[2016학년도 교육청]

직선 $y=x+2$에 평행하고 원 $x^2+y^2=9$에 접하는 직선의 y절편을 k라 할 때, k^2의 값을 구하시오. [3점]

19

원 $x^2+y^2=20$ 위의 점 $(a,\ b)$에서의 접선의 기울기가 3일 때, ab의 값은? [3점]

① -8 　　② -6 　　③ -4

④ 4 　　⑤ 6

18
[2002학년도 교육청]

원 $x^2+y^2=5$ 위의 점 $(2,\ 1)$에서의 접선과 평행하고 점 $(-1,\ 3)$을 지나는 직선의 방정식은? [3점]

① $x+2y-5=0$ 　　② $x-2y+1=0$

③ $2x+y-1=0$ 　　④ $2x-y+5=0$

⑤ $2x+2y+1=0$

20

점 $(-2,\ 0)$에서 원 $x^2+y^2+6x+4y+12=0$에 그은 접선의 길이는? [3점]

① 1 　　② 2 　　③ 3

④ 4 　　⑤ 5

VERY IMPORTANT TEST

친절한 해설 56쪽

01

두 점 A(2, 0), B(4, −6)을 지름의 양끝으로 하는 원의 중심의 좌표가 (a, b)이고 반지름의 길이가 r일 때, $a+b+r$의 값은? [3점]

① $\sqrt{10}$ ② $2\sqrt{10}$ ③ $3\sqrt{10}$
④ $3+\sqrt{10}$ ⑤ $3+3\sqrt{10}$

02

두 원 $x^2+y^2-kx=0$, $x^2+y^2-2kx-4y+4k=0$의 반지름의 길이가 같을 때, 모든 실수 k의 값의 합은? [3점]

① $\dfrac{4}{3}$ ② $\dfrac{8}{3}$ ③ 4
④ $\dfrac{16}{3}$ ⑤ $\dfrac{20}{3}$

03

두 점 A(2, −1), B(6, 3)을 지나고 중심이 x축 위에 있는 원의 방정식이 $x^2+y^2+ax+by+c=0$이다. 세 상수 a, b, c에 대하여 $a+b+c$의 값은? [3점]

① 5 ② 6 ③ 7
④ 8 ⑤ 9

04

직선 $y=\dfrac{3}{4}x+4$가 원 $(x-3)^2+(y-5)^2=16$과 만나는 두 점을 A, B라 할 때, 두 점 A, B에서 같은 거리에 있는 x축 위의 점은 P(a, 0)이다. 이때 a의 값은? [3점]

① $\dfrac{21}{4}$ ② $\dfrac{23}{4}$ ③ $\dfrac{25}{4}$
④ $\dfrac{27}{4}$ ⑤ $\dfrac{29}{4}$

05

좌표평면에서 두 원 $x^2+y^2-2y=0$, $x^2+4x+y^2+6y=1$의 넓이를 동시에 이등분시키는 직선의 방정식은? [3점]

① $y=2x+1$ ② $y=2x+3$ ③ $y=2x+5$
④ $y=2x+7$ ⑤ $y=2x+9$

06

원 $x^2+y^2-2kx-2ky+4k-4=0$이 x축, y축에 동시에 접할 때, 상수 k의 값을 구하시오. [3점]

07

중심이 직선 $y=2x$ 위에 있고, 점 $(2, 2)$를 지나며 y축에 접하는 원이 두 개 있다. 이 두 원의 반지름의 길이의 합은? [3점]

① 1   ② 2   ③ 3

④ 4   ⑤ 5

08

직선 $y=mx+2$와 원 $x^2+y^2=1$이 서로 다른 두 점에서 만날 때, 실수 m의 값의 범위는? [3점]

① $m>\sqrt{3}$ ② $-\sqrt{3}<m<\sqrt{3}$

③ $m<-\sqrt{3}$ 또는 $m>\sqrt{3}$ ④ $-3<m<3$

⑤ $m<-3$ 또는 $m>3$

09

원 $(x-2)^2+(y+1)^2=8$이 직선 $x-y+k=0$과 만나지 않을 때, 자연수 k의 최솟값을 구하시오. [3점]

10

원 $(x+3)^2+(y-2)^2=5$와 직선 $y=2x+k$가 서로 다른 두 점에서 만나도록 하는 정수 k의 개수를 구하시오. [3점]

11

중심의 좌표가 $(-2, 0)$이고 직선 $x+y-2=0$에 접하는 원의 방정식은? [3점]

① $(x-2)^2+y^2=8$ ② $(x-2)^2+y^2=9$

③ $(x+2)^2+y^2=8$ ④ $(x+2)^2+y^2=9$

⑤ $(x+2)^2+y^2=10$

12

직선 $y=2x-2$가 원 $x^2+y^2-2x-2y=0$에 의하여 잘린 선분의 길이는? [3점]

① $\dfrac{3\sqrt{2}}{5}$ ② $\dfrac{4\sqrt{5}}{5}$ ③ $\sqrt{5}$

④ $\dfrac{6\sqrt{5}}{5}$ ⑤ $\dfrac{7\sqrt{5}}{5}$

13

원점 O와 원 $x^2+y^2-8x-6y+21=0$ 위의 임의의 점 P 에 대하여 선분 OP의 길이의 최댓값을 M, 최솟값을 m 이라 할 때, $M+m$의 값은? [3점]

① 10   ② 11   ③ 12

④ 13   ⑤ 14

14

그림과 같은 마름모 ABCD에 내 접하는 원의 넓이가 $\dfrac{q}{p}\pi$일 때, $p+q$의 값을 구하시오. (단, p, q는 서로소인 자연수이다.) [3점]

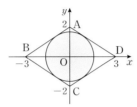

15

원점 O와 원 $x^2+y^2-6x-4y+9=0$ 위의 점 P를 잇는 선 분 OP의 길이의 최댓값과 최솟값의 곱은? [3점]

① 8   ② 9   ③ 10

④ 11   ⑤ 12

16

직선 $y=-2x+5$에 평행하고 원 $x^2+y^2=9$에 접하는 직 선의 y절편을 k라 할 때, k^2의 값을 구하시오. [3점]

17

원 $x^2+y^2=5$ 위의 두 점 $(-1,\ 2)$, $(1,\ 2)$에서의 접선을 각각 l_1, l_2라 할 때, 두 직선 l_1, l_2와 x축으로 둘러싸인 삼각형의 넓이는? [3점]

① 11   ② $\dfrac{23}{2}$ ③ 12

④ $\dfrac{25}{2}$ ⑤ 13

18

원점에서 원 $(x-4)^2+(y-3)^2=3$에 그은 두 접선의 기 울기의 곱은? [3점]

① $\dfrac{2}{13}$ ② $\dfrac{4}{13}$ ③ $\dfrac{6}{13}$

④ $\dfrac{8}{13}$ ⑤ $\dfrac{10}{13}$

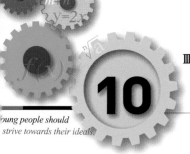

10 도형의 이동

출제경향 도형의 이동은 평행이동과 대칭이동으로 구별되어진다. 평행이동의 의미와 원점, x축, y축, 직선 $y=x$에 대한 대칭이동의 의미를 알고 있는지 묻는 문제가 출제된다. 점의 이동과 도형의 이동의 차이점, 대칭이동을 이용한 선분의 길이의 합의 최솟값을 구하는 방법을 알고 있어야 한다.

핵심개념 1 ▶ 평행이동

(1) **점의 평행이동** : 점 $\mathrm{P}(x,\ y)$를 x축의 방향으로 a만큼, y축의 방향으로 b만큼 평행이동한 점 P'은 $\mathrm{P}'(x+a,\ y+b)$이다.

$$\boxed{\mathrm{P}(x,\ y)} \xrightarrow[\ y\text{축의 방향으로 } b\text{만큼 평행이동}\ ]{\ x\text{축의 방향으로 } a\text{만큼},\ } \boxed{\mathrm{P}'(x+a,\ y+b)}$$

↳ x, y에 각각 a, b를 더한다.

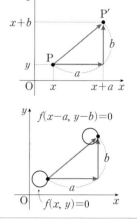

(2) **도형의 평행이동** : 방정식 $f(x,\ y)=0$이 나타내는 도형을 x축의 방향으로 a만큼, y축의 방향으로 b만큼 평행이동한 도형의 방정식은 $f(x-a,\ y-b)=0$이다.

$$\boxed{f(x,\ y)=0} \xrightarrow[\ y\text{축의 방향으로 } b\text{만큼 평행이동}\ ]{\ x\text{축의 방향으로 } a\text{만큼},\ } \boxed{f(x-a,\ y-b)=0}$$

↳ 부호에 주의해야 해!

도형을 평행이동한 점의 좌표는 $x'=x+a$, $y'=y+b$이지만 원래 주어진 방정식을 만족시키는 것은 $x=x'-a$, $y=y'-b$였으니까 이것을 $f(x,\ y)=0$에 대입시키면 $f(x'-a,\ y'-b)=0$이야. 임의의 점 $(x',\ y')$은 방정식 $f(x-a,\ y-b)=0$이 나타내는 도형 위의 점들이 되니까 이 방정식이 $f(x,\ y)=0$을 평행이동한 도형의 방정식이 되는 거야.

[2017학년도 교육청]

01 직선 $y=3x-5$를 x축의 방향으로 a만큼, y축의 방향으로 $2a$만큼 평행이동한 직선이 직선 $y=3x-10$과 일치할 때, 상수 a의 값을 구하시오. [3점]

핵심개념 2 ▶ 점의 대칭이동

(1) 점 P를 한 직선 또는 한 점에 대하여 대칭인 점으로 옮기는 것을 각각 그 직선 또는 그 점에 대한 대칭이동이라 한다.

(2) 점 $(x,\ y)$를 x축, y축, 원점, 직선 $y=x$에 대하여 대칭이동한 점의 좌표는 각각 다음과 같다.

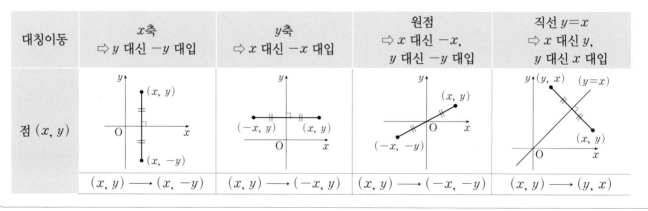

대칭이동	x축 ⇨ y 대신 $-y$ 대입	y축 ⇨ x 대신 $-x$ 대입	원점 ⇨ x 대신 $-x$, y 대신 $-y$ 대입	직선 $y=x$ ⇨ x 대신 y, y 대신 x 대입
점 $(x,\ y)$				
	$(x,\ y) \longrightarrow (x,\ -y)$	$(x,\ y) \longrightarrow (-x,\ y)$	$(x,\ y) \longrightarrow (-x,\ -y)$	$(x,\ y) \longrightarrow (y,\ x)$

[2018학년도 교육청]

02 좌표평면 위의 점 $(3,\ 2)$를 직선 $y=x$에 대하여 대칭이동한 점을 A, 점 A를 원점에 대하여 대칭이동한 점을 B라 할 때, 선분 AB의 길이는? [3점]

① $2\sqrt{13}$ ② $3\sqrt{6}$ ③ $2\sqrt{14}$ ④ $\sqrt{58}$ ⑤ $2\sqrt{15}$

핵심개념 **3**　　도형의 대칭이동

도형 $f(x, y)=0$을 x축, y축, 원점, 직선 $y=x$에 대하여 대칭이동한 도형의 방정식은 각각 다음과 같다.

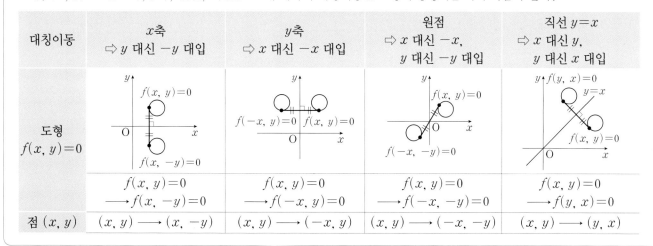

대칭이동	x축 ⇨ y 대신 $-y$ 대입	y축 ⇨ x 대신 $-x$ 대입	원점 ⇨ x 대신 $-x$, y 대신 $-y$ 대입	직선 $y=x$ ⇨ x 대신 y, y 대신 x 대입
도형 $f(x, y)=0$	$f(x, y)=0$ $\longrightarrow f(x, -y)=0$	$f(x, y)=0$ $\longrightarrow f(-x, y)=0$	$f(x, y)=0$ $\longrightarrow f(-x, -y)=0$	$f(x, y)=0$ $\longrightarrow f(y, x)=0$
점 (x, y)	$(x, y) \longrightarrow (x, -y)$	$(x, y) \longrightarrow (-x, y)$	$(x, y) \longrightarrow (-x, -y)$	$(x, y) \longrightarrow (y, x)$

도형을 x축에 대하여 대칭이동한 점의 좌표는 $x'=x$, $y'=-y$이고 원래 주어진 방정식을 만족시키는 것은 x, y였으니까 $x=x'$, $y=-y'$을 $f(x, y)=0$에 대입시키면 $f(x', -y')=0$이야. 임의의 점 (x', y')은 $f(x, -y)=0$을 만족시키니까 이 방정식이 대칭이동한 도형의 방정식이 되는 거야. y축, 원점, 직선 $y=x$에 대하여 대칭이동한 도형의 방정식도 같은 방법으로 구해지겠지?

[2007학년도 교육청]

03 직선 $y=2x+2$를 직선 $y=x$에 대하여 대칭이동한 직선을 l_1, 직선 l_1을 x축에 대하여 대칭이동한 직선을 l_2라 할 때, 직선 l_2의 방정식은? [3점]

① $x-2y-2=0$　　② $2x+y-2=0$　　③ $x+2y-2=0$　　④ $2x+y+2=0$　　⑤ $x+2y+2=0$

핵심개념 **4**　　대칭이동을 이용한 선분의 길이의 합의 최솟값

두 점 A, B가 직선 l에 대하여 같은 쪽에 있고 점 P가 직선 l 위를 움직일 때,
$\overline{AP}+\overline{BP}$의 최솟값은 다음과 같이 구한다.

① 점 A를 직선 l에 대하여 대칭이동한 점 A'의 좌표를 구한다.

② 점 P가 $\overline{A'B}$와 직선 l의 교점에 놓일 때
$\overline{AP}+\overline{BP}$는 $\overline{A'B}$를 최솟값으로 가진다.

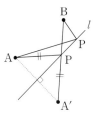

04 좌표평면 위의 두 점 A$(-1, 2)$, B$(1, 5)$와 직선 $y=x$ 위를 움직이는 점 P에 대하여 $\overline{AP}+\overline{BP}$의 최솟값은? [3점]

① 6　　② $\sqrt{37}$　　③ $\sqrt{38}$　　④ $\sqrt{39}$　　⑤ $2\sqrt{10}$

기출유형 01 점과 도형의 평행이동

[2011학년도 교육청]

평행이동 $f : (x, y) \rightarrow (x+m, y-n)$에 의하여 원 $(x+5)^2+(y-10)^2=2$를 옮기면 원 $(x-3)^2+(y+2)^2=2$가 된다. 이때 $m+n$의 값은? [3점]

Act ①
원이 옮겨진 후의 중심의 좌표 $(-5+m, 10-n)$이 $(3, -2)$ 와 일치함을 이용한다.

① -20 ② -4 ③ 4 ④ 12 ⑤ 20

해결의 실마리

(1) 점의 평행이동

$$P(x, y) \quad \xrightarrow{\text{x축의 방향으로 a만큼,}\\ \text{y축의 방향으로 b만큼 평행이동}} \quad P'(x+a, y+b)$$

↳ x, y에 각각 a, b를 더한다.

(2) 도형의 평행이동

$$f(x, y)=0 \quad \xrightarrow{\text{x축의 방향으로 a만큼,}\\ \text{y축의 방향으로 b만큼 평행이동}} \quad f(x-a, y-b)=0$$

↳ 부호에 주의해야 해!

01

[2013학년도 교육청]

직선 $3x+2y+9=0$을 x축의 방향으로 a만큼 평행이동한 직선이 원점을 지날 때, 상수 a의 값은? [3점]

① 3 ② 5 ③ 7
④ 9 ⑤ 11

02

[2015학년도 교육청]

좌표평면 위의 원 $x^2+y^2+2x-4y-3=0$을 x축의 방향으로 a만큼, y축의 방향으로 b만큼 평행이동한 도형이 원 $(x-3)^2+(y+4)^2=c$일 때, 세 상수 a, b, c에 대하여 $a+b+c$의 값은? [3점]

① 5 ② 6 ③ 7
④ 8 ⑤ 9

03

[2018학년도 교육청]

직선 $y=2x+k$를 x축의 방향으로 2만큼, y축의 방향으로 -3만큼 평행이동한 직선이 원 $x^2+y^2=5$와 한 점에서 만날 때, 모든 상수 k의 값의 합을 구하시오. [3점]

04

[2016학년도 교육청]

좌표평면에서 원 $(x+1)^2+(y+2)^2=9$를 x축의 방향으로 3만큼, y축의 방향으로 a만큼 평행이동한 원을 C라 하자. 원 C의 넓이가 직선 $3x+4y-7=0$에 의하여 이등분되도록 하는 상수 a의 값은? [3점]

① $\dfrac{1}{4}$ ② $\dfrac{3}{4}$ ③ $\dfrac{5}{4}$
④ $\dfrac{7}{4}$ ⑤ $\dfrac{9}{4}$

기출유형 02 점과 도형의 대칭이동

[2018학년도 교육청]

좌표평면에서 원 $x^2+y^2+10x-12y+45=0$을 원점에 대하여 대칭이동한 원을 C_1이라 하고, 원 C_1을 x축에 대하여 대칭이동한 원을 C_2라 하자. 원 C_2의 중심의 좌표를 (a, b)라 할 때, $10a+b$의 값을 구하시오. [3점]

Act①
원의 중심의 대칭이동을 생략한다.

해결의 실마리

대칭이동	x축 $\Rightarrow y$ 대신 $-y$ 대입	y축 $\Rightarrow x$ 대신 $-x$ 대입	원점 $\Rightarrow x$ 대신 $-x$, y 대신 $-y$ 대입	직선 $y=x$ $\Rightarrow x$ 대신 y, y 대신 x 대입
점 (x, y)	$(x, y) \longrightarrow (x, -y)$	$(x, y) \longrightarrow (-x, y)$	$(x, y) \longrightarrow (-x, -y)$	$(x, y) \longrightarrow (y, x)$
도형 $f(x, y)=0$	$f(x, y)=0$ $\longrightarrow f(x, -y)=0$	$f(x, y)=0$ $\longrightarrow f(-x, y)=0$	$f(x, y)=0$ $\longrightarrow f(-x, -y)=0$	$f(x, y)=0$ $\longrightarrow f(y, x)=0$

05

[2018학년도 교육청]

직선 $y=ax-6$을 x축에 대하여 대칭이동한 직선이 점 $(2, 4)$를 지날 때, 상수 a의 값은? [3점]

① 1 　　　② 2 　　　③ 3
④ 4 　　　⑤ 5

06

[2007학년도 교육청]

원점에 대하여 대칭이동하였을 때, 자기 자신과 일치하는 도형의 방정식을 [보기]에서 모두 고르면? [3점]

| 보기 |
ㄱ. $y=-x$ 　　ㄴ. $|x+y|=1$ 　　ㄷ. $x^2+y^2=2(x+y)$

① ㄱ 　　　② ㄷ 　　　③ ㄱ, ㄴ
④ ㄴ, ㄷ 　　　⑤ ㄱ, ㄴ, ㄷ

07

[2014학년도 교육청]

직선 $x-2y=9$를 직선 $y=x$에 대하여 대칭이동한 도형이 원 $(x-3)^2+(y+5)^2=k$에 접할 때, 실수 k의 값은? [3점]

① 80 　　　② 83 　　　③ 85
④ 88 　　　⑤ 90

08

[2006학년도 교육청]

원 C_1: $x^2-2x+y^2+4y+4=0$을 직선 $y=x$에 대하여 대칭이동한 원을 C_2라 하자. C_1 위의 임의의 점 P와 C_2 위의 임의의 점 Q에 대하여 두 점 P, Q 사이의 최소 거리는? [3점]

① $2\sqrt{3}-2$ 　　　② $2\sqrt{3}+2$ 　　　③ $3\sqrt{2}-2$
④ $3\sqrt{2}+2$ 　　　⑤ $3\sqrt{3}-2$

좌표평면 위의 두 점 A$(0, 3)$, B$(7, 4)$와 x축 위를 움직이는 점 P에 대하여 $\overline{AP}+\overline{BP}$의 최솟값은? [3점]

① 7   ② $7\sqrt{2}$ ③ $7\sqrt{3}$ ④ 14   ⑤ $7\sqrt{5}$

Act❶

두 선분의 길이의 합의 최솟값을 구할 때는 먼저 대칭인 점을 찾는다.

해결의 **실마리**

두 점 A, B가 직선 l에 대하여 같은 쪽에 있고 점 P가 직선 l 위를 움직일 때,

$\overline{AP}+\overline{BP}$의 최솟값은 다음과 같이 구한다.

① 점 A를 직선 l에 대하여 대칭이동한 점 A′의 좌표를 구한다.

② 점 P가 $\overline{A'B}$와 직선 l의 교점에 놓일 때

$\overline{AP}+\overline{BP}$는 $\overline{A'B}$를 최솟값으로 가진다.

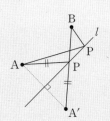

09
[2015학년도 교육청]

좌표평면에서 제1사분면 위의 점 A를 $y=x$에 대하여 대칭이동시킨 점을 B라 하자. x축 위의 점 P에 대하여 $\overline{AP}+\overline{PB}$의 최솟값이 $10\sqrt{2}$일 때, 선분 OA의 길이를 구하시오. (단, O는 원점이다.) [4점]

10
[2009학년도 10월 교육청]

좌표평면 위의 두 점 A$(a, 2)$, B$(b, 1)$과 x축 위의 점 P에 대하여 $\overline{AP}+\overline{PB}$가 최소가 될 때, $\angle APB=120°$이다. 이때 $(b-a)^2$의 값을 구하시오. (단, $0<a<b$) [3점]

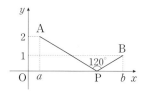

11
[2013학년도 교육청]

좌표평면 위에 직선 $y=x$ 위의 한 점 P가 있다. 점 P에서 점 A$(3, 2)$와 점 B$(5, 3)$에 이르는 거리의 합 $\overline{AP}+\overline{BP}$의 값이 최소일 때, 삼각형 ABP의 넓이는? [3점]

① 1   ② $\dfrac{3}{2}$ ③ 2

④ $\dfrac{5}{2}$ ⑤ 3

12
[2006학년도 교육청]

$\angle XOY=45°$인 반직선 OX 위에 $\overline{OA}=50$, $\overline{OB}=120$인 두 점 A, B가 있다. 반직선 OY 위의 임의의 점 P에 대하여 $\overline{AP}+\overline{PB}$의 최솟값을 구하시오. [3점]

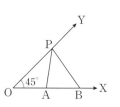

Very Important Test

01

점 $(3, 4)$를 점 $(2, 8)$로 옮기는 평행이동에 의하여 점 (a, b)가 점 $(5, 6)$으로 옮겨질 때, $a+b$의 값은? [2점]

① 2   ② 4   ③ 6

④ 8   ⑤ 10

02

점 $(1, 3)$을 점 $(-1, 5)$로 옮기는 평행이동에 의하여 점 $(5, -4)$를 평행이동할 때, 옮겨진 점의 좌표는 (a, b)이다. 이때 $a+b$의 값을 구하시오. [2점]

03

직선 $x+3y+4=0$을 x축의 방향으로 a만큼, y축의 방향으로 a만큼 평행이동한 직선이 원점을 지날 때, 상수 a의 값은? [3점]

① 1   ② 2   ③ 3

④ 4   ⑤ 5

04

점 $(1, 2)$를 점 $(-1, 4)$로 옮기는 평행이동에 의하여 직선 $y=ax+b$가 직선 $y=2x+3$으로 옮겨질 때, 두 실수 a, b에 대하여 $a+b$의 값은? [3점]

① -2 ② -1 ③ 0

④ 1   ⑤ 2

05

원 $(x+5)^2+(y-3)^2=81$을 x축의 방향으로 m만큼, y축의 방향으로 n만큼 평행이동한 원의 방정식이 $x^2+y^2-8x+16y-1=0$일 때, $m-n$의 값은? [3점]

① 18   ② 19   ③ 20

④ 21   ⑤ 22

06

점 $(-4, 2)$를 점 $(1, -1)$로 옮기는 평행이동에 의하여 원 $(x-2)^2+(y+1)^2=9$가 원 $x^2+y^2+ax+8y+b=0$으로 옮겨질 때, $a+b$의 값을 구하시오. (단, a, b는 상수) [3점]

07

원 $x^2+y^2-2x+6y+6=0$을 원 $x^2+y^2=4$로 옮기는 평행이동에 의하여 직선 $2x+y+4=0$이 직선 $ax+y+b=0$으로 옮겨질 때, 두 실수 a, b에 대하여 $a+b$의 값은? [3점]

① 1   ② 2   ③ 3

④ 4   ⑤ 5

08

포물선 $y=(x-1)^2+4$를 x축의 방향으로 p만큼, y축의 방향으로 $2p$만큼 평행이동한 포물선의 꼭짓점이 x축 위에 있을 때, 실수 p의 값은? [3점]

① -2 ② -1 ③ 0

④ 1   ⑤ 2

09

점 $(-1, a)$를 직선 $y=x$에 대하여 대칭이동한 다음 x축에 대하여 대칭이동하였더니 점 $(-3, b)$로 옮겨졌다. $b-a$의 값을 구하시오. [3점]

10

점 $(-1, 2)$를 y축에 대하여 대칭이동한 후 다시 원점에 대하여 대칭이동한 점의 좌표를 (a, b)라 할 때, ab의 값을 구하시오. [3점]

11

점 $\mathrm{P}(2, 4)$를 직선 $y=x$에 대하여 대칭이동한 점을 Q, 점 Q를 x축에 대하여 대칭이동한 점을 R라 할 때, 삼각형 PQR의 넓이는? [3점]

① 2   ② 3   ③ 4

④ 5   ⑤ 6

12

점 $\mathrm{A}(a, 4)$를 x축에 대하여 대칭이동한 후 직선 $y=x$에 대하여 대칭이동한 점의 좌표가 $\mathrm{B}(b, 2)$일 때, 직선 AB의 y절편은? [3점]

① $\dfrac{10}{3}$ ② 4   ③ $\dfrac{14}{3}$

④ $\dfrac{16}{3}$ ⑤ 6

13

원 $(x-2)^2+(y+1)^2=4$를 직선 $y=x$에 대하여 대칭이동한 원의 중심이 직선 $y=2x+k$ 위에 있을 때, 실수 k의 값을 구하시오. [3점]

14

원 $(x-3)^2+(y+2)^2=4$를 원점에 대하여 대칭이동한 후 다시 직선 $y=x$에 대하여 대칭이동하였더니 직선 $ax-2y+3=0$에 의하여 넓이가 이등분되었다. 이때 상수 a의 값은? [3점]

① $-\dfrac{9}{2}$ ② $-\dfrac{7}{2}$ ③ $-\dfrac{5}{2}$

④ $-\dfrac{3}{2}$ ⑤ $-\dfrac{1}{2}$

15

점 (a, b)를 x축의 방향으로 5만큼, y축의 방향으로 2만큼 평행이동한 후 직선 $y=x$에 대하여 대칭이동한 점의 좌표가 $(3b, 2a)$일 때, $a+b$의 값을 구하시오. [3점]

16

직선 $3x-2y-2=0$을 x축에 대하여 대칭이동한 후 다시 x축의 방향으로 3만큼, y축의 방향으로 -1만큼 평행이동한 직선의 방정식이 $y=ax+b$일 때, 두 실수 a, b에 대하여 $a+b$의 값은? [3점]

① 1   ② 2   ③ 3

④ 4   ⑤ 5

17

원 $(x-3)^2+(y+2)^2=9$를 x축의 방향으로 -1만큼, y축의 방향으로 2만큼 평행이동한 후, 다시 직선 $y=x$에 대하여 대칭이동한 원의 넓이가 직선 $2x-y+a=0$에 의하여 이등분될 때, 실수 a의 값은? [3점]

① 1   ② 2   ③ 3

④ 4   ⑤ 5

18

점 $A(4, 2)$와 직선 $y=x$ 위의 점 B, x축 위의 점 C에 대하여 세 점 A, B, C를 꼭짓점으로 하는 삼각형 ABC의 둘레의 길이의 최솟값은? [3점]

① $2\sqrt{6}$ ② $2\sqrt{7}$ ③ $4\sqrt{2}$

④ 6   ⑤ $2\sqrt{10}$

memo

조금이라도 달라지고 싶다면
지금 이 순간부터 변해야 한다.
-로베르토 스미스

당신이 친구들이 보고 싶으면
친구들이 당신에게 관심을 가지게 하려 하지 말고
당신이 먼저 친구들에게 관심을 가져라.
- 데일 카네기

좋은 기회를 만나지 못한 사람은 아무도 없다.
다만 그것을 붙잡지 못했을 뿐이다.
- 앤드류 카네기

조금이라도 달라지고 싶다면
지금 이 순간부터 변해야 한다.

참 쉬운 3점

정답과 해설

고등 **수학**(상)

참 쉬운 3점

정답과 해설

고등 **수학**(상)

Ⅰ 다항식

01 다항식의 연산

pp. 6~7

01 $A+B=(x^2-2x-4)+(2x-3)=x^2-7$ 답 ②

02 $a^3+b^3=(a+b)^3-3ab(a+b)$에서
$40=64-12ab$
$\therefore ab=2$ 답 ②

03 $a^2+b^2+c^2=(a+b+c)^2-2(ab+bc+ca)$
$\qquad\qquad\quad =16-10=6$
$\therefore a^2+b^2+c^2=6$ 답 ①

04 $(x+a)x^2=x^3+x^2$이므로 $a=1$

$$
\begin{array}{r}
x^2+4x-7 \\
x+1\overline{)x^3+5x^2-3x+5} \\
\underline{x^3+\ x^2}\qquad\qquad \\
4x^2-3x+5 \\
\underline{4x^2+4x}\qquad \\
-7x+5 \\
\underline{-7x-7} \\
12
\end{array}
$$

따라서 $b=-7$, $c=-7$, $d=-7$, $e=12$이므로
$a+b+c+d+e=-8$ 답 ④

05

$$
\begin{array}{c|cccc}
2 & 1 & -3 & 2 & 4 \\
  &   & 2 & \boxed{-2} & 0 \\
\hline
  & 1 & -1 & 0 & \boxed{4}
\end{array}
$$

$a=2\times(-1)=-2$, $b=4+0=4$
$\therefore a+b=2$ 답 ⑤

유형따라잡기
pp. 8~12

기출유형 01

Act① $B-2(-A+2B)$를 간단히 한다.
$B-2(-A+2B)$
$=B+2A-4B$
$=2A-3B$

Act② 간단히 한 식에 A, B의 식을 각각 대입한다.
$2A-3B$
$=2(3x^2+2x-1)-3(x^2+3x-2)$
$=6x^2+4x-2-3x^2-9x+6$
$=3x^2-5x+4$ 답 ①

01 **Act①** $(A+2B)-(B+C)$를 간단히 한다.
$(A+2B)-(B+C)=A+B-C$

Act② 간단히 한 식에 A, B의 식을 각각 대입한다.
$A+B-C=(x^2-xy+2y^2)+(x^2+xy+y^2)-(x^2-y^2)$
$\qquad\qquad =x^2-xy+2y^2+x^2+xy+y^2-x^2+y^2$
$\qquad\qquad =x^2+4y^2$ 답 ③

02 **Act①** $X-A=B$의 좌변이 X가 되도록 정리한다.
$X-A=B$에서 $X=A+B$

Act② 정리한 식에 A, B의 식을 각각 대입한다.
$X=A+B$
$\ =(2x^2-4x-2)+(3x+3)$
$\ =2x^2-x+1$ 답 ①

03 **Act①** $A-2X=B$의 좌변이 $2X$가 되도록 정리한다.
$A-2X=B$에서
$2X=A-B$

Act② 정리한 식에 A, B의 식을 각각 대입하여 계산한 다음 X를 구한다.
$2X=A-B$
$\quad =2x^3+x^2-4x+1-(x^2-4x+3)$
$\quad =2x^3-2$
$\therefore X=x^3-1$ 답 ③

> **보충**
>
> **Act①**에서 $A-2X=B$의 좌변을 X가 되도록 정리하면
> $X=\dfrac{1}{2}(A-B)$가 되지?
> 분수 꼴의 계산 $\dfrac{1}{2}(A-B)$보다는 정수 꼴의 계산 $A-B$가 편하니까
> $2X=A-B$로 정리해서 마지막에 2로 나눠 준 거야.

04 **Act①** 등식의 성질을 이용하여 첫 번째 식과 두 번째 식을 변끼리 더하거나 빼서 B를 구한다.
$A+B=x^2+3x+4$ $\cdots\cdots$ ㉠

$A-B=x^2-x+2$ ...... ㉡

㉠$-$㉡에서 $2B=4x+2$

$\therefore B=2x+1$　　　　　　　　　　　　답 ④

보충

등식의 성질

$a=b$이면

① $a+c=b+c$　　　　　② $a-c=b-c$

③ $ac=bc$　　　　　④ $\dfrac{a}{c}=\dfrac{b}{c}$ (단, $c\neq0$)

기출유형 02

Act① 주어진 식의 좌변을 곱셈 공식을 이용하여 전개한다.

곱셈 공식 $(a+b+c)^2=a^2+b^2+c^2+2ab+2bc+2ca$를 이용하여 $(2x+y-1)^2=3$의 좌변을 전개하면

$4x^2+y^2+(-1)^2+4xy-2y-4x=3$

Act② 전개된 식의 좌변에 구하는 식의 항만 남기고 이항한다.

$4x^2+y^2+4xy-4x-2y=3-1$

$\qquad\qquad\qquad\qquad\quad=2$　　　　　　답 ②

[다른 풀이]

제곱근의 성질을 이용한 풀이

$(2x+y-1)^2=3$에서 $2x+y-1=\pm\sqrt{3}$이므로

$2x+y=1\pm\sqrt{3}$

양변을 제곱하면

$(2x+y)^2=(1\pm\sqrt{3})^2$

$4x^2+4xy+y^2=4\pm2\sqrt{3}$

따라서 구하는 식의 값은

$4x^2+y^2+4xy-4x-2y$

$=(4x^2+4xy+y^2)-2(2x+y)$

$=(4\pm2\sqrt{3})-2(1\pm\sqrt{3})$ (복부호 동순)

$=2$

---

05 **Act①** 곱셈 공식을 이용하여 전개한다.

$(ax+2)^3+(x-1)^2$

$=(a^3b^3+3\times a^2x^2\times2+3\times ax\times2^2+2^3)+(x^2-2x+1)$

$=a^3b^3+(6a^2+1)x^2+(12a-2)x+9$

Act② 전개된 식에서 x항의 계수가 34임을 이용하여 a의 값을 구한다.

x의 계수가 34이므로 $(12a-2)x$항에서

$12a-2=34$, $12a=36$

$\therefore a=3$　　　　　　　　　　　　답 ②

---

06 **Act①** 곱셈 공식을 이용하여 전개한 다음 x^2항의 계수를 구한다.

$(6x+y-2z)^2=(6x)^2+y^2+(-2z)^2+2(6xy-2yz-12zx)$

$\qquad\qquad\qquad=36x^2+y^2+4z^2+12xy-4yz-24zx$

따라서 x^2의 계수는 36이다.　　　　답 36

[다른 풀이]

특정 항이 나오는 항만 전개하여 계수를 구하는 방법

$(6x+y-2z)^2$의 전개식에서 x^2의 항이 나오는 경우는

$6x\times6x=36x^2$뿐이므로 x^2의 계수는 36이다.

---

07 **Act①** 곱셈 공식을 이용하여 $(a+b+2c)^2$을 전개하고, 전개식에 $a^2+b^2+4c^2=44$, $ab+2bc+2ca=28$을 대입한다.

$(a+b+2c)^2=a^2+b^2+(2c)^2+2ab+2b(2c)+2(2c)a$

$\qquad\qquad\quad=a^2+b^2+4c^2+2(ab+2bc+2ca)$

$\qquad\qquad\quad=44+2\times28$

$\qquad\qquad\quad=100$　　　　　　　　답 100

---

08 **Act①** $(a+b+c)^2$을 전개한 등식에 $a+b+c=5$, $ab+bc+ca=-8$을 대입한다.

$(a+b+c)^2=a^2+b^2+c^2+2ab+2bc+2ca$

$\qquad\qquad\quad=a^2+b^2+c^2+2(ab+bc+ca)$

$a^2+b^2+c^2=(a+b+c)^2-2(ab+bc+ca)$

$\qquad\qquad\quad=5^2-2\times(-8)$

$\qquad\qquad\quad=41$　　　　　　　　답 41

기출유형 03

Act① $x+y$, x^2+xy+y^2의 값을 이용하여 xy의 값을 구한다.

$x^2+xy+y^2=(x+y)^2-xy=10$

$3^2-xy=10$

$\therefore xy=-1$

Act② $x+y$, xy의 값을 이용하여 x^3+y^3의 값을 구한다.

$x^3+y^3=(x+y)^3-3xy(x+y)$

$\qquad\quad=3^3-3\times(-1)\times3$

$\qquad\quad=36$　　　　　　　　　답 36

---

09 **Act①** 곱셈 공식을 변형한 식에 $x+y$, x^2+y^2의 값을 대입한다.

$x^2+y^2=(x+y)^2-2xy$에

$x+y=6$, $x^2+y^2=22$를 대입하면

$22=6^2-2xy$

$2xy=36-22=14$

$\therefore xy=7$　　　　　　　　　　답 ③

---

10 **Act①** 곱셈 공식을 변형한 식에 a^2+b^2, $a+b$의 값을 대입하여 ab의 값을 구하고 $(ab)^2$, a^2+b^2의 값을 이용하여 a^4+b^4의 값을 구한다.

$a^2+b^2=(a+b)^2-2ab$이므로

$7=9-2ab$, $ab=1$

$a^4+b^4=(a^2+b^2)^2-2a^2b^2$

$\qquad\quad=(a^2+b^2)^2-2(ab)^2$

$\qquad\quad=7^2-2\times1^2=47$　　　답 ⑤

---

11 **Act①** 곱셈 공식을 변형한 식에 $a-b$, ab의 값을 대입한다.

$a^3-b^3=(a-b)^3+3ab(a-b)$

$\qquad\quad=2^3+3\times1\times2=14$　　답 14

12 Act1 곱셈 공식을 변형한 식 $\left(x-\dfrac{1}{x}\right)^2=\left(x+\dfrac{1}{x}\right)^2-4$에 $x+\dfrac{1}{x}$의 값을 대입한 후 제곱근을 취한다.

$\left(x-\dfrac{1}{x}\right)^2=\left(x+\dfrac{1}{x}\right)^2-4=3^2-4=5$

$\therefore x-\dfrac{1}{x}=\pm\sqrt{5}$　　　　　　　　　답 ②

기출유형 04

Act1 나머지의 차수가 나누는 식의 차수보다 낮을 때까지 나눈다.

$3x^3-2x+20$을 x^2-3x+2로 나누면

$$
\begin{array}{r}
3x+9 \\
x^2-3x+2\,\overline{)\,3x^3-2x+20} \\
\underline{3x^3-9x^2+6x} \\
9x^2-8x+20 \\
\underline{9x^2-27x+18} \\
19x+2
\end{array}
$$

Act2 주어진 몫과 나머지를 비교하여 상수 a, b의 값을 구한다.

몫이 $3x+9$이고, 나머지가 $19x+2$이므로

$a=9$, $b=2$

$\therefore a-b=7$　　　　　　　　　답 ①

---

13 Act1 나눗셈을 한 후 주어진 몫과 나머지와 비교하여 상수 a, b의 값을 구한다.

$$
\begin{array}{r}
3x+1 \\
x^2-x+2\,\overline{)\,3x^3-2x^2+3x+7} \\
\underline{3x^3-3x^2+6x} \\
x^2-3x+7 \\
\underline{x^2-x+2} \\
-2x+5
\end{array}
$$

몫이 $3x+1$, 나머지가 $-2x+5$이므로 $a=3$, $b=5$

$\therefore a+b=8$　　　　　　　　　답 ④

---

14 Act1 $P(x)+4x$를 $Q(x)$로 나누는 나눗셈을 한 후 주어진 나머지와 비교하여 상수 a의 값을 구한다.

$P(x)+4x=3x^3+5x+11$을
$Q(x)=x^2-x+1$로 나누면

$$
\begin{array}{r}
3x+3 \\
x^2-x+1\,\overline{)\,3x^3+5x+11} \\
\underline{3x^3-3x^2+3x} \\
3x^2+2x+11 \\
\underline{3x^2-3x+3} \\
5x+8
\end{array}
$$

몫이 $3x+3$이고 나머지는 $5x+8$

$\therefore a=8$　　　　　　　　　답 ④

---

15 Act1 나눗셈을 하여 몫을 구한 다음 $Q(1)$의 값을 구한다.

$$
\begin{array}{r}
4x+2 \\
x^2-x+1\,\overline{)\,4x^3-2x^2+3x+1} \\
\underline{4x^3-4x^2+4x} \\
2x^2-x+1 \\
\underline{2x^2-2x+2} \\
x-1
\end{array}
$$

몫은 $Q(x)=4x+2$

$\therefore Q(1)=4+2=6$　　　　　　　　　답 ⑤

---

16 Act1 나눗셈을 하여 몫과 나머지를 구한 다음 $Q(1)+2R$의 값을 구한다.

$2x^3-5x^2+x-1$을 $2x-3$으로 나누면

$$
\begin{array}{r}
x^2-x-1 \\
2x-3\,\overline{)\,2x^3-5x^2+x-1} \\
\underline{2x^3-3x^2} \\
-2x^2+x \\
\underline{-2x^2+3x} \\
-2x-1 \\
\underline{-2x+3} \\
-4
\end{array}
$$

몫이 $Q(x)=x^2-x-1$이고, 나머지가 $R=-4$

$\therefore Q(1)-2R=(-1)-2\times(-4)=7$　　　답 ④

기출유형 05

Act1 조립제법을 이용하여 몫과 나머지를 구한다.

조립제법을 이용하면

$$
\begin{array}{r|rrrr}
\dfrac{1}{2} & 4 & -2 & 10 & -1 \\
 & & 2 & 0 & 5 \\
\hline
 & 4 & 0 & 10 & \boxed{4}
\end{array}
$$

$4x^3-2x^2+10x-1=\left(x-\dfrac{1}{2}\right)(4x^2+10)+4$

$\qquad\qquad\qquad\quad =(2x-1)(2x^2+5)+4$

따라서 $a=0$, $b=10$, $c=0$, $d=5$, $R=4$이므로

$a+b+c+d+R=19$　　　　　　　　　답 ④

---

17 Act1 조립제법의 과정을 따라 a, b, c의 값을 구한다.

$$
\begin{array}{r|rrrr}
2 & 1 & -3 & 5 & -5 \\
 & & 2 & -2 & 6 \\
\hline
 & 1 & -1 & 3 & \boxed{1}
\end{array}
$$

$a=-1$, $b=3$, $c=1$이므로 $abc=-3$　　답 ④

18 Act1 조립제법의 과정을 살펴보고 a의 값을 우선 구한다.

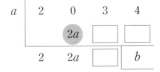

주어진 문제에서 $2a=2$이므로 $a=1$이다.

Act2 a의 값을 대입한 후 조립제법을 이용하여 b의 값을 구한다.

$$\begin{array}{r|rrrr}
1 & 2 & 0 & 3 & 4 \\
  &   & 2 & 2 & 5 \\
\hline
  & 2 & 2 & 5 & \boxed{9}
\end{array}$$

이므로 $b=9$

$\therefore a+b=1+9=10$ 답 ③

VIT **V**ery **I**mportant **T**est pp. 13~15

01. ④	02. ②	03. 5	04. ④	05. ①
06. ②	07. ①	08. ①	09. ⑤	10. ③
11. ①	12. ②	13. ③	14. ③	15. 2
16. ②	17. ④	18. ④		

01

$3A-2(A+B)=3A-2A-2B=A-2B$
$\qquad=(2x^2-4xy+3y^2)-2(x^2-3xy+y^2)$
$\qquad=(2x^2-4xy+3y^2)+(-2x^2+6xy-2y^2)$
$\qquad=2xy+y^2$ 답 ④

02

ㄱ. $(x^2-2)(x^4+2x^2+4)=(x^2-2)\{(x^2)^2+2x^2+2^2\}$
$\qquad\qquad\qquad\qquad\qquad=(x^2)^3-2^3=x^6-8$

ㄴ. $(x^2+2x+2)(x^2-2x+2)=(x^2+2)^2-(2x)^2$
$\qquad\qquad\qquad\qquad\qquad=x^4+4x^2+4-4x^2$
$\qquad\qquad\qquad\qquad\qquad=x^4+4$

ㄷ. $(x-1)(x-3)(x^2+x+1)=(x^3-1)(x-3)$
$\qquad\qquad\qquad\qquad\qquad=x^4-3x^3-x+3$

ㄹ. $(x+y)(x-y)(x^2+xy+y^2)(x^2-xy+y^2)$
$\qquad=(x^3+y^3)(x^3-y^3)$
$\qquad=x^6-y^6$

따라서 옳은 것은 ㄱ, ㄷ이다. 답 ②

03

$(x-2)^3(2x+1)^2=(x^3-6x^2+12x-8)(4x^2+4x+1)$
이므로 그 전개식에서 x^3항은
$x^3\times1+(-6x^2)\times4x+12x\times4x^2=25x^3$
$\therefore a=25$
x항은
$12x\times1+(-8)\times4x=-20x$ $\therefore b=-20$
$\therefore a+b=5$ 답 5

04

$(x^2+mx+2n)(2x^2-3x+n)$의 전개식에서
x^3항은
$x^2\times(-3x)+mx\times2x^2=(-3+2m)x^3$,
x항은
$mx\times n+2n\times(-3x)=(mn-6n)x$
이므로

05

$-3+2m=5$, $mn-6n=4$
따라서 $m=4$, $n=-2$이므로
$m-3n=10$ 답 ④

주어진 다항식의 전개식에서 x의 계수는 $-5a-2$이므로
$-5a-2=8$ $\therefore a=-2$ 답 ①

06

$x=2\sqrt{3}$, $y=\sqrt{5}$이므로
$(x+y)(x-y)=x^2-y^2=(2\sqrt{3})^2-(\sqrt{5})^2$
$\qquad\qquad\qquad=12-5$
$\qquad\qquad\qquad=7$ 답 ②

07

$a^2+b^2+c^2=(a+b+c)^2-2(ab+bc+ca)$
$\qquad\qquad\quad=36-20=16$
$\therefore a^2+b^2+c^2=16$ 답 ①

08

$(1-x)(1+x)(1+x^2)(1+x^4)$
$=(1-x^2)(1+x^2)(1+x^4)$
$=(1-x^4)(1+x^4)$
$=1-x^8$
$=1-11$
$=-10$ 답 ①

09

$x^2+y^2=5$, $x+y=3$이고
$(x+y)^2=x^2+y^2+2xy$이므로
$9=5+2xy$
$\therefore xy=2$ 답 ⑤

10

$999\times1001\times1000001=(10^3-1)(10^3+1)(10^6+1)$
$\qquad\qquad\qquad\qquad=(10^6-1)(10^6+1)$
$\qquad\qquad\qquad\qquad=10^{12}-1$ 답 ③

11

$(2x^3+3x^2+2x-1)\div(x^2+x+1)$의 몫이 $2x+1$이고, 나머지가 $-x-2$이므로
$a=1$, $b=-2$
$\therefore a-b=3$ 답 ①

12

$$\begin{array}{r}
2x+1 \\
x^2-x-1\overline{)2x^3-x^2+x+1} \\
\underline{2x^3-2x^2-2x} \\
x^2+3x+1 \\
\underline{x^2-x-1} \\
4x+2
\end{array}$$

따라서 $Q(x)=2x+1$, $R(x)=4x+2$이므로

$$Q(x)-R(x)=2x+1-(4x+2)$$
$$=-2x-1$$
답 ②

13

$$\begin{array}{r} 2x-1 \\ 4x^2+2x+1{\overline{\smash{\big)}\,8x^3-3}} \\ \underline{8x^3+4x^2+2x} \\ -4x^2-2x-3 \\ \underline{-4x^2-2x-1} \\ -2 \end{array}$$

따라서 $a=2$, $b=-1$, $c=-2$이므로 $abc=4$ 답 ③

14

$$P(x)=(x^2+2x+3)(x-1)+2x-1$$
$$=x^3+x^2+3x-4$$

$$\begin{array}{r} x+2 \\ x^2-x-1{\overline{\smash{\big)}\,x^3+x^2+3x-4}} \\ \underline{x^3-x^2-x} \\ 2x^2+4x-4 \\ \underline{2x^2-2x-2} \\ 6x-2 \end{array}$$

따라서 구하는 나머지는 $6x-2$이다.   답 ③

15

$3x^3-5x^2-2x+1=A(x-2)+2x-3$이므로
$A(x-2)=3x^3-5x^2-4x+4$
따라서 다항식 A는 다항식 $3x^3-5x^2-4x+4$를 $x-2$로 나누었을 때의 몫이다.

$$\begin{array}{r|rrrr} 2 & 3 & -5 & -4 & 4 \\ & & 6 & 2 & -4 \\ \hline & 3 & 1 & -2 & 0 \end{array}$$

$A=3x^2+x-2$
$\therefore a+b+c=2$ 답 2

16

$$\begin{array}{r|rrrr} 2 & 1 & 4 & -5 & 3 \\ & & 2 & 12 & 14 \\ \hline & 1 & 6 & 7 & 17 \end{array}$$

다항식 x^3+4x^2-5x+3을 $x-2$로 나누었을 때의 몫과 나머지를 조립제법으로 이용하여 구하면 $k=2$, $a=1$, $b=6$, $c=7$, $d=17$ 답 ②

17

$$\begin{array}{r|rrrr} -\dfrac{1}{2} & 4 & -3 & 1 & 2 \\ & & -2 & \dfrac{5}{2} & -\dfrac{7}{4} \\ \hline & 4 & -5 & \dfrac{7}{2} & \dfrac{1}{4} \end{array}$$

$4x^3-3x^2+x+2$

$$=\left(x+\frac{1}{2}\right)\left(4x^2-5x+\frac{7}{2}\right)+\frac{1}{4}$$
$$=(2x+1)\left(2x^2-\frac{5}{2}x+\frac{7}{4}\right)+\frac{1}{4}$$

즉 $a=\dfrac{7}{2}$이고, 몫은 $2x^2-\dfrac{5}{2}x+\dfrac{7}{4}$, 나머지는 $\dfrac{1}{4}$이다.

따라서 상수 a와 몫의 상수항의 합은

$$\frac{7}{2}+\frac{7}{4}=\frac{21}{4}$$ 답 ④

18

$$P(x)=(3x-2)Q(x)+R$$
$$=3\left(x-\frac{2}{3}\right)Q(x)+R$$
$$=\left(x-\frac{2}{3}\right)\times 3Q(x)+R$$

따라서 다항식 $P(x)$를 $x-\dfrac{2}{3}$로 나누었을 때의 몫은 $3Q(x)$이고 나머지는 R이다.   답 ④

02 나머지정리와 인수분해
pp. 16~18

01. ①	02. ④	03. ②	04. ③	05. ⑤
06. 4	07. ①	08. ⑤	09. ④	10. ③
11. ①	12. ⑤	13. ②		

01 주어진 등식 $x^2+ax+4=x(x+2)+b$의 우변을 x에 대하여 정리하면
$x^2+ax+4=x^2+2x+b$
항등식의 성질을 이용하여 양변의 동류항의 계수를 비교하면
$a=2$, $b=4$
$\therefore a+b=6$ 답 ①

02 주어진 등식의 우변을 x에 대하여 정리하면
$2x^2+3x+4=2x^2+(4+a)x+(2+a+b)$
항등식의 성질을 이용하여 양변의 동류항의 계수를 비교하면
$4+a=3$, $2+a+b=4$
따라서 $a=-1$, $b=3$이므로
$a-b=-4$ 답 ④

03 $P(x)=x^2-2x+5$라 하면 $P(x)$를 $x-1$로 나눈 나머지는 $P(1)$이므로
$P(1)=1-2+5=4$ 답 ②

[다른 풀이]
다항식 x^2-2x+5를 $x-1$로 나누면

$$\begin{array}{r}
x-1 \\
x-1{\overline{\smash{\big)}\,x^2-2x+5}} \\
\underline{x^2-\ x} \\
-\ x+5 \\
\underline{-\ x+1} \\
4
\end{array}$$

이므로 나머지는 4이다.

04 $P(x)=x^3+3x^2+a$라 하면
$P(x)$를 $x-1$로 나눈 나머지는
$P(1)=1+3+a=a+4$
$P(1)=7$이므로
$a+4=7$ ∴ $a=3$ 답 ③

05 $P(x)=x^3-ax+6$이라 하면 $P(x)$가 $x-1$로 나누어떨어지면 $P(1)=0$이므로
$P(1)=1-a+6=0$, $-a=-7$
∴ $a=7$ 답 ⑤

06 $P(x)=x^3-2x-a$라 하면
인수정리에 의해 $P(2)=8-4-a=0$
∴ $a=4$ 답 4

07 $x^2-11x+28=(x-4)(x-7)$이므로
$a=4$ 답 ①

08 $x^3-27=(x-3)(x^2+3x+9)$이므로
$a=3$, $b=9$
∴ $a+b=12$ 답 ⑤

09 $x^3-2^3=(x-2)(x^2+2x+4)$이므로
$a=2$, $b=2$
∴ $a+b=4$ 답 ④

10 $2x+y=X$라 하면
$(2x+y)^2-2(2x+y)-3$
$=X^2-2X-3$
$=(X+1)(X-3)$
$=(2x+y+1)(2x+y-3)$
따라서 $a=2$, $b=1$, $c=-3$이므로
$a+b+c=2+1+(-3)=0$ 답 ③

11 $x^2-x=X$로 놓으면
$(x^2-x)(x^2-x-1)-2=X(X-1)-2$
$=X^2-X-2$
$=(X-2)(X+1)$
$=(x^2-x-2)(x^2-x+1)$
$=(x-2)(x+1)(x^2-x+1)$
따라서 $x-2$는 주어진 식의 약수이다.   답 ①

12 $P(x)=x^3+x^2-2$라 하면 $P(1)=0$이므로

$P(x)$는 $x-1$을 인수로 갖는다.

$$\begin{array}{r|rrrr}
1 & 1 & 1 & 0 & -2 \\
& & 1 & 2 & 2 \\
\hline
& 1 & 2 & 2 & 0
\end{array}$$

$x^3+x^2-2=(x-1)(x^2+2x+2)$이므로 $a=2$, $b=2$
∴ $a+b=4$ 답 ⑤

13 $P(x)=3x^3-8x^2+3x+2$라 하면 $P(1)=0$이므로
$P(x)$는 $x-1$을 인수로 갖는다.

$$\begin{array}{r|rrrr}
1 & 3 & -8 & 3 & 2 \\
& & 3 & -5 & -2 \\
\hline
& 3 & -5 & -2 & 0
\end{array}$$

$3x^3-8x^2+3x+2=(x-1)(3x^2-5x-2)$
$=(x-1)(x-2)(3x+1)$
이므로
$a=1$, $b=-1$, $c=-2$ 또는 $a=1$, $b=-2$, $c=-1$
∴ $a^2+b^2+c^2=1^2+(-1)^2+(-2)^2=6$ 답 ②

유형따라잡기   pp. 19~25

기출유형 01 ②	01. ③	02. ①	03. 3	04. ②
기출유형 02 ②	05. 40	06. ①	07. 19	08. 40
기출유형 03 ①	09. ③	10. ②	11. 11	12. ①
기출유형 04 ④	13. 9	14. ①	15. ③	16. ④
기출유형 05 ①	17. ①	18. ②	19. ①	20. ①
기출유형 06 ④	21. ③	22. ③	23. ④	24. 7
기출유형 07 1	25. 5	26. 3	27. ⑤	28. ④

기출유형 01

Act 1 x에 대한 항등식이므로 $x=1$을 대입하여 a의 값을 구한다.
등식 $x^3-x^2+x+3=(x-1)(x^2+1)+a$는 x에 대한 항등식이므로 x에 어떤 값을 대입하여도 항상 참이 된다.
$x=1$을 대입하면
$1-1+1+3=a$
∴ $a=4$ 답 ②

[다른 풀이]
계수비교법을 이용하는 풀이
등식의 우변을 전개하여 정리하면
$x^3-x^2+x+3=x^3-x^2+x-1+a$
이다. 항등식의 성질을 이용하여 양변의 동류항을 비교하면
$3=-1+a$ ∴ $a=4$

01 **Act 1** x에 대한 항등식이므로 $x=2$를 대입하여 b의 값을 구한다.
주어진 등식은 x에 대한 항등식이므로 양변에 $x=2$를 대입하면
$4+6+2=b$, $b=12$

즉 $x^2+3x+2=(x-2)^2+a(x-2)+12$ ······㉠

Act② x에 대한 항등식이므로 $x=0$을 대입하여 a의 값을 구한다.

㉠의 양변에 $x=0$을 대입하면

$2=4-2a+12$, $a=7$

$\therefore a+b=7+12=19$　　　　　　　　답 ③

02 **Act①** 항등식이므로 우변을 전개했을 때의 상수항과 좌변의 상수항이 같음을 이용하여 상수 a의 값을 구한다.

$x^3-2x^2-x+14=(x+a)(x^2+bx+7)$에서

$14=a\times7$, $a=2$

즉, $x^3-2x^2-x+14=(x+2)(x^2+bx+7)$

Act② 항등식이므로 우변을 전개했을 때의 일차항의 계수와 좌변의 일차항의 계수가 같음을 이용하여 상수 b의 값을 구한다.

$x^3-2x^2-x+14=(x+2)(x^2+bx+7)$에서

$-x=2bx+7x$

즉 $-1=2b+7$, $b=-4$

$\therefore a+b=2+(-4)=-2$　　　　　　　답 ①

[다른 풀이]

우변을 전개했을 때 계수가 $a+b$가 되는 특정한 항만을 비교하는 풀이

$(x+a)(x^2+bx+7)$을 전개했을 때 계수가 $a+b$가 되는 항은 $ax^2+bx^2=(a+b)x^2$이고 좌변의 이차항 $-2x^2$의 계수와 같아야 하므로

$a+b=-2$

[참고]

$x^3-2x^2-x+14=(x+a)(x^2+bx+7)$

$\qquad\qquad\qquad\quad =x^3+(a+b)x^2+(ab+7)x+7a$

03 **Act①** x에 대한 항등식이므로 $x=2$를 대입하여 a의 값을 구한다.

주어진 등식은 x에 대한 항등식이므로 양변에 $x=2$를 대입하면

$8-4-10+a=0$, $a=6$

즉 $x^3-x^2-5x+6=(x-2)(x^2+x+b)$ ······㉠

Act② x에 대한 항등식이므로 $x=0$을 대입하여 b의 값을 구한다.

㉠의 양변에 $x=0$을 대입하면

$6=-2b$, $b=-3$

$\therefore a+b=6+(-3)=3$　　　　　　　답 3

[다른 풀이]

조립제법으로 나눗셈을 하여 나머지가 0이 됨을 이용하는 풀이

주어진 등식이 $x^3-x^2-5x+a=(x-2)(x^2+x+b)$이므로 x^3-x^2-5x+a를 $x-2$로 나누면 몫이 x^2+x+b이고 나머지가 0이다.

조립제법을 이용하여 계산하면

2	1	-1	-5	a
		2	2	-6
	1	1	-3	$a-6$

따라서 몫은 $x^2+x-3=x^2+x+b$, 나머지는 $a-6=0$이므로

$a=6$, $b=-3$

$\therefore a+b=3$

04 **Act①** k에 대한 항등식이므로 $(\quad)k+(\quad)=0$의 꼴로 정리한다.

$(k+3)x-(3k+4)y+5k=0$을 k에 대하여 정리하면

$(x-3y+5)k+(3x-4y)=0$

이고, 이 식은 k에 대한 항등식이므로

$\begin{cases} x-3y+5=0 & \cdots\cdots㉠ \\ 3x-4y=0 & \cdots\cdots㉡ \end{cases}$

$3\times㉠-㉡$에서

$3(x-3y+5)-(3x-4y)=0$

$-5y+15=0$, $y=3$

y의 값을 ㉡에 대입하면

$3x-12=0$, $x=4$

따라서 $x=4$, $y=3$이므로

$x+y=7$　　　　　　　답 ②

[다른 풀이]

$(k+3)x-(3k+4)y+5k=0$은 k에 대한 항등식이므로

(i) $k=0$을 대입하면

$3x-4y=0$　　　　　　　······㉠

(ii) $k=-1$을 대입하면

$2x-y-5=0$　　　　　　······㉡

㉠$-4\times㉡$에서

$(3x-4y)-4(2x-y-5)=0$

$-5x+20=0$, $x=4$

x의 값을 ㉠에 대입하면

$12-4y=0$, $y=3$

따라서 $x=4$, $y=3$이므로

$x+y=7$

기출유형 **02**

Act① $P(x)=ax^5+bx^3+cx-5$라 할 때, $P(1)=3$임을 이용하여 $P(-1)$의 값을 구한다.

$P(x)=ax^5+bx^3+cx-5$로 놓으면 나머지정리에 의하여 $P(1)=3$이므로

$a+b+c-5=3$, $a+b+c=8$

$P(x)$를 $x+1$로 나누었을 때의 나머지는 $P(-1)$이므로

$P(-1)=-a-b-c-5$

$\qquad\quad =-(a+b+c)-5$

$\qquad\quad =-8-5=-13$　　　　　　답 ②

05 **Act①** 나머지정리를 이용하여 나머지를 구한다.

$P(x)=x^3+5x^2+4x+4$라 하면

x^3+5x^2+4x+4를 $x-2$로 나눈 나머지는

$P(2)=2^3+5\times2^2+4\times2+4=40$　　　答 40

06 **Act①** $P(x)=x^2+ax+4$라 하면 $P(1)=P(2)$임을 이용하여

상수 a의 값을 구한다.

$P(x)=x^2+ax+4$라 하면

x^2+ax+4를 $x-1$로 나누었을 때의 나머지는

$P(1)=a+5$

x^2+ax+4를 $x-2$로 나누었을 때의 나머지는

$P(2)=2a+8$

$P(1)=P(2)$이므로

$a+5=2a+8$

$\therefore a=-3$ 　　　　　　　　　　　　　　　　답 ①

07 Act1 $R_1=f(1)$, $R_2=f(-1)$임을 이용한다.

$R_1=f(1)=1+a+3=4+a$

$R_2=f(-1)=1-a+3=4-a$

$R_1-R_2=2a=38$이므로 $a=19$ 　　　　　답 19

08 Act1 $P(k)+P(-k)=8$임을 이용하여 $P(k^2)$의 값을 구한다.

나머지정리에 의하여 다항식 $P(x)$를 $x-k$로 나눈 나머지는

$P(k)=k^3+k^2+k+1$

다항식 $P(x)$를 $x+k$로 나눈 나머지는

$P(-k)=-k^3+k^2-k+1$

나머지의 합이 8이므로

$P(k)+P(-k)=k^3+k^2+k+1+(-k^3+k^2-k+1)$

　　　　　　　　　　$=2k^2+2$

　　　　　　　　　　$=8$

$\therefore k^2=3$

다항식 $P(x)$를 $x-k^2$으로 나눈 나머지는

$P(k^2)=(k^2)^3+(k^2)^2+k^2+1$

　　　　$=3^3+3^2+3+1$

　　　　$=40$ 　　　　　　　　　　　　　　　답 40

기출유형 03

Act1 $P(x)=(x+2)(x-5)Q(x)+ax+b$로 놓고 $P(-2)=1$, $P(5)=8$임을 이용한다.

$P(x)$를 $(x+2)(x-5)$로 나누었을 때의 몫을 $Q(x)$라 하면

$P(x)=(x+2)(x-5)Q(x)+ax+b$

나머지정리에 의하여 $P(-2)=1$, $P(5)=8$이므로

$P(-2)=-2a+b=1$, $P(5)=5a+b=8$

두 식을 연립하여 풀면 $a=1$, $b=3$

$\therefore a+b=4$ 　　　　　　　　　　　　　답 ①

09 Act1 $P(x)=(x-5)(x+3)Q(x)+ax+b$로 놓고 $P(5)=10$, $P(-3)=-6$임을 이용한다.

다항식 $P(x)$를 $(x-5)(x+3)$으로 나누었을 때의 몫을 $Q(x)$, 나머지를 $R(x)=ax+b$라 하면

$P(x)=(x-5)(x+3)Q(x)+ax+b$

$P(5)=10$, $P(-3)=-6$이므로

$P(5)=5a+b=10$, $P(-3)=-3a+b=-6$

두 식을 연립하여 풀면 $a=2$, $b=0$

따라서 $R(x)=2x$이므로 $R(1)=2$ 　　　　　답 ③

10 Act1 $P(x)=(x^2-1)(2x+1)+5$로 놓고 $P(2)$를 구한다.

다항식 $P(x)$를 x^2-1로 나눈 몫이 $2x+1$이고 나머지는 5이므로

$P(x)=(x^2-1)(2x+1)+5$

$P(x)$를 $x-2$로 나눈 나머지는 $P(2)$이므로

$P(2)=(2^2-1)(2\times 2+1)+5$

　　　$=3\times 5+5$

　　　$=20$ 　　　　　　　　　　　　　　　답 ②

11 Act1 $f(x)=(x^2-7x)Q(x)+x+4$로 놓고 $f(7)$의 값을 구한다.

다항식 $f(x)$를 x^2-7x로 나눈 몫을 $Q(x)$라 하면 나머지가 $x+4$이므로

$f(x)=(x^2-7x)Q(x)+x+4$

　　　$=x(x-7)Q(x)+x+4$

나머지정리에 의하여 다항식 $f(x)$를 $x-7$로 나눈 나머지는 $f(7)$과 같다.

따라서 $f(x)$를 $x-7$로 나눈 나머지는 $f(7)=11$ 　답 11

12 Act1 $f(x)=(x-2)(x+1)(ax+b)+ax+b$라 놓고 $f(2)=7$, $f(-1)=1$임을 이용한다.

조건 (개), (내)에서 $f(x)$를 $x-2$, $x+1$로 나누었을 때의 나머지가 각각 7, 1이므로

$f(2)=7$, $f(-1)=1$

조건 (대)에서 $f(x)$를 $(x-2)(x+1)$로 나누었을 때의 나머지를 $ax+b$라 하면 몫도 $ax+b$이므로

$f(x)=(x-2)(x+1)(ax+b)+ax+b$ 　　…… ㉠

㉠의 양변에 $x=2$를 대입하면

$f(2)=2a+b=7$ 　　　　　　　　　　…… ㉡

㉠의 양변에 $x=-1$을 대입하면

$f(-1)=-a+b=1$ 　　　　　　　　　…… ㉢

㉡, ㉢을 연립하여 풀면 $a=2$, $b=3$

따라서

$f(x)=(x-2)(x+1)(2x+3)+2x+3$

이므로

$f(0)=(-2)\times 1\times 3+3=-3$ 　　　　답 ①

기출유형 04

Act1 $P(x)$가 $x+1$로 나누어떨어지려면 $P(-1)=0$이어야 함을 이용하여 k의 값을 구한다.

$P(x)=(kx^3+3)(kx^2-4)-kx$라 할 때, 다항식 $P(x)$가 $x+1$로 나누어떨어지려면 $P(-1)=0$이어야 한다.

$P(-1)=(-k+3)(k-4)+k$

　　　$=-k^2+7k-12+k$

　　　$=-(k^2-8k+12)$

　　　$=-(k-2)(k-6)=0$

따라서 $k=2$ 또는 $k=6$이므로 모든 실수 k의 값의 합은 8

　　　　　　　　　　　　　　　　　　　답 ④

13 Act① $P(x)$가 $x+2$로 나누어떨어지려면 $P(-2)=0$이어야 함을 이용하여 k의 값을 구한다.

다항식 $P(x)$가 $x+2$로 나누어떨어지려면
$P(-2)=(-2)^3-(-2)^2-k(-2)-6=0$
$2k-18=0$
$\therefore k=9$ 　　　　　　　　　　　　　　　　　답 9

14 Act① $P(a)=0$, $P(b)=0$이므로 $(x-a)(x-b)$는 $P(x)$의 인수임을 이용하여 $a+b$의 값을 구한다.

$P(a)=0$, $P(b)=0$이므로 인수정리에 의해
$P(x)=(x-a)(x-b)=x^2-(a+b)x+ab$
　　　　　　　　　　$=x^2-4x-6$
일차항의 계수를 비교하면 $a+b=4$
$\therefore P(4)=16-4\times4-6=-6$ 　　　　　　답 ①

15 Act① $x+1$이 $P(x)$의 인수이므로 $P(-1)=0$에서 a, b, c의 관계식을 찾고, 선택지에서 $P(\alpha)=0$이 되는 경우를 찾는다.

다항식 $P(x)=ax^4+bx^3+cx-a$라 하면
$x+1$이 $P(x)$의 인수이므로
$P(-1)=a-b-c-a=0$, 즉 $b+c=0$
$P(1)=a+b+c-a=0$
따라서 $x-1$은 반드시 $P(x)$의 인수이다. 　　답 ③

16 Act① $P(x)$가 x^2-1로 나누어떨어지므로 $P(-1)=0$, $P(1)=0$임을 이용하여 a, b의 값을 구한다.

다항식 $2x^3+ax^2+bx+6$이 x^2-1로 나누어떨어지므로
$2x^3+ax^2+bx+6=(x^2-1)Q(x)$ 　　　……㉠
이다.
$x^2-1=(x+1)(x-1)$이므로 ㉠의 양변에
(ⅰ) $x=-1$을 대입하면
　$-2+a-b+6=0$이므로
　$a-b=-4$ 　　　　　　　　　　　……㉡
(ⅱ) $x=1$을 대입하면
　$2+a+b+6=0$이므로
　$a+b=-8$ 　　　　　　　　　　　……㉢
㉡, ㉢을 연립하여 풀면 $a=-6$, $b=-2$
$\therefore ab=12$ 　　　　　　　　　　　　　　답 ④

[다른 풀이]
조립제법을 이용하여 나머지가 0임을 이용한 풀이
다항식 $2x^3+ax^2+bx+6$이 x^2-1로 나누어떨어지므로 $2x^3+ax^2+bx+6$을 x^2-1로 나눈 몫을 $Q(x)$라 하면
$2x^3+ax^2+bx+6=(x-1)(x+1)Q(x)$가 된다.
그러므로 조립제법을 이용하면

1	2	a	b	6
		2	$a+2$	$a+b+2$
-1	2	$a+2$	$a+b+2$	$a+b+8$
		-2	$-a$	
	2	a	$b+2$	

$a+b+8=0$, $b+2=0$이므로 $a=-6$, $b=-2$
$\therefore ab=12$

기출유형 05

Act① 주어진 다항식을 x에 대한 내림차순으로 정리한 후 인수분해한다.

주어진 다항식을 x에 대한 내림차순으로 정리하면
$2x^2-(y+4)x-y^2+y+2$
$=2x^2-(y+4)x-(y+1)(y-2)$
$=(x-y-1)(2x+y-2)$
따라서 $a=1$, $b=-1$, $c=2$, $d=1$이므로
$a+b+c+d=3$ 　　　　　　　　　　　　　　답 ①

17 Act① $x(x+2)+a=(x+b)^2$이므로 좌변과 우변을 전개하여 계수를 비교한다.

$x(x+2)+a=x^2+2x+a$, $(x+b)^2=x^2+2bx+b^2$이므로
$x^2+2x+a=x^2+2bx+b^2$
양변의 계수를 비교하면
$2=2b$, $a=b^2$
따라서 $b=1$, $a=1$이므로 $ab=1$ 　　　　답 ①

18 Act① 적당한 항끼리 짝을 지어 공통인수를 묶은 다음 인수분해 공식을 적용한다.

$a^3-a^2c-ab^2+b^2c=a^2(a-c)-b^2(a-c)$
　　　　　　　　　　　　$=(a-c)(a^2-b^2)$
　　　　　　　　　　　　$=(a-c)(a+b)(a-b)$
따라서 선택지에서 인수인 것은 ② $a-c$
이다. 　　　　　　　　　　　　　　　　　　답 ②

19 Act① 인수분해 공식을 이용할 수 있도록 식을 변형해 본다.

$x^4+7x^2+16=(x^4+8x^2+16)-x^2$
$=(x^2+4)^2-x^2$
$=(x^2+x+4)(x^2-x+4)$
따라서 $a=1$, $b=4$이므로 $a+b=5$ 　　　답 ①

20 Act① $n=218$이라 놓고 $\dfrac{n^3+1}{(n-1)^3-1}$을 인수분해 공식을 이용하여 간단히 정리한 식에 n의 값을 대입한다.

218을 n이라 하면
$218^3+1=n^3+1=(n+1)(n^2-n+1)$
$217^3-1=(n-1)^3-1$
　　　　$=\{(n-1)-1\}\{(n-1)^2+(n-1)+1\}$
　　　　$=(n-2)(n^2-n+1)$
$\dfrac{218^3+1}{217^3-1}=\dfrac{(n+1)(n^2-n+1)}{(n-2)(n^2-n+1)}$
　　　　$=\dfrac{n+1}{n-2}$
　　　　$=\dfrac{218+1}{218-2}$
　　　　$=\dfrac{219}{216}$

$$=\frac{73}{72}$$
답 ①

$a+b+c=7$
답 7

Act❶ 공통부분을 X로 치환하여 X에 대한 식을 인수분해한다.

$x^2-3x=X$라 하면
$(x^2-3x)^2-x^2+3x-6$
$=X^2-X-6=(X+2)(X-3)$
$=(x^2-3x+2)(x^2-3x-3)$
$=(x-1)(x-2)(x^2-3x-3)$
따라서 $a=-1$, $b=-3$, $c=-3$이므로
$abc=-9$
답 ④

21 **Act❶** 공통부분을 X로 치환하여 X에 대한 식을 인수분해한다.

$x^2+2x=X$라 하면
$(x^2+2x)(x^2+2x-3)+2$
$=X(X-3)+2$
$=X^2-3X+2$
$=(X-1)(X-2)$
$=(x^2+2x-1)(x^2+2x-2)$
따라서 $a=2$, $b=-1$이므로
$a+b=1$
답 ③

22 **Act❶** 공통부분을 X로 치환하여 X에 대한 식을 인수분해한다.

$x^2-3x=X$라 하면
$(x^2-3x-1)(x^2-3x+4)-6=(X-1)(X+4)-6$
$=X^2+3X-10$
$=(X-2)(X+5)$
$=(x^2-3x-2)(x^2-3x+5)$
따라서 $a=-3$, $b=-2$, $c=-3$, $d=5$
또는 $a=-3$, $b=5$, $c=-3$, $d=-2$이므로
$a+b+c+d=-3$
답 ③

23 **Act❶** 공통부분을 X로 치환하여 X에 대한 식을 인수분해한다.

$x^2-x=X$라 하면
$(x^2-x)^2+2x^2-2x-15=X^2+2X-15$
$=(X+5)(X-3)$
$=(x^2-x+5)(x^2-x-3)$
따라서 $a=-1$, $b=5$, $c=-3$ 또는 $a=-1$, $b=-3$, $c=5$
이므로
$a+b+c=1$
답 ④

24 **Act❶** 공통부분을 X로 치환하여 X에 대한 식을 인수분해한다.

$x^2-6x=X$라 하면
$(x^2-6x+5)(x^2-6x+8)+2=(X+5)(X+8)+2$
$=X^2+13X+42$
$=(X+6)(X+7)$
$=(x^2-6x+6)(x^2-6x+7)$
따라서 $a=-6$, $b=6$, $c=7$ 또는 $a=-6$, $b=7$, $c=6$이
므로

Act❶ 인수분해 공식을 이용할 수 없으면 인수정리를 이용하여 인수분해한다.

$P(x)=x^3+3x^2-4$로 놓으면
$P(1)=0$이므로 인수정리에 의하여 $x-1$은 $P(x)$의 인수이다.
따라서 다음과 같이 조립제법을 이용하여 인수분해하면

1	1	3	0	-4
		1	4	4
	1	4	4	0

$P(x)=(x-1)(x^2+4x+4)$
$=(x-1)(x+2)^2$
따라서 $a=-1$, $b=2$이므로 $a+b=1$
답 1

25 **Act❶** 인수분해 공식을 이용할 수 없으면 인수정리를 이용하여 인수분해한다.

$P(x)=2x^3-x^2-7x+6$으로 놓으면
$P(1)=0$이므로 인수정리에 의하여 $x-1$은 $P(x)$의 인수이다.
따라서 다음과 같이 조립제법을 이용하여 인수분해하면

1	2	-1	-7	6
		2	1	-6
	2	1	-6	0

$P(x)=(x-1)(2x^2+x-6)$
$=(x-1)(x+2)(2x-3)$
따라서 $a=2$, $b=-3$이므로 $a-b=5$
답 5

[다른 풀이]
주어진 등식의 양변에 $x=-1$을 대입하면
$10=-2(-a+b)$
$\therefore a-b=5$

26 **Act❶** 인수분해 공식을 이용할 수 없으면 인수정리를 이용하여 인수분해한다.

$P(x)=x^3-x^2+2x-8$로 놓으면
$P(2)=0$이므로 인수정리에 의하여 $x-2$는 $P(x)$의 인수이다.
따라서 다음과 같이 조립제법을 이용하여 인수분해하면

2	1	-1	2	-8
		2	2	8
	1	1	4	0

$P(x)=(x-2)(x^2+x+4)$
따라서 $a=-2$, $b=1$, $c=4$이므로 $a+b+c=3$
답 3

27 **Act❶** 인수분해 공식을 이용할 수 없으면 인수정리를 이용하여 인수분해한다.

$P(x)=x^4+5x^3+5x^2-5x-6$으로 놓으면
$P(1)=0$, $P(-1)=0$이므로 $P(x)$는 $x-1$, $x+1$을 각각 인수로 갖는다.

따라서 다음과 같이 조립제법을 이용하여 인수분해하면

$$
\begin{array}{r|rrrrr}
1 & 1 & 5 & 5 & -5 & -6 \\
  &   & 1 & 6 & 11 & 6 \\
\hline
-1 & 1 & 6 & 11 & 6 & 0 \\
  &   & -1 & -5 & -6 & \\
\hline
  & 1 & 5 & 6 & 0 &
\end{array}
$$

$$
\begin{aligned}
P(x) &= (x-1)(x^3+6x^2+11x+6) \\
&= (x-1)(x+1)(x^2+5x+6) \\
&= (x-1)(x+1)(x+2)(x+3)
\end{aligned}
$$

따라서 인수가 아닌 것은 ⑤ $x-2$이다. 　　　　　답 ⑤

28 Act① $P(1)=0$, $P(2)=0$을 이용하여 a, b의 값을 구한다.

$P(x)=x^3+x^2+ax+b$라 하면 $P(x)$가 $x-1$, $x-2$를 인수로 가지므로

$P(1)=0$에서 $a+b=-2$ 　　　……㉠

$P(2)=0$에서 $2a+b=-12$ 　　　……㉡

㉠, ㉡을 연립하여 풀면 $a=-10$, $b=8$

$\therefore P(x)=x^3+x^2-10x+8$

Act② 인수정리를 이용하여 인수분해하여 또 다른 일차식인 인수를 구한다.

$P(x)$가 $x-1$, $x-2$를 인수로 가지므로

$$
\begin{array}{r|rrrr}
1 & 1 & 1 & -10 & 8 \\
  &   & 1 & 2 & -8 \\
\hline
2 & 1 & 2 & -8 & 0 \\
  &   & 2 & 8 & \\
\hline
  & 1 & 4 & 0 &
\end{array}
$$

$\therefore x^3+x^2-10x+8=(x-1)(x-2)(x+4)$

따라서 구하는 또 다른 일차식인 인수는 $x+4$이다. 　답 ④

VIT Very Important Test 　　　pp. 26~27

pp. 26~27

01. ①	**02.** ④	**03.** ⑤	**04.** ①	**05.** ④
06. 20	**07.** ④	**08.** ②	**09.** ③	**10.** 0
11. ①	**12.** ④			

01

주어진 등식의 우변을 전개하여 정리하면

$(x^2-bx+1)(x+2)=x^3+(2-b)x^2+(1-2b)x+2$이므로

$x^3+ax^2-x+2=x^3+(2-b)x^2+(1-2b)x+2$

이 등식이 x에 대한 항등식이므로

$a=2-b$, $-1=1-2b$

$\therefore a=1$, $b=1$ $\therefore ab=1$ 　　　　　답 ①

02

주어진 등식의 양변에 $x=0$, $x=1$, $x=2$를 각각 대입하면

$2=2c$, $9=-b$, $22=2a$

따라서 $a=11$, $b=-9$, $c=1$이므로

$a+b+c=3$ 　　　　　답 ④

03

주어진 등식을 k에 대하여 정리하면

$kx+3x+2y+2ky+5k-1=0$

$(x+2y+5)k+(3x+2y-1)=0$

이 등식이 k에 대한 항등식이므로

$x+2y+5=0$, $3x+2y-1=0$

위의 두 식을 연립하여 풀면 $x=3$, $y=-4$

$\therefore 2x+y=6-4=2$ 　　　　　답 ⑤

04

$P(x)=x^3+ax^2-2x+1$이라 하면 $P(2)=-3$이므로

$8+4a-4+1=-3$ $\therefore a=-2$ 　　　　　답 ①

05

다항식 $f(x)$를 x^2-2x-3으로 나누었을 때의 몫을 $Q(x)$, 나머지를 $ax+b$(a, b는 상수)라 하면

$$
\begin{aligned}
f(x) &= (x^2-2x-3)Q(x)+ax+b \\
&= (x+1)(x-3)Q(x)+ax+b \quad ……㉠
\end{aligned}
$$

$f(x)$를 $x+1$, $x-3$으로 나누었을 때의 나머지가 각각 1, 5이므로

$f(-1)=1$, $f(3)=5$

㉠에 $x=-1$, $x=3$을 각각 대입하면

$-a+b=1$, $3a+b=5$

위의 두 식을 연립하여 풀면 $a=1$, $b=2$

따라서 구하는 나머지는 $x+2$이다. 　　　　　답 ④

06

$P(x)=x^4-3x^3+2x^2+ax+b$라 하면

$P(-1)=1+3+2-a+b=0$에서

$a-b=6$ 　　　……㉠

$P(2)=16-24+8+2a+b=0$에서

$2a+b=0$ 　　　……㉡

㉠, ㉡을 연립하여 풀면 $a=2$, $b=-4$

$\therefore a^2+b^2=4+16=20$ 　　　　　답 20

07

다항식 $f(x+1)$이 $x-2$로 나누어떨어지므로

$f(x+1)=(x-2)Q(x)$에서

$f(3)=0$

또, 다항식 $f(x-1)$이 $x+2$로 나누어떨어지므로

$f(x-1)=(x+2)Q(x)$에서

$f(-3)=0$

$f(x)=x^3+ax+b$에 $x=3$, $x=-3$을 각각 대입하면

$27+3a+b=0$, $-27-3a+b=0$

위의 두 식을 연립하여 풀면 $a=-9$, $b=0$

즉 $f(x)=x^3-9x$이므로 $f(x)$를 $x+1$로 나누었을 때의 나머지는

$f(-1)=-1+9=8$ 　　　　　답 ④

08

$$
\begin{aligned}
x^6-2^6 &= (x^3)^2-(2^3)^2 \\
&= (x^3+2^3)(x^3-2^3)
\end{aligned}
$$

$$=(x+2)(x^2-2x+4)(x-2)(x^2+2x+4)$$
따라서 인수가 아닌 것은 ② x^2-2x-4이다.   답 ②

09

$$x(x+1)(x+2)(x+3)-15$$
$$=x(x+3)(x+1)(x+2)-15$$
$$=(x^2+3x)(x^2+3x+2)-15$$
$x^2+3x=X$라 하면
$$(주어진 \ 식)=X(X+2)-15=X^2+2X-15$$
$$=(X+5)(X-3)$$
$$=(x^2+3x+5)(x^2+3x-3)$$ 답 ③

10

$$x^4-11x^2+25=(x^4-10x^2+25)-x^2$$
$$=(x^2-5)^2-x^2$$
$$=(x^2+x-5)(x^2-x-5)$$
$$\therefore ab+cd=-5+5=0$$ 답 0

11

$2015=a$로 놓으면
$$\frac{2015^2-5^2}{2010^2}\times\frac{2015^3-5^3}{2015^2+5\times2015+5^2}$$
$$=\frac{a^2-5^2}{(a-5)^2}\times\frac{a^3-5^3}{a^2+5a+5^2}$$
$$=\frac{(a-5)(a+5)}{(a-5)^2}\times\frac{(a-5)(a^2+5a+5^2)}{a^2+5a+5^2}$$
$$=a+5$$
$$=2015+5=2020$$ 답 ①

12

$P(x)=x^4-4x^3-x^2+16x+a$라 하면 $P(x)$가 $x-1$로 나누어떨어지므로
$P(1)=1-4-1+16+a=0$에서 $a=-12$
$$\therefore P(x)=x^4-4x^3-x^2+16x-12$$
조립제법에 의하여

1	1	-4	-1	16	-12
		1	-3	-4	12
2	1	-3	-4	12	0
		2	-2	-12	
	1	-1	-6	0	

$$\therefore P(x)=(x-1)(x-2)(x^2-x-6)$$
$$=(x-1)(x-2)(x-3)(x+2)$$
따라서 인수가 아닌 것은 ④ $x+1$이다.   답 ④

II 방정식과 부등식

03 복소수와 이차방정식

pp. 28~30

01. ⑤	**02.** 9	**03.** ④	**04.** ①	**05.** ⑤
06. ①	**07.** ②	**08.** ③	**09.** ①	**10.** 7
11. ⑤	**12.** 78	**13.** ②		

01 i의 정의에 의해 $\sqrt{-1}=i$이므로
$$\sqrt{14^2}+(\sqrt{-1})^2=14+i^2$$
$$=14+(-1)$$
$$=13$$ 답 ⑤

02 두 복소수가 서로 같을 조건에 의해
$$(a+1)+3i=7+bi$$
$$a+1=7,\ 3=b$$
따라서 $a=6$, $b=3$이므로 $a+b=9$ 답 9

03 $2x(3+i)=6x+2xi=3y+4i$에서
$$x=2,\ y=4$$
$$\therefore x+y=6$$ 답 ④

04 $z=3+i$에서 $\bar{z}=3-i$
$$z+\bar{z}=(3+i)+(3-i)=6$$ 답 ①

05 주어진 복소수 z에 대하여
$$2z+\bar{z}=2(1+2i)+(1-2i)$$
$$=2+4i+1-2i$$
$$=3+2i$$ 답 ⑤

06 $(1+2i)(2-i)=2-i+4i-2i^2$
$$=2-i+4i+2$$
$$=4+3i$$ 답 ①

07 $\dfrac{2+3i}{2-3i}=\dfrac{(2+3i)^2}{(2-3i)(2+3i)}=\dfrac{4+12i+9i^2}{4+9}$
$$=\dfrac{4+12i-9}{13}=-\dfrac{5}{13}+\dfrac{12}{13}i$$ 답 ②

08 이차방정식 $x^2-2ax+3=0$의 판별식을 D라 하자.
이차방정식이 서로 다른 두 허근을 가지려면 $D<0$이어야 하므로
$$\frac{D}{4}=a^2-3<0$$

$(a-\sqrt{3})(a+\sqrt{3})<0$

$\therefore -\sqrt{3}<a<\sqrt{3}$

따라서 구하는 정수는 -1, 0, 1의 3개이다.   답 ③

09 이차방정식 $x^2+2kx+3k-2=0$에서

$$\frac{D}{4}=k^2-3k+2$$
$$=(k-1)(k-2)=0$$

$\therefore k=1$ 또는 $k=2$

따라서 모든 실수 k의 값의 합은 3이다.   답 ①

10 이차방정식 $x^2-7x+10=0$의 근과 계수의 관계에 의해 두 근의 합은 7   답 7

[다른 풀이]

$x^2-7x+10=(x-2)(x-5)$이므로

이차방정식 $x^2-7x+10=0$의 두 근은

$x=2$ 또는 $x=5$

따라서 두 근의 합은 $2+5=7$

11 이차방정식 $x^2-x+2=0$의 근과 계수의 관계에 의해 두 근의 곱은 $\frac{2}{1}=2$ 답 ⑤

[다른 풀이]

이차방정식 $x^2-x+2=0$의 두 근은

$$x=\frac{-(-1)\pm\sqrt{(-1)^2-4\times1\times2}}{2\times1}=\frac{1\pm\sqrt{7}i}{2}$$

따라서 두 근의 곱은

$$\frac{1+\sqrt{7}i}{2}\times\frac{1-\sqrt{7}i}{2}=\frac{(1+\sqrt{7}i)(1-\sqrt{7}i)}{4}$$
$$=\frac{1-7i^2}{4}$$
$$=\frac{1+7}{4}=2$$

12 계수가 실수인 이차방정식의 한 근이 $3+2i$이므로 다른 한 근은 $3-2i$이다.

근과 계수의 관계에 의하여

두 근의 합: $(3+2i)+(3-2i)=a$

두 근의 곱: $(3+2i)(3-2i)=b$

따라서 $a=6$, $b=13$이므로 $ab=78$ 답 78

13 이차방정식 $x^2-5x+3=0$의 두 근이 α, β이므로 근과 계수의 관계에 의하여

$\alpha+\beta=5$, $\alpha\beta=3$

$\alpha+1$, $\beta+1$의 합과 곱을 구하면

$$\alpha+1+\beta+1=(\alpha+\beta)+2$$
$$=5+2=7$$
$$(\alpha+1)(\beta+1)=\alpha\beta+(\alpha+\beta)+1$$
$$=3+5+1=9$$

따라서 7, 9를 두 근으로 하고 x^2의 계수가 1인 이차방정식은

$(x-7)(x-9)=0$

$x^2-(7+9)x+7\times9=0$

$\therefore x^2-16x+63=0$ 답 ②

유형따라잡기			pp. 31~39
기출유형 **01** ①	**01.** ③	**02.** ③	**03.** ⑤	**04.** ①
기출유형 **02** ④	**05.** ⑤	**06.** ④	**07.** ⑤	**08.** ④
기출유형 **03** ②	**09.** 7	**10.** 50	**11.** 213	**12.** ⑤
기출유형 **04** ④	**13.** ①	**14.** ④	**15.** ①	**16.** ②
기출유형 **05** ①	**17.** ①	**18.** ②	**19.** ②	**20.** 16
기출유형 **06** ②	**21.** ⑤	**22.** ③	**23.** ①	**24.** ④
기출유형 **07** ③	**25.** ④	**26.** 12	**27.** ②	**28.** ②
기출유형 **08** ④	**29.** 7	**30.** 5	**31.** ①	**32.** ⑤
기출유형 **09** ①	**33.** ①	**34.** 21	**35.** 100	**36.** 27

기출유형 01

Act❶ i를 문자처럼 생각하여 계산한 후 $i^2=-1$로 고친다.

$$(2+i)(1+i)=2+2i+i+i^2$$
$$=2+2i+i-1$$
$$=1+3i$$
답 ①

01 **Act❶** 실수부분은 실수부분끼리, 허수부분은 허수부분끼리 더한다.

$(1+2i)+(3-i)=(1+3)+\{2+(-1)\}i=4+i$ 답 ③

02 **Act❶** $(2-3i)(2+3i)$에서 i를 문자처럼 생각하여 계산한 후 $i^2=-1$로 고친다.

$$z_1z_2=(2-3i)(2+3i)=2^2-(3i)^2=4+9$$
$$=13$$
답 ③

03 **Act❶** i를 문자처럼 생각하여 계산한 후 $i^2=-1$로 고친다.

$$(1+i)\left(1-\frac{1}{i}\right)=(1+i)\left(1-\frac{i}{i\times i}\right)$$
$$=(1+i)(1+i)=2i$$
답 ⑤

04 **Act❶** 분모에 i가 있으면 분모, 분자에 켤레복소수를 곱하여 분모를 실수로 만들어 준다.

$$(1-2i)+\frac{3+i}{1-i}\times\frac{1+i}{1+i}=(1-2i)+\frac{2+4i}{2}$$
$$=(1-2i)+(1+2i)=2$$
답 ①

기출유형 02

Act❶ 근호 안이 음수이면 계산하기 전에 허수단위 i를 써서 나타낸 후 계산한다.

$$\sqrt{2}\times\sqrt{-2}+\frac{\sqrt{2}}{\sqrt{-2}}=\sqrt{2}\times\sqrt{2}\,i+\frac{\sqrt{2}}{\sqrt{2}i}$$
$$=2i-i$$
$$=i$$
답 ④

05 Act1 근호 안이 음수이면 계산하기 전에 허수단위 i를 써서 나타낸 후 계산한다.

$$\sqrt{-2}\sqrt{-18}+\frac{\sqrt{12}}{\sqrt{-3}}=\sqrt{2}\,i\times\sqrt{18}\,i+\frac{2\sqrt{3}}{\sqrt{3}\,i}$$
$$=\sqrt{36}\,i^2+\frac{2i}{i^2}$$
$$=-6-2i$$

답 ⑤

06 Act1 근호 안이 음수이면 계산하기 전에 허수단위 i를 써서 나타낸 후 계산한다.

$$z=\sqrt{-1}\sqrt{-4}+\frac{\sqrt{18}}{\sqrt{-2}}$$
$$=i\times 2i+\frac{3\sqrt{2}}{\sqrt{2}\,i}$$
$$=2i^2+\frac{3\sqrt{2}\,i}{\sqrt{2}\,i^2}$$
$$=-2-3i$$
$$\bar{z}=-2+3i$$
$$\therefore z\bar{z}=(-2-3i)(-2+3i)=4+9=13$$

답 ④

07 Act1 근호 안이 음수이면 계산하기 전에 허수단위 i를 써서 나타낸 후 계산한다.

$$\sqrt{-3}\sqrt{-2}\sqrt{2}\sqrt{3}+\frac{\sqrt{6}}{\sqrt{-2}}$$
$$=\sqrt{3}\,i\times\sqrt{2}\,i\times\sqrt{2}\times\sqrt{3}+\frac{\sqrt{6}}{\sqrt{2}\,i}$$
$$=6i^2+\frac{\sqrt{3}}{i}$$
$$=-6+\frac{\sqrt{3}\,i}{i^2}$$
$$=-6-\sqrt{3}\,i$$

답 ⑤

08 Act1 $\dfrac{\sqrt{a}}{\sqrt{b}}=-\sqrt{\dfrac{a}{b}}$는 $a>0$, $b<0$인 경우 성립함을 이용한다.

$\dfrac{\sqrt{a}}{\sqrt{b}}=-\sqrt{\dfrac{a}{b}}$는 $a>0$, $b<0$인 경우 성립하므로

$$a-2b>0,\ 3b<0$$
$$\sqrt{(a-2b)^2}+|3b|=|a-2b|+|3b|$$
$$=(a-2b)-3b$$
$$=a-5b$$

답 ④

> **보충**
>
> 제곱수의 제곱근과 절댓값의 관계
> $$\sqrt{A^2}=\begin{cases}A & (A\geq 0)\\ -A & (A<0)\end{cases},\ |A|=\begin{cases}A & (A\geq 0)\\ -A & (A<0)\end{cases}\text{이므로 } \sqrt{A^2}=|A|$$
> **예** $\sqrt{2^2}=|2|=2,\ \sqrt{(-2)^2}=|-2|=2$

기출유형 3

Act1 복소수가 서로 같을 조건을 이용하여 실수 $x+y$의 값을 구한다.

$(5+3i)x-(2-3i)y=-7+6i$에서
$(5x-2y)+(3x+3y)i=-7+6i$

복소수가 같을 조건에 의해
$$x+y=2$$

답 ②

09 Act1 복소수가 서로 같을 조건을 이용하여 실수 a, b의 값을 구한다.

$a+2i=4+(b-1)i$에서
복소수가 서로 같을 조건에 의해
$$a=4,\ b-1=2$$
따라서 $a=4$, $b=3$이므로
$$a+b=7$$

답 7

10 Act1 복소수가 서로 같을 조건을 이용하여 실수 x, y의 값을 구한다.

$(x+i)^2+(2+3i)^2=y+26i$에서
$(x^2+2xi+i^2)+(4+12i+9i^2)=y+26i$
$(x^2-1+4-9)+(2x+12)i=y+26i$
$(x^2-6)+(2x+12)i=y+26i$
복소수가 서로 같을 조건에 의해
$$x^2-6=y,\ 2x+12=26$$
따라서 $x=7$, $y=43$이므로
$$x+y=50$$

답 50

11 Act1 복소수가 서로 같을 조건을 이용하여 실수 x, y의 값을 구한다.

양변에 $(1-i)(1+i)$를 곱하여 정리하면
$x(1+i)+y(1-i)=2(12-9i)$
$(x+y)+(x-y)i=24-18i$
복소수가 서로 같을 조건에 의해
$$x+y=24,\ x-y=-18$$
두 식을 연립하여 풀면 $x=3$, $y=21$
$$\therefore x+10y=3+10\times 21=213$$

답 213

12 Act1 복소수가 서로 같을 조건을 이용하여 실수 a, b의 값을 구한다.

$(a+2i)(2-bi)=(2a+2b)+(4-ab)i$에서
$(2a+2b)+(4-ab)i=6+5i$
복소수가 서로 같을 조건에 의해
$$a+b=3,\ ab=-1$$
$$\therefore a^2+b^2=(a+b)^2-2ab=3^2-2\times(-1)=11$$

답 ⑤

기출유형 4

Act1 켤레복소수의 성질을 이용하여 z_1-z_2, z_1z_2의 값을 구한다.

$\overline{z_1}-\overline{z_2}=\overline{z_1-z_2}=1+2i$이므로
$$z_1-z_2=1-2i$$
또, $\overline{z_1z_2}=\overline{z_1z_2}=4-3i$이므로
$$z_1z_2=4+3i$$

Act2 $(z_1-1)(z_2+1)$을 전개한 식에 z_1-z_2, z_1z_2의 값을 대입한다.

$(z_1-1)(z_2+1)=z_1z_2+z_1-z_2-1$

$$=(4+3i)+(1-2i)-1$$
$$=4+i \qquad \text{답 ④}$$

13 Act① 켤레복소수는 실수부분은 그대로 두고 허수부분의 부호만 바꾼 것임을 이용한다.

$z=2-3i$에서 $\overline{z}=2+3i$
$(1+2i)\overline{z}=(1+2i)(2+3i)$
$\qquad\quad =2+3i+4i-6$
$\qquad\quad =-4+7i \qquad \text{답 ①}$

14 Act① 복소수 z를 간단히 나타낸 후 켤레복소수의 성질을 이용하여 $z\overline{z}$의 값을 계산한다.

$z=\sqrt{-1}\sqrt{-4}+\dfrac{\sqrt{18}}{\sqrt{-2}}$
$\quad =i\times\sqrt{4}\,i+\dfrac{\sqrt{18}}{\sqrt{2}\,i}$
$\quad =-2+\dfrac{3i}{i^2}$
$\quad =-2-3i$
이므로 $\overline{z}=-2+3i$
$\therefore z\overline{z}=(-2-3i)(-2+3i)$
$\qquad\quad =4+9$
$\qquad\quad =13 \qquad \text{답 ④}$

15 Act① $\alpha\overline{\alpha}+\overline{\alpha}\beta+\alpha\overline{\beta}+\beta\overline{\beta}$를 인수분해하여 간단히 한 후 α, β의 값을 대입한다.

주어진 식을 인수분해하면
$\alpha\overline{\alpha}+\overline{\alpha}\beta+\alpha\overline{\beta}+\beta\overline{\beta}=(\alpha+\beta)(\overline{\alpha}+\overline{\beta})$
$\alpha=2-7i$, $\beta=-1+4i$에서
$\alpha+\beta=1-3i$이고
$\overline{\alpha}+\overline{\beta}=(2+7i)+(-1-4i)=1+3i$
$\therefore (\alpha+\beta)(\overline{\alpha}+\overline{\beta})=(1-3i)(1+3i)$
$\qquad\qquad\qquad\qquad =10 \qquad \text{답 ③}$

16 Act① $z=a+bi$ (단, a, b는 실수)라 놓아 조건식에서 복소수 z를 구한 다음 $z\overline{z}$의 값을 계산한다.

$z=a+bi$ (단, a, b는 실수)라 하자.
그러면 켤레복소수 $\overline{z}$는 $\overline{z}=\overline{a+bi}=a-bi$
주어진 식에 대입하면
$(2+i)(a+bi)+3i(a-bi)=2+6i$
실수부와 허수부로 나누어 정리하면
$(2a+2b)+(4a+2b)i=2+6i$
복소수가 서로 같을 조건에 의해
$a+b=1$ $\qquad$ ……㉠
$2a+b=3$ $\qquad$ ……㉡
㉠-㉡을 하면
$-a=-2$, $a=2$
$a=2$를 ㉠에 대입하면
$2+b=1$, $b=-1$
이므로 복소수 z는 $z=2-i$
$\therefore z\overline{z}=(2-i)(2+i)=4+1=5 \qquad \text{답 ②}$

Act① i의 거듭제곱은 i, -1, $-i$, 1이 반복하여 나타남을 이용하여 좌변의 식을 간단히 한다.

$\dfrac{1}{i}+\dfrac{3}{i^2}+\dfrac{5}{i^3}+\cdots+\dfrac{19}{i^{10}}$
$=\left(\dfrac{1}{i}-\dfrac{3}{1}-\dfrac{5}{i}+\dfrac{7}{1}\right)+\left(\dfrac{9}{i}-\dfrac{11}{1}-\dfrac{13}{i}+\dfrac{15}{1}\right)+\left(\dfrac{17}{i}-\dfrac{19}{1}\right)$
$=(-i-3+5i+7)+(-9i-11+13i+15)+(-17i-19)$
$=(4+4i)+(4+4i)-17i-19$
$=-11-9i$
즉 $-11-9i=x+yi$이므로 두 복소수가 서로 같을 조건에 의하여
$x=-11$, $y=-9$
$\therefore y-x=(-9)-(-11)=2 \qquad \text{답 ①}$

17 Act① i의 거듭제곱은 i, -1, $-i$, 1이 반복하여 나타남을 이용하여 좌변의 식을 간단히 한다.

$\dfrac{1}{i}+\dfrac{1}{i^2}+\dfrac{1}{i^3}+\cdots+\dfrac{1}{i^{50}}$
$=\left(\dfrac{1}{i}+\dfrac{1}{i^2}+\dfrac{1}{i^3}+\dfrac{1}{i^4}\right)+\left(\dfrac{1}{i^5}+\dfrac{1}{i^6}+\dfrac{1}{i^7}+\dfrac{1}{i^8}\right)+$
$\quad \cdots+\dfrac{1}{i^{49}}+\dfrac{1}{i^{50}}$
$=\left(\dfrac{1}{i}-1-\dfrac{1}{i}+1\right)+\left(\dfrac{1}{i}-1-\dfrac{1}{i}+1\right)+\cdots+\dfrac{1}{i}-1$
$=\dfrac{1}{i}-1$
$=-1-i$
$-1-i=a+bi$이므로
$a=-1$, $b=-1$
$\therefore ab=1 \qquad \text{답 ①}$

18 Act① i의 거듭제곱은 i, -1, $-i$, 1이 반복하여 나타남을 이용하여 좌변의 식을 간단히 한다.

$\dfrac{1-i}{1+i}=\dfrac{(1-i)^2}{(1+i)(1-i)}=\dfrac{-2i}{2}=-i$이므로
$i-\left(\dfrac{1-i}{1+i}\right)^{2013}=i-(-i)^{2013}$
$\qquad\qquad\qquad\quad =i-(-i)^{2012}\times(-i)$
$\qquad\qquad\qquad\quad =i+i=2i$
$2i=a+bi$이므로 $a=0$, $b=2$
$\therefore a+b=2 \qquad \text{답 ②}$

19 Act① i의 거듭제곱은 i, -1, $-i$, 1이 반복하여 나타남을 이용하여 좌변의 식을 간단히 한다.

$\left(\dfrac{1+i}{1-i}\right)^{2009}+\left(\dfrac{1-i}{1+i}\right)^{2011}=i^{2009}+(-i)^{2011}=i^{2009}-i^{2011}$
$\qquad\qquad\qquad\qquad\qquad =(i^4)^{502}\times i-(i^4)^{502}\times i^3$
$\qquad\qquad\qquad\qquad\qquad =i-i^3=2i \qquad \text{답 ②}$

20 Act① i의 거듭제곱은 i, -1, $-i$, 1이 반복하여 나타남을 이용하여 좌변의 식을 간단히 한다.

$(i+i^2)+(i^2+i^3)+\cdots+(i^{18}+i^{19})$
$=(i+i^2+\cdots+i^{18})+(i^2+i^3+\cdots+i^{19})$
$=(i-1)+(-1-i)=-2$
$-2=a+bi$이므로 $a=-2$, $b=0$
$\therefore 4(a+b)^2=16$ 답 16

[다른 풀이]
$i+i^{19}=i+i^{16+3}=i+i^3=i+(-i)=0$이므로 주어진 식의 좌변에 $i+i^{19}$을 더해도 식의 값에는 변함이 없다.
$i+\{(i+i^2)+(i^2+i^3)+\cdots+(i^{18}+i^{19})\}+i^{19}$
$=(i+i)+(i^2+i^2)+\cdots+(i^{19}+i^{19})$
$=2(i+i^2+i^3+\cdots+i^{19})$
$=2(i+i^2+i^3+\cdots+i^{19}+i^{20}-i^{20})$
$=2(-i^{20})$
$=-2$
$-2=a+bi$이므로 $a=-2$, $b=0$
$\therefore 4(a+b)^2=16$

기출유형 6

Act 1 $z=a+bi$ (a, b는 실수)로 나타내어 $z-a=bi$ 꼴로 변형한 후 양변을 제곱한다.
$z=\dfrac{1+3i}{1-i}=\dfrac{(1+3i)(1+i)}{(1-i)(1+i)}=\dfrac{-2+4i}{2}=-1+2i$
$z+1=2i$의 양변을 제곱하여 정리하면
$z^2+2z+5=0$

Act 2 주어진 식에 $z^2+2z+5=0$을 대입한다.
$z^3+2z^2+6z+1=z(z^2+2z+5)+z+1$
$\qquad\qquad\qquad\quad =z+1$
$\qquad\qquad\qquad\quad =(-1+2i)+1$
$\qquad\qquad\qquad\quad =2i$ 답 ②

21 **Act 1** 양변을 제곱하여 규칙성을 찾는다.
$z^2=\left(\dfrac{\sqrt{2}}{1+i}\right)^2=\dfrac{2}{2i}=\dfrac{1}{i}=-i$이므로
$z^4=-1$
$\therefore z^{2010}=(z^4)^{502}\times z^2=z^2=-i$ 답 ⑤

22 **Act 1** 양변을 제곱하여 규칙성을 찾는다.
$z^2=\left(\dfrac{1-i}{\sqrt{2}}\right)^2=-i$이므로
$z^4=(-i)^2=-1$
$z^8=1$
$\therefore z^8+z^{12}=z^8+z^8z^4=1-1=0$ 답 ③

23 **Act 1** $z-a=bi$ 꼴로 변형한 후 양변을 제곱하여 나온 z의 이차식을 구하는 식에 대입한다.
$z=1+\sqrt{3}\,i$에서 $z-1=\sqrt{3}\,i$이므로 양변을 제곱하면
$(z-1)^2=(\sqrt{3}\,i)^2=-3$
$\therefore z^2-2z+1=(z-1)^2=-3$ 답 ①

24 **Act 1** $z-a=bi$ 꼴로 변형한 후 양변을 제곱하여 나온 z의 이차

식을 구하는 식에 대입한다.
$z=\dfrac{1-\sqrt{3}i}{2}$에서 $2z-1=-\sqrt{3}\,i$이므로
양변을 제곱하여 정리하면
$z^2-z+1=0$
$\therefore z^3-z^2+z+1=(z^2-z+1)z+1$
$\qquad\qquad\qquad\qquad =0\times z+1=1$ 답 ④

기출유형 7

Act 1 판별식이 $D=0$인 정수 k를 구한다.
이차방정식의 판별식을 D라 할 때, 중근을 가지므로
$D=0$이어야 한다.
$D=k^2-4(k-1)$
$\quad =k^2-4k+4$
$\quad =(k-2)^2$
$\quad =0$
$\therefore k=2$

Act 2 $D=0$인 정수 k를 주어진 방정식에 대입하여 중근 α를 구한다.
$k=2$를 $x^2-kx+k-1=0$에 대입하면
$x^2-2x+1=0$
$(x-1)^2=0$
$x=1$
$\therefore \alpha=1$
$k=2$, $\alpha=1$이므로 $k+\alpha=3$ 답 ③

25 **Act 1** 판별식이 $D\geq0$인 범위의 자연수 k를 구한다.
이차방정식의 판별식을 D라 할 때, 실근을 가져야 하므로
$D\geq0$이어야 한다.
$\dfrac{D}{4}=4-(k-3)\geq0$
$7-k\geq0$, 즉 $k\leq7$
따라서 자연수 k의 개수는 7이다. 답 ④

26 **Act 1** 판별식이 $D<0$인 범위의 정수 k를 구한다.
이차방정식의 판별식을 D라 할 때, 허근을 가져야 하므로
$D<0$이어야 한다.
$\dfrac{D}{4}=k^2-(8k-12)<0$
$k^2-8k+12<0$
$(k-2)(k-6)<0$
$2<k<6$
따라서 k는 3, 4, 5이므로 모든 정수 k의 값의 합은 12이다. 답 12

27 **Act 1** 첫 번째 방정식의 실근 조건, 두 번째 방정식의 허근 조건을 만족시키는 m의 값의 공통 범위를 구한다.
(i) 이차방정식 $x^2+2\sqrt{2}x-m(m+1)=0$이 실근을 가지므로 판별식 D가 $D\geq0$이어야 한다.

$$\frac{D}{4}=2+m(m+1)=m^2+m+2$$
$$=\left(m+\frac{1}{2}\right)^2+\frac{7}{4}>0$$

즉 모든 실수 m에 대하여 실근을 갖는다.

(ii) 이차방정식 $x^2-(m-2)x+4=0$은 허근을 가지므로 판별식 D가 $D<0$이어야 한다.

$$D=(m-2)^2-16<0$$
$$m^2-4m-12<0$$
$$(m+2)(m-6)<0$$

즉 $-2<m<6$

(i), (ii)에서 두 이차방정식을 동시에 만족시키는 공통 범위는 $-2<m<6$ 답 ②

28 Act① 첫 번째 방정식의 허근 조건, 두 번째 방정식의 허근 조건을 만족시키는 k의 값의 공통 범위를 구한다.

(i) 이차방정식 $2x^2+(k-2)x+k-2=0$이 허근을 가지므로 판별식 D가 $D<0$이어야 한다.
$$D=(k-2)^2-4\times2\times(k-2)<0$$
$$(k-2)^2-8(k-2)<0$$
$$(k-2)(k-10)<0$$
즉 $2<k<10$

(ii) 이차방정식 $x^2-2(2k+1)x+3k^2+8k+6=0$도 허근을 가지므로 판별식 D가 $D<0$이어야 한다.
$$\frac{D}{4}=(2k+1)^2-(3k^2+8k+6)<0$$
$$k^2-4k-5<0$$
$$(k+1)(k-5)<0$$
즉 $-1<k<5$

(i), (ii)에서 두 이차방정식을 동시에 만족시키는 공통 범위는 $2<k<5$

따라서 구하는 정수 k의 개수는 2이다. 답 ②

기출유형 8

Act① 근과 계수의 관계에서 $\alpha+\beta$, $\alpha\beta$의 값을 구해서 $\dfrac{1}{\alpha}+\dfrac{1}{\beta}$을 변형한 식에 대입한다.

이차방정식 $x^2-3x+1=0$의 두 근이 α, β이므로
$$\alpha+\beta=3,\ \alpha\beta=1$$
$$\therefore \frac{1}{\alpha}+\frac{1}{\beta}=\frac{\alpha+\beta}{\alpha\beta}=3$$ 답 ④

29 Act① 근과 계수의 관계에서 상수 a의 값을 먼저 구한다.

이차방정식 $x^2-ax+a-3=0$의 두 근을 α, β라 하면 근과 계수의 관계에 의하여
$$\alpha+\beta=a,\ \alpha\beta=a-3$$
두 근의 합이 10이므로
$$a=10$$
따라서 두 근의 곱은 $a-3=7$ 답 7

30 Act① 근과 계수의 관계에서 상수 a, b의 값을 구한다.

이차방정식의 근과 계수의 관계에 의하여
$$3+4=-a,\ 3\times4=b$$
이므로 $a+b=-7+12=5$ 답 5

31 Act① 근과 계수의 관계에서 $\alpha+\beta$, $\alpha\beta$의 값을 구해서 $\alpha^2+\beta^2-3\alpha\beta$를 변형한 식에 대입한다.

이차방정식 $x^2+3x+1=0$의 두 실근이 α, β이므로 근과 계수의 관계에 의하여
$$\alpha+\beta=-3,\ \alpha\beta=1$$
$$\alpha^2+\beta^2-3\alpha\beta=(\alpha+\beta)^2-5\alpha\beta$$
$$=(-3)^2-5\times1=4$$ 답 ①

32 Act① 두 개의 방정식에 각각 근과 계수의 관계를 적용하고 여기서 얻은 식의 관계를 파악한다.

$x^2+px+q=0$의 두 근이 α, β이므로 근과 계수의 관계에 의하여
$$\alpha+\beta=-p,\ \alpha\beta=q$$
$x^2+rx+p=0$의 두 근이 2α, 2β이므로 근과 계수의 관계에 의하여
$$2\alpha+2\beta=2(\alpha+\beta)=-r,$$
$$(2\alpha)(2\beta)=4\alpha\beta=p$$
$$q=\frac{p}{4},\ r=2p$$
$$\therefore \frac{r}{q}=8$$ 답 ⑤

기출유형 9

Act① 계수가 실수인 이차방정식의 한 근이 $p+qi$이면 다른 한 근은 $p-qi$임을 이용한다.

계수가 실수인 이차방정식 $x^2+ax+b=0$의 한 근이 $1+i$이므로 다른 한 근은 $1-i$이다.
근과 계수의 관계에 의하여
두 근의 합: $(1+i)+(1-i)=-a$
두 근의 곱: $(1+i)(1-i)=b$
따라서 $a=-2$, $b=2$이므로 $ab=-4$ 답 ①

33 Act① 계수가 실수인 이차방정식의 한 근이 $p+qi$이면 다른 한 근은 $p-qi$임을 이용한다.

계수가 실수인 이차방정식의 한 근이 $2-4i$이므로 다른 한 근은 $2+4i$이다.
근과 계수의 관계에 의하여
두 근의 합: $(2+4i)+(2-4i)=-a$
두 근의 곱: $(2+4i)(2-4i)=b$
따라서 $a=-4$, $b=20$이므로 $a+b=16$ 답 ①

34 Act① 계수가 유리수인 이차방정식의 한 근이 $p+q\sqrt{m}$이면 다른 한 근은 $p-q\sqrt{m}$임을 이용한다.

계수가 유리수인 이차방정식의 한 근이 $-4+\sqrt{3}$이면 다른 한 근은 $-4-\sqrt{3}$이다.
근과 계수의 관계에 의하여

두 근의 합: $(-4+\sqrt{3})+(-4-\sqrt{3})=-a$

두 근의 곱: $(-4+\sqrt{3})(-4-\sqrt{3})=b$

따라서 $a=8$, $b=13$이므로 $a+b=21$ 　　　　　 답 21

35 [Act①] 계수가 실수인 이차방정식의 한 근이 $p+qi$이면 다른 한 근은 $p-qi$임을 이용한다.

계수가 실수인 이차방정식의 한 근이 $4+\sqrt{2}i$이므로 다른 한 근은 $4-\sqrt{2}i$이다.

근과 계수의 관계에 의하여

두 근의 합: $(4+\sqrt{2}i)+(4-\sqrt{2}i)=-(m+n)$

두 근의 곱: $(4+\sqrt{2}i)(4-\sqrt{2}i)=-mn$

따라서 $m+n=-8$, $mn=-18$이므로

$m^2+n^2=(m+n)^2-2mn$

$\qquad =(-8)^2-2\times(-18)=100$ 　　　　 답 100

36 [Act①] $a^2+5a-2=0$에서 $a^2=-5a+2$이므로 $a^2-5\beta$를 α, β 의 식으로 나타내어 근과 계수의 관계를 이용한다.

α는 이차방정식 $x^2+5x-2=0$의 한 근이므로

$a^2+5a-2=0$에서

$a^2=-5a+2$

근과 계수의 관계에 의하여 $\alpha+\beta=-5$이므로

$a^2-5\beta=(-5\alpha+2)-5\beta$

$\qquad =-5(\alpha+\beta)+2$

$\qquad =27$ 　　　　 답 27

VIT **V**ery **I**mportant **T**est　　　pp. 40~43

01. ⑤	02. ⑤	03. ①	04. ①	05. 6
06. ③	07. ①	08. ②	09. ⑤	10. ①
11. ⑤	12. ①	13. ④	14. 24	15. ③
16. 2	17. ②	18. ②	19. 3	20. ⑤
21. ④	22. ①	23. ③	24. 0	

01

$\dfrac{1}{\alpha}+\dfrac{1}{\beta}=\dfrac{1}{1+i}+\dfrac{1}{1-i}$

$\qquad =\dfrac{1-i}{(1+i)(1-i)}+\dfrac{1+i}{(1-i)(1+i)}$

$\qquad =\dfrac{1-i}{2}+\dfrac{1+i}{2}$

$\qquad =1$ 　　　　 답 ⑤

02

$4-7i+\dfrac{1-2i}{1-i}+2i+\dfrac{-1+2i}{1+i}$

$=4-5i+\dfrac{(1-2i)(1+i)}{(1-i)(1+i)}+\dfrac{(-1+2i)(1-i)}{(1+i)(1-i)}$

$=4-5i+\dfrac{1+i-2i-2i^2}{2}+\dfrac{-1+i+2i-2i^2}{2}$

$=4-5i+\dfrac{3-i}{2}+\dfrac{1+3i}{2}$

$=4-5i+\dfrac{3-i+1+3i}{2}$

$=4-5i+2+i=6-4i$

따라서 $a=6$, $b=-4$이므로

$a+b=2$ 　　　　 답 ⑤

03

$\sqrt{-5}\times\sqrt{-4}+\dfrac{\sqrt{20}}{\sqrt{-4}}-\dfrac{\sqrt{15}}{\sqrt{3}}i$

$=\sqrt{5}\,i\times2i+\dfrac{2\sqrt{5}}{2i}-\sqrt{5}i$

$=-2\sqrt{5}-\sqrt{5}i-\sqrt{5}i$

$=-2\sqrt{5}-2\sqrt{5}i$

따라서 $a=-2\sqrt{5}$, $b=-2\sqrt{5}$이므로

$a+b=-4\sqrt{5}$ 　　　　 답 ①

04

$(4-3i)x+(2-i)y=4x+2y-(3x+y)i$

$\qquad\qquad\qquad\qquad =2-3i$

이므로 $4x+2y=2$, $3x+y=3$

위 두 식을 연립하여 풀면 $x=2$, $y=-3$

$\therefore xy=2\times(-3)=-6$ 　　　　 답 ①

05

$i(a+bi)+2a+3bi$

$=ai+bi^2+2a+3bi$

$=ai-b+2a+3bi$

$=(2a-b)+(a+3b)i$

$=10-2i$

이므로 복소수가 서로 같을 조건에 의하여

$2a-b=10$, $a+3b=-2$

위의 두 식을 연립하여 풀면 $a=4$, $b=-2$

$\therefore a-b=6$ 　　　　 답 6

06

$(2+i)x+(3-2i)y=4+9i$에서

$2x+xi+3y-2yi=4+9i$

$(2x+3y)+(x-2y)i=4+9i$

복소수가 서로 같을 조건에 의하여

$2x+3y=4$, $x-2y=9$

위의 두 식을 연립하여 풀면 $x=5$, $y=-2$

$\therefore 2x+y=2\times5-2=8$ 　　　　 답 ③

07

$(x+y)+(x-2y)i=-4+2i$에서 복소수가 서로 같을 조건에 의하여

$x+y=-4$, $x-2y=2$

두 식을 연립하여 풀면

$x=-2$, $y=-2$

$$\therefore 3x-2y=-2$$ 답 ①

08

$z=(2a-1)+(a+2)i$

z^2이 실수가 되려면 z가 순허수 또는 실수이어야 하므로

$2a-1=0$ 또는 $a+2=0$

즉 $a=\dfrac{1}{2}$ 또는 $a=-2$

따라서 구하는 모든 실수 a의 값의 곱은

$\dfrac{1}{2}\times(-2)=-1$ 답 ②

09

$z=a+bi$ (a, b는 실수)라 하면

$\bar{z}=a-bi$이므로

$z+\bar{z}=(a+bi)+(a-bi)$

$\qquad=2a=4$

$\therefore a=2$

$zi-\bar{z}=(2+bi)i-(2-bi)$

$\qquad=2i-b-2+bi$

$\qquad=(-b-2)+(b+2)i=0$

이므로 $-b-2=0$, $b=-2$

따라서 $z=2-2i$이므로

$z\bar{z}=(2-2i)(2+2i)$

$\qquad=2^2-(2i)^2=4+4=8$ 답 ⑤

10

$z_1=a+bi$, $z_2=c+di$ (a, b, c, d는 실수)로 놓으면

ㄱ. $z_1=\overline{z_2}$에서 $a+bi=c-di$이므로

  $a=c$, $b=-d$

  $z_1 z_2=(a+bi)(a-bi)=a^2+b^2=0$

  따라서 $a=b=0$이므로 $z_1=0$ (참)

ㄴ. [반례] $z_1=i$, $z_2=1$이면 $z_1=z_2 i$이지만 $z_1\neq0$, $z_2\neq0$ (거짓)

ㄷ. [반례] $z_1=i$, $z_2=1$이면

  $z_1^2+z_2^2=i^2+1^2=-1+1=0$이지만

  $z_1\neq0$, $z_2\neq0$ (거짓)

따라서 옳은 것은 ㄱ이다. 답 ①

11

ㄱ. $z_1=a+bi$, $z_2=c+di$ (a, b, c, d는 실수)로 놓으면

  $\overline{z_1}=a-bi$, $\overline{z_2}=c-di$

  $z_1=\overline{z_2}$이면 $a+bi=c-di$에서 $a=c$, $b=-d$이므로

  $z_1 z_2=(a+bi)(c+di)$

  $\qquad=ac-bd+(ad+bc)i$

  $\qquad=a^2+d^2+(cd-dc)i$

  $\qquad=a^2+d^2$

  따라서 $z_1=\overline{z_2}$이면 $z_1 z_2$는 실수이다. (참)

ㄴ. $z_1+z_2=0$이면 $\overline{z_1}+\overline{z_2}=\overline{z_1+z_2}=\bar{0}=0$ (참)

ㄷ. $z_1 z_2=1$이면 $z_1=\dfrac{1}{z_2}$, $\overline{z_2}=\dfrac{1}{z_1}$

$z_1=\dfrac{1}{z_2}$에서 $\overline{z_1}=\overline{\left(\dfrac{1}{z_2}\right)}=\dfrac{\bar{1}}{(\overline{z_2})}=\dfrac{1}{z_2}$

$\therefore \overline{z_1}+\dfrac{1}{z_1}=\dfrac{1}{z_2}+\overline{z_2}$ (참)

그러므로 옳은 것은 ㄱ, ㄴ, ㄷ이다. 답 ⑤

12

$\dfrac{1}{i}+\dfrac{1}{i^2}+\dfrac{1}{i^3}+\dfrac{1}{i^4}+\cdots+\dfrac{1}{i^{97}}+\dfrac{1}{i^{98}}$

$=\underbrace{(-i-1+i+1)+\cdots+(-i-1+i+1)}_{24개}+(-i-1)$

$=-1-i$ 답 ①

13

$\dfrac{1+i}{1-i}=\dfrac{(1+i)^2}{(1-i)(1+i)}=\dfrac{2i}{2}=i$

$\dfrac{1-i}{1+i}=\dfrac{(1-i)^2}{(1+i)(1-i)}=\dfrac{-2i}{2}=-i$

이므로

$\left(\dfrac{1+i}{1-i}\right)^{2015}-\left(\dfrac{1-i}{1+i}\right)^{2013}$

$=i^{2015}-(-i)^{2013}$

$=(i^4)^{503}\times i^3-\{(-i)^4\}^{503}\times(-i)$

$=i^3+i=-i+i=0$ 답 ④

14

이차방정식 $2x^2-x+3=0$에서

$x=\dfrac{-(-1)\pm\sqrt{(-1)^2-4\times2\times3}}{2\times2}$

$\quad=\dfrac{1\pm\sqrt{23}i}{4}$

따라서 $a=1$, $b=23$이므로

$a+b=24$ 답 24

15

$x^2-k(2x-1)+6=0$에서

$x^2-2kx+k+6=0$

위 이차방정식의 판별식을 D라 하면

$\dfrac{D}{4}=(-k)^2-k-6=0$

$(k+2)(k-3)=0$

$k=-2$ 또는 $k=3$

그런데 $k>0$이므로 $k=3$

주어진 방정식에 $k=3$을 대입하면

$x^2-6x+9=0$, $(x-3)^2=0$

따라서 $\alpha=3$이므로 $k-\alpha=0$ 답 ③

16

$x^2-(2k-1)x+k^2-2ak+b=0$의 판별식을 D라 하면

$D=(2k-1)^2-4(k^2-2ak+b)=0$

$(8a-4)k+(1-4b)=0$

위의 식은 k의 값에 관계없이 성립하여야 하므로

$8a-4=0$, $1-4b=0$

따라서 $a=\dfrac{1}{2}$, $b=\dfrac{1}{4}$이므로 $\dfrac{a}{b}=2$ 답 2

17

$\alpha+\beta=6$, $\alpha\beta=3$이므로 $\dfrac{1}{\alpha}+\dfrac{1}{\beta}=\dfrac{\alpha+\beta}{\alpha\beta}=\dfrac{6}{3}=2$ 답 ②

18

이차방정식 $x^2+(a-4)x-4=0$의 두 근을 α, $\alpha-4$라 하면
$\alpha(\alpha-4)=-4$, $\alpha^2-4\alpha+4=0$
$(\alpha-2)^2=0$, 즉 $\alpha=2$
따라서 두 근은 2, -2이므로 이차방정식의 근과 계수의 관계에 의하여
$2+(-2)=-(a-4)$, $a=4$ 답 ②

19

이차방정식 $x^2-(m+2)x+3m-1=0$의 두 근이 α, β이므로 근과 계수의 관계에 의하여 $\alpha+\beta=m+2$, $\alpha\beta=3m-1$
$\alpha^2+\beta^2=(\alpha+\beta)^2-2\alpha\beta=9$이므로
$(m+2)^2-2(3m-1)=9$
$m^2-2m-3=0$, $(m+1)(m-3)=0$
$m=-1$ 또는 $m=3$
따라서 양수 m의 값은 3이다.   답 3

20

a, b가 실수이고 이차방정식 $x^2-ax+b=0$의 한 근이 $1+i$이므로 다른 한 근은 켤레복소수인 $1-i$이다.
이차방정식의 근과 계수의 관계에 의하여
$a=(1+i)+(1-i)=2$
$b=(1+i)(1-i)=2$
$\therefore a+b=4$ 답 ⑤

21

이차방정식 $x^2-mx+n=0$의 두 근이 α, β이므로
근과 계수의 관계에 의하여
$\alpha+\beta=m$, $\alpha\beta=n$
이차방정식 $x^2-4x+2=0$의 두 근이 $\alpha+\beta=m$, $\alpha\beta=n$이므로
근과 계수의 관계에 의하여
$m+n=4$, $mn=2$
$m^3+n^3=(m+n)^3-3mn(m+n)=40$ 답 ④

22

㈎에서 $f(1)=1+p+q=1$
$p+q=0$ ……㉠
㈏에서 $a-i$도 이차방정식의 근이므로
근과 계수의 관계에 의하여
$p=-2a$, $q=a^2+1$ ……㉡
㉠, ㉡에서 $p+q=-2a+a^2+1=0$
$a=1$, $p=-2$, $q=2$
$\therefore p+2q=2$ 답 ①

23

이차방정식 $x^2+ax+b=0$의 한 근이 2이므로
$4+2a+b=0$, $2a+b=-4$ ……㉠
또, 이차방정식 $x^2-bx+(a-3)=0$의 한 근이 -1이므로
$1+b+a-3=0$
$a+b=2$ ……㉡
㉠, ㉡을 연립하여 풀면 $a=-6$, $b=8$
$x^2-6x+8=0$, $(x-2)(x-4)=0$에서 $\alpha=4$
$x^2-8x-9=0$, $(x+1)(x-9)=0$에서 $\beta=9$
따라서 4, 9를 두 근으로 하고 x^2의 계수가 1인 이차방정식은
$x^2-(4+9)x+4\times 9=0$ $\therefore x^2-13x+36=0$ 답 ③

24

이차방정식 $x^2-2x+2=0$의 두 근이 α, β이므로 근과 계수의 관계에 의하여 $\alpha+\beta=2$, $\alpha\beta=2$
한편,
$(\alpha-1)+(\beta-1)=(\alpha+\beta)-2=2-2=0$
$(\alpha-1)(\beta-1)=\alpha\beta-(\alpha+\beta)+1$
$\qquad\qquad\qquad=2-2+1=1$
따라서 $\alpha-1$, $\beta-1$을 두 근으로 하고 x^2의 계수가 1인 이차방정식은
$x^2-0\times x+1=0$, 즉 $x^2+1=0$
이므로 $a=0$, $b=1$
$\therefore ab=0$ 답 0

04 이차방정식과 이차함수

pp.44~45

| **01.** 2 | **02.** ② | **03.** ① | **04.** ① |

01 이차방정식 $x^2+2(a-4)x+a^2+a-1=0$의 판별식을 D라 하면
$$\dfrac{D}{4}=(a-4)^2-(a^2+a-1)<0$$
$$-9a+17<0,\ a>\dfrac{17}{9}$$
따라서 정수 a의 최솟값은 2이다.   답 2

02 이차함수 $y=-x^2+4x$의 그래프와 직선 $y=2x+k$가 적어도 한 점에서 만나기 위해서는 방정식 $-x^2+4x=2x+k$가 실근을 가져야 한다.
$x^2-2x+k=0$의 판별식을 D라 하면
$$\dfrac{D}{4}=1-k\geq 0,\ k\leq 1$$
따라서 k의 최댓값은 1이다.   답 ②

03 $y=x^2-4x+10=(x-2)^2+6$
따라서 $x=2$에서 최솟값 6을 갖는다.   답 ①

04 $f(x)=x^2-4x=(x-2)^2-4$

이때 $f(1)=-3$, $f(2)=-4$, $f(4)=0$이므로 최댓값은 0이다.

답 ①

유형따라잡기   pp. 46~50

기출유형 01 ①	01. ②	02. ③	03. ②	04. ①
기출유형 02 ③	05. 24	06. 24	07. ②	08. 7
기출유형 03 ⑤	09. ①	10. 16	11. 5	12. ④
기출유형 04 ②	13. 7	14. ⑤	15. 22	16. 25
기출유형 05 ④	17. ②	18. ④	19. ②	20. 24

기출유형 01

Act① 판별식을 이용하여 m의 값을 구한다.

이차함수 $y=x^2+(m+1)x+m+1$의 그래프가 x축과 접하므로 이차방정식 $x^2+(m+1)x+m+1=0$이 중근을 가진다.
이차방정식의 판별식을 D라 할 때 $D=0$이어야 하므로
$D=(m+1)^2-4(m+1)=0$
$m^2-2m-3=0$, $(m+1)(m-3)=0$
$\therefore m=3$ ($\because m>0$)

답 ①

01 **Act①** 판별식을 이용하여 k의 최댓값을 구한다.

이차함수 $y=x^2-5x+k$의 그래프가 x축과 서로 다른 두 점에서 만나려면 이차방정식 $x^2-5x+k=0$이 서로 다른 두 실근을 가져야 한다.
이차방정식의 판별식을 D라 할 때 $D>0$이어야 하므로
$D=(-5)^2-4k=25-4k>0$
$k<\dfrac{25}{4}$
따라서 자연수 k의 최댓값은 6이다.

답 ②

02 **Act①** 판별식을 이용하여 a, b의 값을 구한다.

이차함수 $f(x)=x^2+2(2a-k)x+k^2-3k+b$의 그래프가 x축에 접하므로 이차방정식 $f(x)=0$이 중근을 갖는다.
이차방정식의 판별식을 D라 할 때 $D=0$이어야 하므로
$\dfrac{D}{4}=(2a-k)^2-(k^2-3k+b)$
$\quad\quad =(3-4a)k+4a^2-b=0$
위 식은 k의 값에 관계없이 항상 성립해야 하므로
$3-4a=0$, $4a^2-b=0$
따라서 $a=\dfrac{3}{4}$, $b=\dfrac{9}{4}$이므로 $a+b=3$

답 ③

03 **Act①** 함수 $y=f(x)$의 그래프와 x축의 교점의 x좌표는 방정식 $f(x)=0$의 실근임을 이용한다.

$f(x)=(x+2)(x-4)$이므로
$f(2x-1)=(2x+1)(2x-5)$이다.
따라서 $f(2x-1)=0$의 두 근은 $-\dfrac{1}{2}$, $\dfrac{5}{2}$이므로 그 합은 2이다.

답 ②

04 **Act①** 함수 $y=f(x)$의 그래프와 x축의 교점의 x좌표는 방정식 $f(x)=0$의 실근임을 이용한다.

이차함수 $y=f(x)$의 그래프가 x축과 서로 다른 두 점 $(-1, 0)$, $(3, 0)$에서 만나므로
$f(x)=(x+1)(x-3)$이라 하면
$f(2x+1)=(2x+1+1)(2x+1-3)$
$\quad\quad\quad =(2x+2)(2x-2)$
$\quad\quad\quad =4(x+1)(x-1)$
따라서 방정식 $f(2x+1)=0$의 두 근은 -1, 1이므로 그 합은 0이다.

답 ①

기출유형 02

Act① 두 식을 연립한 이차방정식의 판별식이 $D\geq0$임을 이용하여 실수 k의 최댓값을 구한다.

이차함수 $y=-2x^2+5x$의 그래프와 직선 $y=2x+k$가 적어도 한 점에서 만나기 위해 방정식
$\quad -2x^2+5x=2x+k$
$\quad 2x^2-3x+k=0$
의 판별식 D가 $D\geq0$이어야 한다.
$\quad D=(-3)^2-4\times2\times k\geq0$
$\quad k\leq\dfrac{9}{8}$
이므로 실수 k의 최댓값은 $\dfrac{9}{8}$이다.

답 ③

05 **Act①** 두 식을 연립한 이차방정식의 판별식이 $D=0$임을 이용하여 실수 k의 값을 구한다.

이차함수 $y=3x^2-4x+k$의 그래프가 직선 $y=8x+12$와 한 점에서 만나야 하므로 이차방정식 $3x^2-12x+k-12=0$의 판별식을 D라 하면 $D=0$이다.
$\dfrac{D}{4}=6^2-3(k-12)=72-3k=0$
$\therefore k=24$

답 24

06 **Act①** 이차함수와 직선의 식을 각각 연립한 두 이차방정식의 판별식 D_1, D_2에서 상수 a, b의 값을 구한다.

$y=x^2+ax+b$와 $y=-x+4$가 접할 때
$x^2+ax+b=-x+4$에서 $x^2+(a+1)x+b-4=0$
$D_1=(a+1)^2-4(b-4)=0$ ……㉠
$y=x^2+ax+b$와 $y=5x+7$이 접할 때
$x^2+ax+b=5x+7$에서 $x^2+(a-5)x+b-7=0$
$D_2=(a-5)^2-4(b-7)=0$ ……㉡
㉠-㉡에서 $12a-36=0$, $a=3$
또, ㉠에서 $b=8$
$\therefore ab=3\times8=24$

답 24

07 **Act①** 이차함수와 직선의 교점의 x좌표는 $x^2+mx+1=x+n$의 두 근이므로 근과 계수의 관계를 이용하여 mn의 값을 구한다.

이차방정식 $x^2+mx+1=x+n$, 즉
$x^2+(m-1)x+1-n=0$

의 두 근이 1, 3이므로 근과 계수의 관계에 의하여

$1+3=-(m-1)$, $1\times3=1-n$

따라서 $m=-3$, $n=-2$이므로 $mn=6$　　　답 ②

08 Act❶ 이차함수와 직선의 교점의 x좌표는 $x^2+ax+3=2x+b$의 두 근이므로 근과 계수의 관계를 이용하여 a, b의 값을 구한다.

$y=x^2+ax+3$의 그래프와 직선 $y=2x+b$의 두 교점의 x좌표는 이차방정식 $x^2+(a-2)x+3-b=0$의 두 근이다.

이때 주어진 조건에서 $x^2+(a-2)x+3-b=0$의 두 근이 -2와 1이므로

근과 계수의 관계에 의하여

$-2+1=-a+2$, $(-2)\times1=3-b$

따라서 $a=3$, $b=5$이므로 $2b-a=7$　　　답 7

기출유형 03

Act❶ 이차함수 $f(x)=a(x-1)^2+b$의 그래프의 모양, 즉 꼭짓점과 볼록인 방향을 염두에 두고 [보기]의 참, 거짓을 판단한다.

ㄱ. 이차함수가 최댓값을 가지므로 위로 볼록한 그래프이고, 따라서 이차항의 계수 a는 음수이다. (참)

ㄴ. 이차함수 $y=a(x-1)^2+b$의 최댓값은 $x=1$일 때 b이다. 최댓값이 $3a$라고 하였으므로 $b=3a$이다. (참)

ㄷ. $y=a(x-1)^2+b$의 그래프는 대칭축인 직선 $x=1$에 대하여 대칭이다. (참)　　　답 ⑤

09 Act❶ 이차함수의 최댓값 또는 최솟값은 $y=a(x-p)^2+q$ 꼴로 변형하여 구한다.

$y=2x^2-4x+5$

$\quad=2(x^2-2x)+5$

$\quad=2(x^2-2x+1-1)+5$

$\quad=2(x^2-2x+1)-2+5$

$\quad=2(x-1)^2+3$

이므로 이차함수 $y=2x^2-4x+5$의 그래프는 그림과 같다.

따라서 이차함수 $y=2x^2-4x+5$의 최솟값은 $x=1$일 때 3이다.　　　답 ①

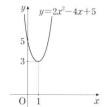

10 Act❶ 꼭짓점의 좌표를 구해 $y=a(x-p)^2+q$에서 p, q의 값을 결정한다.

x축과 두 점 $(2, 0)$, $(-4, 0)$에서 만나므로 축의 방정식은

$x=\dfrac{2+(-4)}{2}=-1$

이고 최댓값은 18이므로 이 이차함수의 식은 다음과 같다.

$y=a(x+1)^2+18$　　　……㉠

Act❷ 위에서 구한 식에 x축과의 교점의 좌표를 대입하여 a의 값을 결정하고 y절편을 구한다.

이 포물선이 $(2, 0)$을 지나므로 ㉠에 대입하면

$0=a(2+1)^2+18$　 ∴ $a=-2$

이것을 다시 ㉠에 대입하여 정리하면

$y=-2(x+1)^2+18=-2x^2-4x+16$

따라서 구하는 y절편은 16이다.　　　답 16

11 Act❶ $y=-2(x-p)^2+q$ 꼴로 변형하여 상수 a, b의 값을 구한다.

축의 방정식 $x=1$, 최댓값 3에서 이차함수의 꼭짓점의 좌표는 $(1, 3)$이므로

$y=-2x^2+ax+b$

$\quad=-2(x-1)^2+3$

$\quad=-2x^2+4x+1$

따라서 $a=4$, $b=1$이므로 $a+b=5$　　　답 5

12 Act❶ 삼각형의 넓이가 최대가 되는 것은 점 P가 꼭짓점 위에 있을 때이므로 꼭짓점의 y좌표를 구한다.

이차함수 $y=-x(x-6)$의 그래프와 x축의 교점의 x좌표는 $x=0$ 또는 $x=6$

삼각형 OAP의 밑변의 길이는 $\overline{OA}=6$으로 일정하므로 높이가 최대일 때, 즉 점 P가 꼭짓점 위에 있을 때 삼각형 OAP의 넓이는 최대가 된다.

포물선은 축에 대하여 좌우 대칭이므로

꼭짓점의 x좌표는 $\dfrac{0+6}{2}=3$이고

꼭짓점의 y좌표는 $y=-3(3-6)=9$

따라서 구하는 점 P의 y좌표는 9이다.　　　답 ④

기출유형 04

Act❶ 꼭짓점의 x좌표가 주어진 x의 값의 범위에 속하므로 $f(-2)$, $f(3)$, $f(-1)$의 대소를 비교한다.

꼭짓점의 x좌표는 $-2\leq x\leq3$의 범위에 속한다.

$f(-2)=1-2=-1$,

$f(-1)=-2$,

$f(3)=16-2=14$

이므로

최댓값 $M=14$, 최솟값 $m=-2$를 갖는다.

∴ $M+m=12$　　　답 ②

13 Act❶ 꼭짓점의 x좌표가 주어진 x의 값의 범위에 속하는지를 판단하여 구간의 양 끝에서의 함숫값, 꼭짓점의 y좌표의 대소를 비교한다.

$f(x)=2x^2-4x+1$

$\quad=2(x-1)^2-1$

이므로 꼭짓점의 x좌표는 $0\leq x\leq3$의 범위에 속한다.

$f(0)=1$, $f(1)=-1$, $f(3)=2(3-1)^2-1=7$

따라서 $f(x)$의 최댓값은 7이다.　　　답 7

14 Act❶ 최댓값이 17임을 이용하여 k의 값과 최솟값을 구한다.

$f(x)=x^2-6x+k$

$\quad=(x-3)^2+k-9$

이므로 꼭짓점의 x좌표는 $0\leq x\leq4$의 범위에 속한다.

함수 $f(x)$의 최댓값은 $f(0)=k=17$
함수 $f(x)$의 최솟값은 $f(3)=k-9=17-9=8$ 답 ⑤

15 **Act①** 최솟값이 1임을 이용하여 k의 값과 최댓값 M을 구한다.
$$f(x)=2x^2-4x+k$$
$$=2(x-1)^2+k-2$$
이므로 꼭짓점의 x좌표는 $-2\le x\le 3$의 범위에 속한다.
함수 $f(x)$의 최솟값은
$f(1)=k-2=1$이므로 $k=3$
함수 $f(x)$의 최댓값은
$M=f(-2)=8+8+k=19$
$\therefore k+M=22$ 답 22

16 **Act①** $2x-1=t$로 치환하고 t의 범위에서 $f(t)$의 최댓값, 최솟값을 구한다.
$2x-1=t$라 하면
$1\le x\le 4$이므로 $1\le t\le 7$
$$y=(2x-1)^2-4(2x-1)+3$$
$$=t^2-4t+3$$
$$=(t-2)^2-1$$
$t=2$일 때, 최솟값 $m=-1$
$t=7$일 때, 최댓값 $M=24$
$\therefore M-m=24-(-1)=25$ 답 25

기출유형 ⑤

Act① 피타고라스 정리를 이용하여 대각선의 길이를 가로와 세로의 길이로 나타낸다.
직사각형의 가로, 세로의 길이를 각각 $x$cm, $y$cm라 하면
$2x+2y=100$, 즉 $x+y=50$
$y=50-x$ ······㉠
직사각형의 대각선의 길이를 l이라 하면 피타고라스 정리에 의하여
$l^2=x^2+y^2$ ······㉡

Act② 이차함수의 최대·최소를 이용하여 대각선의 길이의 최솟값을 구한다.
㉡에 ㉠을 대입하면
$$l^2=x^2+(50-x)^2$$
$$=2x^2-100x+2500$$
$$=2(x-25)^2+1250$$
이때 $y>0$이므로 $0<x<50$
즉 $x=25$일 때 l^2의 최솟값은 1250
따라서 구하는 대각선의 길이의 최솟값은
$\sqrt{1250}=25\sqrt{2}$ (cm)   답 ④

17 **Act①** $f(x)=75$를 만족하는 x의 값을 구한다.
높이가 75이므로 $75=-5x^2+30x+35$
이 식을 정리하여 풀면 $x=2$ 또는 $x=4$
따라서 처음으로 도달하는 데 걸리는 시간은 2초이다.   답 ②

18 **Act①** $f(x)=a(x-a)(x-\beta)=0$, $f(x)=a(x-p)^2+q$ 꼴에서 점 A의 x좌표와 점 B의 y좌표를 구한다.
$f(x)=-5x^2+30x+35$이므로
$y=\dfrac{1}{5}f(x)=-x^2+6x+7$
$x^2-6x-7=(x+1)(x-7)=0$에서 A(7, 0)
$y=-x^2+6x+7=-(x-3)^2+16$에서 B(3, 16)
$\therefore \triangle OAB=\dfrac{1}{2}\times 7\times 16=56$ 답 ④

19 **Act①** 주어진 이차함수를 각각 $h=a(t-p)^2+q$ 꼴로 고쳐서 높이 h의 최댓값 M_1, M_2를 구한다.
처음 속도가 10이고 중력가속도가 10인 지구에서의 물체의 높이 h는
$h=10t-5t^2=-5(t-1)^2+5$에서
$M_1=5$
처음 속도가 10이고 중력가속도가 6인 목성의 한 위성에서의 물체의 높이 h는
$h=10t-3t^2=-3\left(t-\dfrac{5}{3}\right)^2+\dfrac{25}{3}$에서
$M_2=\dfrac{25}{3}$
$\therefore M_2-M_1=\dfrac{10}{3}$ 답 ②

20 **Act①** $\overline{DG}=x$, $\overline{DE}=y$라 놓고 $\triangle ADG\backsim\triangle ABC$ (AA 닮음)임을 이용하여 직사각형 DEFG의 넓이에 대한 식을 세운다.
$\overline{DG}=x$, $\overline{DE}=y$라 하면
$\triangle ADG\backsim\triangle ABC$ (AA 닮음)이므로
$12:8=x:8-y$에서
$y=-\dfrac{2}{3}x+8$ (단, $0<x<12$)
직사각형 DEFG의 넓이는
$$\square DEFG=xy$$
$$=x\left(-\dfrac{2}{3}x+8\right)$$
$$=-\dfrac{2}{3}x^2+8x$$
$$=-\dfrac{2}{3}(x^2-12x+36-36)$$
$$=-\dfrac{2}{3}(x-6)^2+24$$
$0<x<12$에서 사각형 DEFG의 넓이는 $x=6$일 때 최댓값 24를 갖는다.   답 24

VIT **V**ery **I**mportant **T**est   pp. 51~53

01. ①	02. ①	03. ②	04. ④	05. ②
06. 4	07. ①	08. ⑤	09. ②	10. ③
11. ④	12. ⑤	13. 4	14. ②	15. ⑤
16. 5	17. ①	18. ④		

01

이차함수 $y=2x^2+ax-3$의 그래프와 x축의 교점의 x좌표가 -3, b이므로 이차방정식 $2x^2+ax-3=0$의 해는

$x=-3$ 또는 $x=b$

근과 계수의 관계에 의하여

$-3+b=-\dfrac{a}{2}$, $(-3)\times b=-\dfrac{3}{2}$

따라서 $a=5$, $b=\dfrac{1}{2}$이므로 $a+b=\dfrac{11}{2}$　　　　답 ①

02

이차함수 $y=-x^2+b$의 그래프와 직선 $y=ax+2$의 교점의 x좌표가 -2, 5이므로 이차방정식

$-x^2+b=ax+2$, 즉 $x^2+ax-b+2=0$

의 해는

$x=-2$ 또는 $x=5$

근과 계수의 관계에 의하여

$-2+5=-a$, $(-2)\times 5=-b+2$

따라서 $a=-3$, $b=12$이므로 $ab=-36$　　　　답 ①

03

이차함수의 그래프가 x축과 서로 다른 두 점에서 만나려면 이차방정식 $x^2+2(k-2)x+k^2=0$의 판별식을 D라 할 때, $D>0$이어야 하므로

$\dfrac{D}{4}=(k-2)^2-k^2>0$

$-4k+4>0$

따라서 구하는 k의 값의 범위는 $k<1$　　　　답 ②

04

이차함수 $y=x^2+2(k-2a)x+k^2-6k+4a^2$의 그래프가 x축에 접하려면 이차방정식

$x^2+2(k-2a)x+k^2-6k+4a^2=0$

의 판별식을 D라 할 때, $D=0$이어야 하므로

$\dfrac{D}{4}=(k-2a)^2-(k^2-6k+4a^2)=0$

$6k-4ak=0$

$k(6-4a)=0$

이때 k의 값에 관계없이 항상 등식이 성립하려면

$a=\dfrac{3}{2}$　　　　답 ④

05

직선 $y=2x$와 이차함수 $y=x^2+4x+m$의 그래프가 만나지 않으려면 이차방정식 $x^2+4x+m=2x$, 즉 $x^2+2x+m=0$의 판별식을 D라 할 때, $D<0$이어야 하므로

$\dfrac{D}{4}=1^2-m<0$

$\therefore m>1$

따라서 자연수 m의 최솟값은 2이다.　　　　답 ②

06

$f(x)=-x^2+(a-2)x+b+2$　　　　……㉠

$y=f(x)$의 그래프가 점 $(2, 3)$을 지나므로

$f(2)=3$에서 ㉠에 $x=2$를 대입하면

$-4+2(a-2)+b+2=3$

$2a+b=9$　　　　……㉡

㉡에서 $b=-2a+9$이므로 이를 ㉠에 대입하면

$f(x)=-x^2+(a-2)x-2a+11$

함수 $y=f(x)$의 그래프와 직선 $y=-2x+7$이 접하므로

이차방정식 $-x^2+(a-2)x-2a+11=-2x+7$

즉 $x^2-ax+2a-4=0$의 판별식을 D라 하면

$D=a^2-4(2a-4)=0$, $a^2-8a+16=0$,

$(a-4)^2=0$

즉 $a=4$, $b=1$

따라서 $f(x)=-x^2+2x+3$이므로

$f(1)=-1+2+3=4$　　　　답 4

07

이차함수 $y=f(x)$의 최고차항의 계수가 1이므로

$f(x)=x^2+ax+b$ (a, b는 상수)로 놓는다.

이때 $y=f(x)$의 그래프와 직선 $y=x+5$가 두 점 A, B에서 만나고 두 점 A, B의 x좌표가 각각 -1, 3이므로

방정식 $x^2+ax+b=x+5$, 즉 $x^2+(a-1)x+(b-5)=0$의 근은

$x=-1$ 또는 $x=3$

이차방정식의 근과 계수의 관계에 의하여

$a-1=-2$에서 $a=-1$

$b-5=-3$에서 $b=2$

따라서 $f(x)=x^2-x+2$이므로

$f(5)=5^2-5+2=22$　　　　답 ①

08

이차함수 $f(x)$가 $x=2$에서 최솟값 -3을 가지므로 $y=f(x)$의 그래프의 꼭짓점의 좌표는 $(2, -3)$이고 최고차항의 계수는 양수이다.

$f(x)=a(x-2)^2-3$ ($a>0$)

으로 놓으면

$f(0)=5$에서

$4a-3=5$

$a=2$

즉 $f(x)=2(x-2)^2-3$

　　　　$=2x^2-8x+5$이므로

$a=2$, $b=-8$, $c=5$　$\therefore a+b+c=-1$　　　　답 ⑤

09

A$(0, 0)$, B$(2, 0)$이므로 선분 AB의 길이는 2로 일정하다. 따라서 삼각형 ABP의 밑변을 선분 AB라 하면 높이가 최대일 때, 넓이가 최대이다.

즉 점 P가 이차함수의 그래프의 꼭짓점에 있을 때, 삼각형 ABP의 넓이가 최대가 된다.

$y=-x(x-2)=-(x-1)^2+1$에서 꼭짓점의 좌표는 $(1,\ 1)$이
므로 삼각형 ABP의 넓이의 최댓값은

$\dfrac{1}{2}\times 2\times 1=1$ 답 ②

10

$2\le x\le a$에서 함수

$y=x^2-2x-1$

$\quad=(x-1)^2-2$

의 그래프는 그림과 같다.

$2\le x\le a$에서 $x=a$일 때 최댓값을 가지
므로

$a^2-2a-1=14$

$a^2-2a-15=0$

$(a+3)(a-5)=0$

$\therefore a=-3$ 또는 $a=5$

그런데 $a\ge 2$이므로 $a=5$ 답 ③

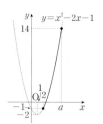

11

이차함수 $y=ax^2-2ax+b$의 그래프의
대칭축이 $x=1$이므로 $-2\le x\le 0$에서
최댓값이 3, 최솟값이 1인 함수
$y=ax^2-2ax+b\ (a<0)$의 그래프는
그림과 같다.

함수 $y=ax^2-2ax+b$의 그래프가 두
점 $(-2,\ 1)$, $(0,\ 3)$을 지나므로

$8a+b=1,\ b=3$

따라서 $a=-\dfrac{1}{4}$, $b=3$이므로 $\dfrac{b}{a}=-12$ 답 ④

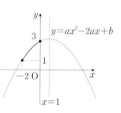

12

$f(x)=x^2-4x+k$

$\qquad=(x-2)^2+k-4$

이므로 $-1\le x\le 3$에서 함수 $y=f(x)$의
그래프는 그림과 같다.

이때 함수 $f(x)$가

$x=-1$일 때, 최댓값 $k+5$,

$x=2$일 때, 최솟값 $k-4$를 갖고

최댓값과 최솟값의 합이 11이므로

$(k+5)+(k-4)=11$에서 $k=5$ 답 ⑤

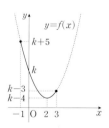

13

$y=-x^2+4x+1=-(x-2)^2+5$이므로 $0\le x\le 3$일 때, 꼭짓점
의 x좌표는 주어진 범위에 포함된다.

$x=0$일 때 $y=1$

$x=2$일 때 $y=5$

$x=3$일 때 $y=4$

이므로 최댓값 M은 5, 최솟값 m은 1이다.

$\therefore M-m=4$ 답 4

14

$2a+b=4$에서 $b=-2a+4$

$ab=a(-2a+4)$

$\quad=-2a^2+4a$

$\quad=-2(a-1)^2+2$

$-1\le a\le 2$에서 함수 $y=-2(a-1)^2+2$
의 그래프는 그림과 같다.

따라서 $-1\le a\le 2$에서 $a=1$일 때 최댓
값 $M=2$, $a=-1$일 때 최솟값 $m=-6$을 가지므로

$Mm=-12$ 답 ②

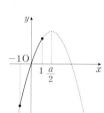

15

$y=-x^2+ax$

$\quad=-\left(x^2-ax+\dfrac{a^2}{4}\right)+\dfrac{a^2}{4}$

$\quad=-\left(x-\dfrac{a}{2}\right)^2+\dfrac{a^2}{4}$

이때 $a\ge 2$에서 $\dfrac{a}{2}\ge 1$이므로 주어진 함

수는 그림에서 알 수 있듯이 $x=1$일 때 최대, $x=-1$일 때 최소
이다.

따라서 최댓값은

$f(1)=-1+a=4$

$\therefore a=5$

또 최솟값 m은

$m=f(-1)=-1-a=-1-5=-6$

$\therefore a+m=5+(-6)=-1$ 답 ⑤

16

x^2-4x+3를 t로 놓으면

$t=x^2-4x+3=(x-2)^2-1$

이때 $1\le x\le 3$에서 $-1\le t\le 0$

$f(t)=-t^2+2t+4=-(t-1)^2+5$에서

$f(-1)=1,\ f(0)=4$

따라서 최댓값은 4, 최솟값은 1이므로 그 합은 5이다. 답 5

17

조건 (가)에서 $f(0)=f(4)$이므로 이차함수 $y=f(x)$의 그래프는
직선 $x=2$에 대하여 대칭이고, 조건 (나)에 의하여 함수 $f(x)$는
$x=2$에서 최댓값 7을 가지므로

$f(x)=-(x-2)^2+7$

$\qquad=-x^2+4x+3$

$-2\le x\le 5$에서 함수 $y=f(x)$의 그래프는
그림과 같다.

따라서 $-2\le x\le 5$에서 $x=-2$일 때 함수
$f(x)$는 최솟값 -9를 갖는다. 답 ①

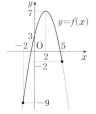

18

오른쪽 그림과 같이 점 P에서 선분 BC와 선분 AB에 내린 수선

의 발을 각각 D, E라 하자.
이때 $\overline{PD}=a$, $\overline{PE}=b$라 하면
$\triangle CPD \infty \triangle CAB$ (AA 닮음)
이므로
$2:4=a:4-b$에서 $b=4-2a$
따라서
$$\overline{PB}^2+\overline{PC}^2=(a^2+b^2)+\{a^2+(4-b)^2\}$$
$$=\{a^2+(4-2a)^2\}+\{a^2+(2a)^2\}$$
$$=10a^2-16a+16$$
$$=10\left(a^2-\frac{8}{5}a+\frac{16}{25}-\frac{16}{25}\right)+16$$
$$=10\left(a-\frac{4}{5}\right)^2+\frac{48}{5}$$

이고, $0<a<2$이므로 $\overline{PB}^2+\overline{PC}^2$은 $a=\frac{4}{5}$일 때

최솟값 $\frac{48}{5}$을 갖는다. 답 ④

05 여러 가지 방정식

pp.54~55

01. ③ **02.** ④ **03.** 4 **04.** ① **05.** ⑤

01 $(x^2-3x)^2+5(x^2-3x)+6=0$에서
$x^2-3x=X$라 하면
$X^2+5X+6=0$, $(X+3)(X+2)=0$
$X=x^2-3x$이므로
$(x^2-3x+3)(x^2-3x+2)=0$
$(x^2-3x+3)(x-1)(x-2)=0$
$\therefore x^2-3x+3=0$ 또는 $x=1$ 또는 $x=2$
$x^2-3x+3=0$의 판별식을 D라 하면
$D=9-12=-3<0$이므로
$x^2-3x+3=0$은 허근을 갖는다.
따라서 모든 실근의 곱은 $1\times2=2$ 답 ③

02 $P(x)=x^4-5x^3+5x^2+5x-6$으로 놓으면
$P(1)=0$
조립제법을 이용하여 $P(x)$를 인수분해하면

```
 1 │ 1   -5    5    5   -6
   │      1   -4    1    6
-1 │ 1   -4    1    6 │  0
   │     -1    5   -6
   │ 1   -5    6 │  0
```

$x^4-5x^3+5x^2+5x-6=(x-1)(x+1)(x^2-5x+6)$
$\qquad\qquad\qquad\qquad =(x-1)(x+1)(x-2)(x-3)=0$
이므로 해는 -1, 1, 2, 3이다.
따라서 $\alpha=-1$, $\beta=3$이므로 $\beta-\alpha=4$ 답 ④

03 삼차방정식의 계수가 모두 실수이므로 한 근이 $2+i$이면

$2-i$도 근이다.
$P(x)=x^3+ax^2+bx-5$로 놓고 나머지 한 근을 α라 하면
$P(x)=(x-2-i)(x-2+i)(x-\alpha)$
전개하여 계수를 비교하면
$x^3+ax^2+bx-5=x^3-(4+\alpha)x^2+(4\alpha+5)x-5\alpha$
$5\alpha=5$, $a=-4-\alpha$, $b=4\alpha+5$
따라서 $\alpha=1$, $a=-5$, $b=9$이므로
$a+b=4$ 답 4

04 $P(x)=x^3+x^2+x-3$으로 놓으면
$P(1)=0$
조립제법을 이용하여 $P(x)$를 인수분해하면

```
 1 │ 1   1   1   -3
   │     1   2    3
   │ 1   2   3 │  0
```

$x^3+x^2+x-3=(x-1)(x^2+2x+3)=0$
주어진 삼차방정식의 두 허근 α, β는
이차방정식 $x^2+2x+3=0$의 두 근이므로
$\alpha+\beta=-2$, $\alpha\beta=3$
$\therefore (\alpha-1)(\beta-1)=\alpha\beta-(\alpha+\beta)+1=6$ 답 ①

05 $\begin{cases} y=2x+3 & \cdots\cdots\text{㉠} \\ x^2+y=2 & \cdots\cdots\text{㉡} \end{cases}$

㉠을 ㉡에 대입하면
$x^2+2x+1=0$, $(x+1)^2=0$
따라서 $x=-1$, $y=1$이므로 $a+3b=2$ 답 ⑤

유형따라잡기			pp. 56~60
기출유형 01 ③	**01.** ③	**02.** ④	**03.** 4	**04.** ③
기출유형 02 ⑤	**05.** ④	**06.** ⑤	**07.** ①	**08.** 6
기출유형 03 ③	**09.** ②	**10.** ②	**11.** ④	**12.** ①
기출유형 04 ⑤	**13.** ②	**14.** ①	**15.** ②	**16.** ②
기출유형 05 ②	**17.** ①	**18.** ①	**19.** ②	**20.** ③

기출유형 01

Act① 인수정리와 조립제법을 이용하여 인수분해한다.

$P(x)=x^3-2x^2+3x-2$로 놓으면
$P(1)=0$
조립제법을 이용하여 $P(x)$를 인수분해하면

```
 1 │ 1   -2    3   -2
   │      1   -1    2
   │ 1   -1    2 │  0
```

$P(x)=(x-1)(x^2-x+2)$

Act② 근과 계수의 관계를 이용하여 $\dfrac{1}{\alpha}+\dfrac{1}{\beta}$의 값을 구한다.

즉 $(x-1)(x^2-x+2)=0$이므로 두 허근 α, β는
방정식 $x^2-x+2=0$의 두 근이다.

따라서 근과 계수의 관계에 의하여
$\alpha+\beta=1$, $\alpha\beta=2$
이므로
$\dfrac{1}{\alpha}+\dfrac{1}{\beta}=\dfrac{\alpha+\beta}{\alpha\beta}=\dfrac{1}{2}$　　　　답 ③

01 **Act①** 한 근이 1임을 이용하여 a의 값을 구하고 조립제법을 이용하여 인수분해한다.

$ax^3+x^2+x-3=0$의 한 근이 1이므로 $x=1$을 대입하면
$a+1+1-3=0$에서 $a=1$
즉 주어진 방정식은 $x^3+x^2+x-3=0$
조립제법을 이용하여 인수분해하면

$$
\begin{array}{r|rrrr}
1 & 1 & 1 & 1 & -3 \\
  &   & 1 & 2 & 3 \\
\hline
  & 1 & 2 & 3 & 0
\end{array}
$$

$x^3+x^2+x-3=(x-1)(x^2+2x+3)$

Act② 근과 계수의 관계를 이용하여 나머지 두 근의 곱을 구한다.

즉 삼차방정식 $x^3+x^2+x-3=0$의 나머지 두 근은 이차방정식 $x^2+2x+3=0$의 두 근이다.
따라서 두 근을 α, β라 하면 근과 계수의 관계에 의하여 두 근의 곱은
$\alpha\beta=3$　　　　답 ③

02 **Act①** 한 근이 -2임을 이용하여 a의 값을 구하고 조립제법을 이용하여 인수분해한다.

$x^4-x^3+ax^2+x+6=0$의 한 근이 -2이므로 $x=-2$를 대입하면
$4a+28=0$에서 $a=-7$
즉 주어진 방정식은 $x^4-x^3-7x^2+x+6=0$
조립제법을 이용하여 인수분해하면

$$
\begin{array}{r|rrrrr}
-2 & 1 & -1 & -7 & 1 & 6 \\
   &   & -2 & 6 & 2 & -6 \\
\hline
-1 & 1 & -3 & -1 & 3 & 0 \\
   &   & -1 & 4 & -3 & \\
\hline
1 & 1 & -4 & 3 & 0 & \\
   &   & 1 & -3 &   & \\
\hline
   & 1 & -3 & 0 & & \\
\end{array}
$$

$x^4-x^3-7x^2+x+6=(x+2)(x+1)(x-1)(x-3)=0$

Act② 네 실근 중 가장 큰 b의 값을 구한다.

주어진 방정식의 네 실근은 -2, -1, 1, 3이므로 가장 큰 실근은 3이다.
따라서 $a=-7$, $b=3$이므로 $a+b=-4$　　　　답 ④

03 **Act①** 인수정리와 조립제법을 이용하여 인수분해한다.

$P(x)=x^4-6x^3+15x^2-22x+12$로 놓으면
$P(1)=0$
조립제법을 이용하여 $P(x)$를 인수분해하면

$$
\begin{array}{r|rrrrr}
1 & 1 & -6 & 15 & -22 & 12 \\
  &   & 1 & -5 & 10 & -12 \\
\hline
3 & 1 & -5 & 10 & -12 & 0 \\
  &   & 3 & -6 & 12 & \\
\hline
  & 1 & -2 & 4 & 0 & \\
\end{array}
$$

$x^4-6x^3+15x^2-22x+12$
$=(x-1)(x-3)(x^2-2x+4)=0$

Act② 모든 실근의 합을 구한다.

$x^2-2x+4=0$은 서로 다른 두 허근을 갖는다.
따라서 모든 실근의 합은 $1+3=4$　　　　답 4

04 **Act①** 인수정리와 조립제법을 이용하여 인수분해한다.

$P(x)=x^3-2x^2-5x+6$으로 놓으면
$P(1)=0$
조립제법을 이용하여 $P(x)$를 인수분해하면

$$
\begin{array}{r|rrrr}
1 & 1 & -2 & -5 & 6 \\
  &   & 1 & -1 & -6 \\
\hline
3 & 1 & -1 & -6 & 0 \\
  &   & 3 & 6 & \\
\hline
  & 1 & 2 & 0 & \\
\end{array}
$$

x^3-2x^2-5x+6
$=(x-1)(x-3)(x+2)=0$

Act② 세 실근 α, β, $\gamma\,(\alpha<\beta<\gamma)$에 대하여 $\alpha+\beta+2\gamma$의 값을 구한다.

따라서 $\alpha=-2$, $\beta=1$, $\gamma=3$이므로
$\alpha+\beta+2\gamma=-2+1+2\times3=5$　　　　답 ③

기출유형 02

Act① 공통부분을 한 문자로 바꾸어서 식을 간단히 한 후 인수분해한다.

$(x^2+x-1)(x^2+x+3)-5=0$에서
$x^2+x=X$로 놓으면
$(X-1)(X+3)-5=0$
$X^2+2X-8=0$
$(X+4)(X-2)=0$
$(x^2+x+4)(x^2+x-2)=0$
$(x^2+x+4)(x+2)(x-1)=0$

Act② 두 허근 α, β는 켤레복소수이므로 $\overline{\alpha}=\beta$, $\overline{\beta}=\alpha$를 이용하여 $\alpha\overline{\alpha}+\beta\overline{\beta}$의 값을 구한다.

α, β는 $x^2+x+4=0$의 서로 다른 두 허근이므로
$\overline{\alpha}=\beta$, $\overline{\beta}=\alpha$
$\alpha\overline{\alpha}+\beta\overline{\beta}=\alpha\beta+\beta\alpha=2\alpha\beta$
근과 계수의 관계에서 $\alpha\beta=4$
$\therefore \alpha\overline{\alpha}+\beta\overline{\beta}=8$　　　　답 ⑤

05 **Act①** 공통부분을 한 문자로 바꾸어서 식을 간단히 한 후 인수분해한다.

$x^2+x=X$로 놓으면 $X^2+X-6=(X-2)(X+3)=0$

$(x^2+x-2)(x^2+x+3)=0$

$(x+2)(x-1)(x^2+x+3)=0$

즉 두 실근 α, β의 곱은 $\alpha\beta=-2$이고 두 허근 γ, δ는 $x^2+x+3=0$의 근이므로 근과 계수의 관계에서

$\gamma\delta=\dfrac{3}{1}=3$이다.

$\therefore \gamma\delta-\alpha\beta=3-(-2)=5$ 　　　　　　　 답 ④

[다른 풀이]

$x^2+x=X$로 놓으면

$X^2+X-6=(X-2)(X+3)=0$

(ⅰ) $X-2=0$일 때

　　$x^2+x-2=0$은 판별식 $D=1^2-4\times1\times(-2)=9>0$이므로 서로 다른 두 실근 α, β를 갖고 근과 계수의 관계에서 $\alpha\beta=\dfrac{-2}{1}=-2$이다.

(ⅱ) $X+3=0$일 때

　　$x^2+x+3=0$은 판별식 $D=1^2-4\times1\times3=-11<0$이므로 서로 다른 두 허근 γ, δ를 갖고 근과 계수의 관계에서 $\gamma\delta=\dfrac{3}{1}=3$이다.

$\therefore \gamma\delta-\alpha\beta=3-(-2)=5$

06 **Act①** 공통부분이 보이지 않으면 상수항의 합이 같은 두 일차식끼리 곱하여 공통부분을 만든 다음 푼다.

$x(x-1)(x-2)(x-3)-24=0$

$(x^2-3x)(x^2-3x+2)-24=0$

$x^2-3x=X$라 하면 $X(X+2)-24=0$

$X^2+2X-24=0$

$(X+6)(X-4)=0$

$(x^2-3x+6)(x^2-3x-4)=0$

$(x^2-3x+6)(x+1)(x-4)=0$

$x^2-3x+6=0$이 허근을 가지므로 모든 허근의 곱은 6 답 ⑤

07 **Act①** 공통부분이 보이지 않으면 상수항의 합이 같은 두 일차식끼리 곱하여 공통부분을 만든 다음 푼다.

$(x^2-4x+3)(x^2-6x+8)=120$

$(x-1)(x-3)(x-2)(x-4)=120$

$(x^2-5x+4)(x^2-5x+6)=120$

Act② 공통부분을 한 문자로 바꾸어서 식을 간단히 한 후 인수분해한다.

$x^2-5x=X$로 놓으면

$(X+4)(X+6)-120=0$, $X^2+10X-96=0$

$(X-6)(X+16)=0$

$(x^2-5x-6)(x^2-5x+16)=0$

$x^2-5x-6=0$ 또는 $x^2-5x+16=0$

$x^2-5x-6=(x+1)(x-6)=0$은 서로 다른 두 실근 -1, 6을 갖는다.

$x^2-5x+16=0$이 허근을 가지므로

$\omega^2-5\omega=-16$ 　　　　　　　　　　　　 답 ①

08 **Act①** 공통부분이 보이지 않으면 상수항의 합이 같은 두 일차식끼리 곱하여 공통부분을 만든 다음 푼다.

$(x+1)(x+2)(x+3)(x+4)-8=0$

$(x+1)(x+4)(x+2)(x+3)-8=0$

$(x^2+5x+4)(x^2+5x+6)-8=0$

Act② 공통부분을 한 문자로 바꾸어서 식을 간단히 한 후 인수분해한다.

$x^2+5x=X$로 놓으면

$(X+4)(X+6)-8=0$, $X^2+10X+16=0$

$(X+2)(X+8)=0$

(ⅰ) $X+2=0$일 때

　　$x^2+5x+2=0$은 판별식 $D=5^2-4\times1\times2=17>0$이므로 서로 다른 두 실근을 갖고 근과 계수의 관계에서 두 실근의 곱은 2이다.

(ⅱ) $X+8=0$일 때

　　$x^2+5x+8=0$은 판별식 $D=5^2-4\times1\times8=-7<0$이므로 서로 다른 두 허근을 갖고 근과 계수의 관계에서 두 허근의 곱은 8이다.

따라서 $a=2$, $b=8$이므로 $b-a=6$ 　　　　　 답 6

기출유형 3

Act① 이차방정식의 두 허근을 z_1, z_2라 하면 $\overline{z_1}=z_2$, $\overline{z_2}=z_1$임을 이용한다.

$P(x)=x^3+x^2+x-3$으로 놓으면

$P(1)=0$이므로 조립제법을 이용하여 인수분해하면

1	1	1	1	-3
		1	2	3
	1	2	3	0

$x^3+x^2+x-3=(x-1)(x^2+2x+3)=0$

z_1, z_2는 이차방정식 $x^2+2x+3=0$의 두 허근이다.

이차방정식의 근과 계수의 관계에 의하여

$z_1z_2=3$

이차방정식이 허근을 가지면 서로 켤레이므로

$\overline{z_1}=z_2$, $\overline{z_2}=z_1$

$\therefore z_1\overline{z_1}+z_2\overline{z_2}=2z_1z_2=6$ 　　　　　　 답 ③

09 **Act①** 삼차방정식 $x^3+1=(x+1)(x^2-x+1)=0$에서 α는 이차방정식 $x^2-x+1=0$의 근임을 이용하여 [보기]의 참, 거짓을 판단한다.

ㄱ. $x^3+1=(x+1)(x^2-x+1)=0$에서 α는 이차방정식 $x^2-x+1=0$의 근이므로 $\alpha^2-\alpha+1=0$ (참)

ㄴ. α가 $x^2-x+1=0$의 근이므로 $\overline{\alpha}$도 근이 된다.
근과 계수의 관계에서 $\alpha+\overline{\alpha}=\alpha\overline{\alpha}=1$ (참)

ㄷ. α, $\overline{\alpha}$가 방정식 $x^3+1=0$의 근이므로
$$\alpha^3=(\overline{\alpha})^3=-1$$
$$\therefore \alpha^3+(\overline{\alpha})^3=-2$$
한편, $\alpha+\overline{\alpha}=\alpha\overline{\alpha}=1$이므로
$$\alpha^2+(\overline{\alpha})^2=(\alpha+\overline{\alpha})^2-2\alpha\overline{\alpha}=1-2=-1$$
$$\therefore \alpha^3+(\overline{\alpha})^3 \neq \alpha^2+(\overline{\alpha})^2$$

따라서 옳은 것은 ㄱ, ㄴ이다.　　　　　　　답 ②

[다른 풀이]

ㄷ. $\alpha^3+(\overline{\alpha})^3=(\alpha+\overline{\alpha})\{\alpha^2-\alpha\overline{\alpha}+(\overline{\alpha})^2\}$
$\qquad\qquad\quad =\alpha^2+(\overline{\alpha})^2-1 \neq \alpha^2+(\overline{\alpha})^2$

10 **Act①** $\omega+\overline{\omega}=1$, $\omega\overline{\omega}=1$임을 이용한다.

$x^3=-1$에서 $(x+1)(x^2-x+1)=0$이므로 ω와 $\overline{\omega}$는 방정식 $x^2-x+1=0$의 두 허근이다.
$\omega+\overline{\omega}=1$, $\omega\overline{\omega}=1$이므로
$$\frac{\omega}{1-\overline{\omega}}+\frac{\overline{\omega}}{1-\omega}=\frac{\omega(1-\omega)+\overline{\omega}(1-\overline{\omega})}{(1-\overline{\omega})(1-\omega)}$$
$$=\frac{\omega+\overline{\omega}-2\omega\overline{\omega}}{1-\omega-\overline{\omega}+\omega\overline{\omega}}$$
$$=\frac{1-2\times1}{1-1+1}=-1$$
　　　　　　　답 ②

[다른 풀이]

ω와 $\overline{\omega}$는 $x^2-x+1=0$의 두 허근이므로
$\omega^2-\omega+1=0$, $\overline{\omega}^2-\overline{\omega}+1=0$
$\omega+\overline{\omega}=1$, $\omega\overline{\omega}=1$이므로
$$\frac{\omega}{1-\overline{\omega}}+\frac{\overline{\omega}}{1-\omega}=\frac{\omega}{-\omega^2}+\frac{\overline{\omega}}{-\overline{\omega}^2}$$
$$=-\frac{1}{\omega}-\frac{1}{\overline{\omega}}$$
$$=-\frac{\omega+\overline{\omega}}{\omega\overline{\omega}}$$
$$=-1$$

11 **Act①** 방정식의 좌변을 인수분해하여 α, $\overline{\alpha}$의 값을 구한다.

방정식 $x^3+8=0$의 좌변을 인수분해하면
$(x+2)(x^2-2x+4)=0$
이므로
$x=-2$ 또는 $x^2-2x+4=0$
$x^2-2x+4=0$의 근을 구하면
$x=1\pm\sqrt{3}\,i$
따라서 방정식 $x^3+8=0$의 근은
$x=-2$ 또는 $x=1+\sqrt{3}\,i$ 또는 $x=1-\sqrt{3}\,i$
허수부분이 양수인 허근 α는 $\alpha=1+\sqrt{3}\,i$이므로
$\overline{\alpha}=1-\sqrt{3}\,i$
$\therefore \alpha-\overline{\alpha}=1+\sqrt{3}\,i-(1-\sqrt{3}\,i)$
$\qquad\qquad =2\sqrt{3}\,i$　　　　　　　답 ④

12 **Act①** $\alpha+\beta=-1$, $\alpha\beta=1$임을 이용하여 $\alpha+\beta$, $\alpha^2+\beta^2$, $\alpha^3+\beta^3$의 값을 구한다.

$x^3-1=0$, $(x-1)(x^2+x+1)=0$에서
α, β는 $x^2+x+1=0$의 두 근이므로
$\alpha+\beta=-1$, $\alpha\beta=1$
따라서
$\alpha^2+\beta^2=(\alpha+\beta)^2-2\alpha\beta=1-2=-1$
$\alpha^3+\beta^3=1+1=2$

Act② $\alpha^3=1$, $\beta^3=1$에서 $\alpha^{n+3}=\alpha^n$, $\beta^{n+3}=\beta^n$임을 이용하여 $\alpha^4+\beta^4$, $\alpha^5+\beta^5$, $\alpha^6+\beta^6$, $\cdots$의 값을 구한다.

삼차방정식 $x^3=1$의 두 허근이 α, β이므로
$\alpha^3=1$, $\beta^3=1$
즉 $\alpha^{n+3}=\alpha^n$, $\beta^{n+3}=\beta^n$이므로
$\alpha+\beta=\alpha^4+\beta^4=\alpha^7+\beta^7=\alpha^{10}+\beta^{10}=-1$
$\alpha^2+\beta^2=\alpha^5+\beta^5=\alpha^8+\beta^8=\alpha^{11}+\beta^{11}=-1$
$\alpha^3+\beta^3=\alpha^6+\beta^6=\alpha^9+\beta^9=\alpha^{12}+\beta^{12}=2$
따라서 구하는 식의 값은
$$\frac{1}{\alpha+\beta}+\frac{1}{\alpha^2+\beta^2}+\frac{1}{\alpha^3+\beta^3}+\cdots+\frac{1}{\alpha^{12}+\beta^{12}}$$
$$=\left(-1-1+\frac{1}{2}\right)\times4=-6$$
　　　　　　　답 ①

기출유형 04

Act① 일차방정식을 한 문자에 대하여 정리한 후 이차방정식에 대입하여 푼다.
$$\begin{cases} 2x-y=-3 & \cdots\cdots ㉠ \\ 2x^2+y^2=27 & \cdots\cdots ㉡ \end{cases}$$
㉠에서 $y=2x+3$을 ㉡에 대입하면
$2x^2+(2x+3)^2=27$
$6x^2+12x-18=0$
$(x+3)(x-1)=0$
$x=1$, $y=5$ 또는 $x=-3$, $y=-3$
α, β는 양수이므로 $\alpha=1$, $\beta=5$
$\therefore \alpha\times\beta=5$　　　　　　　답 ⑤

13 **Act①** 일차방정식을 한 문자에 대하여 정리한 후 이차방정식에 대입하여 푼다.
$$\begin{cases} 3x-y=0 & \cdots\cdots ㉠ \\ x^2+y^2=90 & \cdots\cdots ㉡ \end{cases}$$
㉠에서 $y=3x$를 ㉡에 대입하면
$x^2+(3x)^2=90$
$10x^2=90$
$x^2=9$
$x=\pm3$
따라서 연립방정식의 해는
$x=3$, $y=9$ 또는 $x=-3$, $y=-9$이므로
$ab=27$　　　　　　　답 ②

14 **Act①** 일차방정식을 한 문자에 대하여 정리한 후 이차방정식에 대

입하여 푼다.

$$\begin{cases} x-y=3 & \cdots\cdots \text{㉠} \\ xy+x+1=0 & \cdots\cdots \text{㉡} \end{cases}$$

㉠에서 $y=x-3$을 ㉡에 대입하면

$x(x-3)+x+1=0$

$x^2-2x+1=0$

$(x-1)^2=0$

$x=1$

연립방정식의 해는 $x=1$, $y=-2$이므로 $a=1$, $b=-2$

$\therefore a+b=-1$ 답 ①

15 Act❶ 일차방정식을 한 문자에 대하여 정리한 후 이차방정식에 대입하여 푼다.

$$\begin{cases} x+y=k & \cdots\cdots \text{㉠} \\ xy+2x-1=0 & \cdots\cdots \text{㉡} \end{cases}$$

㉠에서 $y=-x+k$를 $xy+2x-1=0$에 대입하면

$x(-x+k)+2x-1=0$

$-x^2+kx+2x-1=0$

$x^2-(k+2)x+1=0$이 중근을 가져야 하므로

판별식을 D라 하면 $D=0$이어야 한다.

$D=\{-(k+2)\}^2-4$

   $=k^2+4k+4-4$

   $=k^2+4k$

   $=k(k+4)$

   $=0$

에서 $k=0$ 또는 $k=-4$이다.

따라서 주어진 연립방정식이 오직 한 쌍의 해를 갖도록 하는 모든 실수 k의 값의 합은 -4이다.   답 ②

16 Act❶ 두 연립방정식의 해가 일치하고 이 해는 주어진 4개의 식을 모두 만족하므로, 상수 a, b가 없는 2개의 식에서 해를 구한다.

두 연립방정식 $\begin{cases} 3x+y=a \\ 2x+2y=1 \end{cases}$, $\begin{cases} x^2-y^2=-1 \\ x-y=b \end{cases}$ 의 일치하는 해는

연립방정식 $\begin{cases} x^2-y^2=-1 \\ 2x+2y=1 \end{cases}$ 의 해와 같다.

$$\begin{cases} 2x+2y=1 & \cdots\cdots \text{㉠} \\ x^2-y^2=-1 & \cdots\cdots \text{㉡} \end{cases}$$

㉠에서 $y=-x+\dfrac{1}{2}$ $\cdots\cdots \text{㉢}$

㉢을 ㉡에 대입하면

$x^2-\left(-x+\dfrac{1}{2}\right)^2=-1$

$x^2-\left(x^2-x+\dfrac{1}{4}\right)=-1$

$x-\dfrac{1}{4}=-1$, $x=-\dfrac{3}{4}$

$x=-\dfrac{3}{4}$을 ㉢에 대입하면 $y=\dfrac{5}{4}$

그러므로 $3x+y=a$에 $x=-\dfrac{3}{4}$, $y=\dfrac{5}{4}$를 대입하면

$3\times\left(-\dfrac{3}{4}\right)+\dfrac{5}{4}=a$

이므로 $a=\dfrac{-9+5}{4}=-1$

또한 $x-y=b$에 $x=-\dfrac{3}{4}$, $y=\dfrac{5}{4}$를 대입하면

$-\dfrac{3}{4}-\dfrac{5}{4}=b$

이므로 $b=-2$

$\therefore ab=(-1)\times(-2)=2$ 답 ②

기출유형 05

17 Act❶ 어느 한 이차방정식이 인수분해되는 경우 인수분해하여 얻은 각각의 일차방정식과 다른 이차방정식을 연립하여 푼다.

$$\begin{cases} x^2-3xy+2y^2=0 & \cdots\cdots \text{㉠} \\ x^2+3xy-4y^2=6 & \cdots\cdots \text{㉡} \end{cases}$$

㉠을 인수분해하면

$(x-y)(x-2y)=0$이므로 $x=y$ 또는 $x=2y$

(i) $x=y$일 때, 이를 ㉡에 대입하여 정리하면

   $0\times y^2=6$

   이므로 해가 없다.

(ii) $x=2y$일 때, 이를 ㉡에 대입하여 정리하면

   $6y^2=6$, $y=\pm1$

   이므로

   $\begin{cases} x=2 \\ y=1 \end{cases}$ 또는 $\begin{cases} x=-2 \\ y=-1 \end{cases}$

(i), (ii)에서 주어진 연립방정식의 해는

$\begin{cases} x=2 \\ y=1 \end{cases}$ 또는 $\begin{cases} x=-2 \\ y=-1 \end{cases}$

따라서 $\alpha=2$, $\beta=1$ 또는 $\alpha=-2$, $\beta=-1$이므로 $\alpha\beta=2$

답 ②

17 Act❶ 어느 한 이차방정식이 인수분해되는 경우 인수분해하여 얻은 각각의 일차방정식과 다른 이차방정식을 연립하여 푼다.

$$\begin{cases} x^2+y^2=40 & \cdots\cdots \text{㉠} \\ 4x^2+y^2=4xy & \cdots\cdots \text{㉡} \end{cases}$$

㉡에서

$4x^2-4xy+y^2=0$, $(2x-y)^2=0$

이므로 $y=2x$

㉠에 대입하면

$x^2+4x^2=40$, $x^2=8$

$x=\pm2\sqrt{2}$

이므로

$\begin{cases} x=2\sqrt{2} \\ y=4\sqrt{2} \end{cases}$ 또는 $\begin{cases} x=-2\sqrt{2} \\ y=-4\sqrt{2} \end{cases}$

$\therefore \alpha\beta=16$ 답 ①

18 Act❶ 어느 한 이차방정식이 인수분해되는 경우 인수분해하여 얻은 각각의 일차방정식과 다른 이차방정식을 연립하여 푼다.

$$\begin{cases} x^2-3xy+2y^2=0 & \cdots\cdots \text{㉠} \\ 2x^2-y^2=2 & \cdots\cdots \text{㉡} \end{cases}$$

㉠을 인수분해하면

$(x-y)(x-2y)=0$

이므로 $y=x$ 또는 $y=\frac{1}{2}x$

(i) $y=x$일 때, 이를 ㉡에 대입하면

$2x^2-x^2=2$, $x^2=2$, $y^2=2$

$\therefore \alpha^2+\beta^2=4$

(ii) $y=\frac{1}{2}x$일 때, 이를 ㉡에 대입하면

$2x^2-\frac{1}{4}x^2=2$, $x^2=\frac{8}{7}$, $y^2=\frac{2}{7}$

$\therefore \alpha^2+\beta^2=\frac{10}{7}$

(i), (ii)에서 $\alpha^2+\beta^2$ 의 최댓값은 4　　　　답 ①

19 **Act❶** 두 이차방정식이 모두 인수분해되지 않고, xy항이 있으면 상수항을 소거하여 푼다.

$\begin{cases} 16x^2-y^2=-6 & \cdots\cdots ㉠ \\ 2x^2+xy=-2 & \cdots\cdots ㉡ \end{cases}$

㉠$-$㉡$\times 3$에서

$10x^2-3xy-y^2=0$

$(5x+y)(2x-y)=0$

이므로 $y=-5x$ 또는 $y=2x$

(i) $y=-5x$일 때, 이를 ㉡에 대입하면

$2x^2-5x^2=-2$

$x^2=\frac{2}{3}$, $x=\pm\frac{\sqrt{6}}{3}$

이므로

$\begin{cases} x=\dfrac{\sqrt{6}}{3} \\ y=-\dfrac{5\sqrt{6}}{3} \end{cases}$ 또는 $\begin{cases} x=-\dfrac{\sqrt{6}}{3} \\ y=\dfrac{5\sqrt{6}}{3} \end{cases}$

(ii) $y=2x$일 때, 이를 ㉡에 대입하면

$2x^2+2x^2=-2$, $x^2=-\frac{1}{2}$

이므로 실수 x는 존재하지 않는다.

(문제에서 실근 α, β에 대해서 $|\alpha-\beta|$를 구하는 거니까 허근은 구하지 않아도 돼.)

(i), (ii)에서

$\begin{cases} \alpha=\dfrac{\sqrt{6}}{3} \\ \beta=-\dfrac{5\sqrt{6}}{3} \end{cases}$ 또는 $\begin{cases} \alpha=-\dfrac{\sqrt{6}}{3} \\ \beta=\dfrac{5\sqrt{6}}{3} \end{cases}$

$\therefore |\alpha-\beta|=2\sqrt{6}$　　　　답 ②

20 **Act❶** 두 이차방정식이 모두 인수분해되지 않고, xy항이 있으면 상수항을 소거하여 푼다.

$\begin{cases} 4x^2-9xy+y^2=-14 & \cdots\cdots ㉠ \\ x^2-xy+y^2=7 & \cdots\cdots ㉡ \end{cases}$

㉠$+$㉡$\times 2$를 하면

$6x^2-11xy+3y^2=0$, $(3x-y)(2x-3y)=0$

이므로 $y=3x$ 또는 $y=\frac{2}{3}x$

(i) $y=3x$일 때, 이를 ㉡에 대입하면

$x^2-3x^2+9x^2=7$, $x^2=1$

이므로

$\begin{cases} x=1 \\ y=3 \end{cases}$ 또는 $\begin{cases} x=-1 \\ y=-3 \end{cases}$

(ii) $y=\frac{2}{3}x$일 때, 이를 ㉡에 대입하면

$x^2-\frac{2}{3}x^2+\frac{4}{9}x^2=7$, $\frac{7}{9}x^2=7$, $x^2=9$

이므로

$\begin{cases} x=3 \\ y=2 \end{cases}$ 또는 $\begin{cases} x=-3 \\ y=-2 \end{cases}$

(i), (ii)에서 $\alpha+\beta$의 값은 4, -4, 5, -5이므로 선택지 중 $\alpha+\beta$의 값이 될 수 없는 것은 ③ 0이다.　　　　답 ③

VIT **V**ery **I**mportant **T**est　　pp. 61~63

01. ③	**02.** ①	**03.** 8	**04.** ①	**05.** ③
06. ④	**07.** ②	**08.** ②	**09.** ②	**10.** ②
11. ④	**12.** ④	**13.** ①	**14.** ④	**15.** ①
16. ②	**17.** 3	**18.** 6		

01

$x^4-3x^2-4=0$에서

$(x^2+1)(x^2-4)=0$이므로

$x^2+1=0$ 또는 $x^2-4=0$

$\therefore x=\pm i$ 또는 $x=\pm 2$　　　　답 ③

02

$f(x)=x^3+4x^2+6x+4$로 놓으면 $f(-2)=0$

조립제법을 이용하여 $f(x)$를 인수분해하면

$\begin{array}{r|rrrr} -2 & 1 & 4 & 6 & 4 \\ & & -2 & -4 & -4 \\ \hline & 1 & 2 & 2 & 0 \end{array}$

$f(x)=(x+2)(x^2+2x+2)$

이때 주어진 방정식 $f(x)=0$의 두 허근은

이차방정식 $x^2+2x+2=0$의 두 근이므로

이차방정식의 근과 계수의 관계에 의하여 $\alpha\beta=2$　　　　답 ①

03

주어진 방정식의 근이 2이므로 $x=2$를 대입하면

$8+4a+2b+12=0$, $b=-2a-10$　　　　$\cdots\cdots ㉠$

따라서 주어진 방정식은

$x^3+ax^2-(2a+10)x+12=0$

조립제법을 이용하여 좌변을 인수분해하면 $(x-2)^2$은 주어진 방정식의 인수이므로

$$
\begin{array}{c|cccc}
2 & 1 & a & -2a-10 & 12 \\
& & 2 & 2a+4 & -12 \\
\hline
2 & 1 & a+2 & -6 & 0 \\
& & 2 & 2a+8 & \\
\hline
& 1 & a+4 & 2a+2 &
\end{array}
$$

$2a+2=0$, $a=-1$

$a=-1$을 ㉠에 대입하면 $b=-8$

$\therefore ab=(-1)\times(-8)=8$　　　　　　　　답 8

04

$f(x)=x^4+2x^3+x^2-2x-2$로 놓으면 $f(1)=0$, $f(-1)=0$

조립제법을 이용하여 $f(x)$를 인수분해하면

$$
\begin{array}{c|ccccc}
1 & 1 & 2 & 1 & -2 & -2 \\
& & 1 & 3 & 4 & 2 \\
\hline
-1 & 1 & 3 & 4 & 2 & 0 \\
& & -1 & -2 & -2 & \\
\hline
& 1 & 2 & 2 & 0 &
\end{array}
$$

$f(x)=(x-1)(x+1)(x^2+2x+2)$

즉 $(x-1)(x+1)(x^2+2x+2)=0$이므로

$x=\pm1$ 또는 $x=-1\pm i$

따라서 구하는 값은

$ab+cd=1\times(-1)+(-1+i)(-1-i)$

$\qquad\qquad =-1+2=1$　　　　　　　　답 ①

05

$x^4+ax^2+b=0$에 $x=1$, $x=\sqrt{2}$를 각각 대입하면

$1+a+b=0$, $a+b=-1$ ……㉠

$4+2a+b=0$, $2a+b=-4$ ……㉡

㉠, ㉡을 연립하여 풀면 $a=-3$, $b=2$

즉 주어진 방정식은 $x^4-3x^2+2=0$

이때 $x^2=X$로 놓으면 $X^2-3X+2=0$

$(X-1)(X-2)=0$이므로 $X=1$ 또는 $X=2$

(i) $X=1$일 때, $x^2=1$이므로 $x=\pm1$

(ii) $X=2$일 때, $x^2=2$이므로 $x=\pm\sqrt{2}$

따라서 주어진 방정식의 근은

$x=\pm1$ 또는 $x=\pm\sqrt{2}$

이므로 나머지 두 근의 곱은

$-1\times(-\sqrt{2})=\sqrt{2}$　　　　　　　　답 ③

06

$f(x)=x^3-2x^2+(k-3)x-3k$로 놓으면 $f(3)=0$

조립제법을 이용하여 $f(x)$를 인수분해하면

$$
\begin{array}{c|cccc}
3 & 1 & -2 & k-3 & -3k \\
& & 3 & 3 & 3k \\
\hline
& 1 & 1 & k & 0
\end{array}
$$

$f(x)=(x-3)(x^2+x+k)$

이때 방정식 $f(x)=0$의 근이 모두 실수가 되려면 이차방정식 $x^2+x+k=0$이 실근을 가져야 한다.

이 이차방정식의 판별식을 D라 할 때, $D\geq0$이어야 하므로

$D=1-4k\geq0$

$\therefore k\leq\dfrac{1}{4}$　　　　　　　　답 ④

07

$f(x)=ax^3+2x^2-2x-a$로 놓으면 $f(1)=0$이므로

$$
\begin{array}{c|cccc}
1 & a & 2 & -2 & -a \\
& & a & a+2 & a \\
\hline
& a & a+2 & a & 0
\end{array}
$$

$f(x)=(x-1)\{ax^2+(a+2)x+a\}$

즉 이차방정식 $ax^2+(a+2)x+a=0$이 실근을 가져야 하므로 이 이차방정식의 판별식을 D라 하면

$D=(a+2)^2-4a^2=-3a^2+4a+4\geq0$

$(3a+2)(a-2)\leq0$, 즉 $-\dfrac{2}{3}\leq a\leq2$

따라서 조건을 만족시키는 정수 a는 $a\neq0$이므로 1, 2의 2개이다.　　　　　　　　답 ②

08

$f(3)=0$이므로 주어진 방정식은

$(x-3)(x^2+3x-9m)=0$

즉 $x=3$ 또는 $x^2+3x-9m=0$

(i) 방정식 $x^2+3x-9m=0$이 $x=3$을 근으로 갖는 경우

　　$3^2+3\times3-9m=0$, 즉 $m=2$

(ii) 방정식 $x^2+3x-9m=0$이 중근을 갖는 경우

　　$D=3^2-4\times1\times(-9m)=0$, 즉 $m=-\dfrac{1}{4}$

(i), (ii)에서 구하는 모든 실수 m의 값의 합은

$2+\left(-\dfrac{1}{4}\right)=\dfrac{7}{4}$　　　　　　　　답 ②

09

방정식 $x^3+2x^2+ax-10=0$의 한 근이 2이므로

$8+8+2a-10=0$에서 $a=-3$

$f(x)=x^3+2x^2-3x-10$으로 놓으면 $f(2)=0$이므로 $x-2$는 $f(x)$의 인수이다.

조립제법을 이용하여 $f(x)$를 인수분해하면

$$
\begin{array}{c|cccc}
2 & 1 & 2 & -3 & -10 \\
& & 2 & 8 & 10 \\
\hline
& 1 & 4 & 5 & 0
\end{array}
$$

즉 $f(x)=(x-2)(x^2-4x+5)$에서 두 근 α, β는 방정식 $x^2-4x+5=0$의 근이다.

근과 계수의 관계에 의하여 $\alpha+\beta=4$, $\alpha\beta=5$이므로

$\alpha^2+\beta^2=(\alpha+\beta)^2-2\alpha\beta$

$\qquad\quad =4^2-2\times5=6$　　　　　　　　답 ②

10

$\begin{cases} x-y=3 & ……㉠ \\ x^2+3xy+y^2=-1 & ……㉡ \end{cases}$

㉠에서 $y=x-3$을 ㉡에 대입하면

$x^2+3x(x-3)+(x-3)^2=-1$

$5x^2-15x+10=0$, $x^2-3x+2=0$

$(x-1)(x-2)=0$

$x=1$ 또는 $x=2$

주어진 연립방정식의 해는

$\begin{cases} x=1 \\ y=-2 \end{cases}$ 또는 $\begin{cases} x=2 \\ y=-1 \end{cases}$

$\therefore xy=-2$ 답 ②

11

$\begin{cases} x-y=-1 & \cdots\cdots \text{㉠} \\ 2x^2-xy=2 & \cdots\cdots \text{㉡} \end{cases}$

㉠에서 $y=x+1$을 ㉡에 대입하면

$2x^2-x(x+1)=2$, $x^2-x-2=0$

$(x-2)(x+1)=0$

$x=2$ 또는 $x=-1$

주어진 연립방정식의 해는

$\begin{cases} x=2 \\ y=3 \end{cases}$ 또는 $\begin{cases} x=-1 \\ y=0 \end{cases}$

$\therefore a+b+c+d=4$ 답 ④

12

$\begin{cases} 2x-y=k & \cdots\cdots \text{㉠} \\ 2x^2+y^2=4 & \cdots\cdots \text{㉡} \end{cases}$

㉠에서 $y=2x-k$를 ㉡에 대입하면

$2x^2+(2x-k)^2=4$

$6x^2-4kx+k^2-4=0$ $\cdots\cdots \text{㉢}$

이때 주어진 연립방정식이 한 쌍의 해를 가지려면 이차방정식 ㉢

이 중근을 가져야 하므로

$\dfrac{D}{4}=(-2k)^2-6\times(k^2-4)=0$

$-2k^2+24=0$ $\therefore k=2\sqrt{3}\ (k>0)$ 답 ④

13

$y=2x+k$를 $x^2+y^2-3=0$에 대입하면

$x^2+(2x+k)^2-3=0$

$5x^2+4kx+k^2-3=0$ $\cdots\cdots \text{㉠}$

㉠의 판별식을 D라 할 때, $D=0$이면 주어진 연립방정식은 오직

한 쌍의 해를 가지므로

$\dfrac{D}{4}=(2k)^2-5(k^2-3)=-k^2+15=0$

$k=-\sqrt{15}$ 또는 $k=\sqrt{15}$

따라서 구하는 값은

$(-\sqrt{15})\times\sqrt{15}=-15$ 답 ①

14

$\begin{cases} x^2-3xy+2y^2=0 & \cdots\cdots \text{㉠} \\ x^2+4xy-3y^2=18 & \cdots\cdots \text{㉡} \end{cases}$

㉠에서 $(x-y)(x-2y)=0$

즉 $x=y$ 또는 $x=2y$

(i) $x=y$를 ㉡에 대입하여 정리하면

$y^2=9$, $y=\pm3$

즉 $\begin{cases} x=3 \\ y=3 \end{cases}$ 또는 $\begin{cases} x=-3 \\ y=-3 \end{cases}$

(ii) $x=2y$를 ㉡에 대입하여 정리하면

$y^2=2$, $y=\pm\sqrt{2}$

즉 $\begin{cases} x=2\sqrt{2} \\ y=\sqrt{2} \end{cases}$ 또는 $\begin{cases} x=-2\sqrt{2} \\ y=-\sqrt{2} \end{cases}$

(i), (ii)에서 $\begin{cases} x=3 \\ y=3 \end{cases}$ 또는 $\begin{cases} x=-3 \\ y=-3 \end{cases}$

또는 $\begin{cases} x=2\sqrt{2} \\ y=\sqrt{2} \end{cases}$ 또는 $\begin{cases} x=-2\sqrt{2} \\ y=-\sqrt{2} \end{cases}$

따라서 $\alpha+\beta$의 최댓값은 6이다. 답 ④

15

$\begin{cases} 2x+y=k & \cdots\cdots \text{㉠} \\ x^2+y^2=5 & \cdots\cdots \text{㉡} \end{cases}$

㉠에서 $y=k-2x$를 ㉡에 대입하면

$x^2+(k-2x)^2=5$

$5x^2-4kx+k^2-5=0$ $\cdots\cdots \text{㉢}$

이를 만족시키는 x의 값이 오직 한 개만 존재해야 하므로 ㉢의

판별식을 D라 할 때,

$\dfrac{D}{4}=(-2k)^2-5(k^2-5)=0$

$-k^2+25=0$

$k=5$ 또는 $k=-5$

따라서 구하는 모든 실수 k의 값의 합은 0이다. 답 ①

16

$\begin{cases} x+2y=1 & \cdots\cdots \text{㉠} \\ x^2+xy+y^2=a & \cdots\cdots \text{㉡} \end{cases}$

㉠에서 $x=-2y+1$을 ㉡에 대입하면

$(-2y+1)^2+(-2y+1)y+y^2-a=0$

$3y^2-3y+1-a=0$ $\cdots\cdots \text{㉢}$

이때 주어진 연립방정식이 실근을 가지려면 이차방정식 ㉢이 실

근을 가져야 하므로

$D=9-4\times3\times(1-a)\geq0$

$12a-3\geq0$ $\therefore a\geq\dfrac{1}{4}$ 답 ②

17

$\begin{cases} 2xy=x^2 & \cdots\cdots \text{㉠} \\ x^2=y^2-y & \cdots\cdots \text{㉡} \end{cases}$

㉠에서 $x^2-2xy=0$, $x(x-2y)=0$

$\therefore x=0$ 또는 $x=2y$

(i) $x=0$일 때, 이를 ㉡에 대입하면

$y^2-y=0$

$y(y-1)=0$

$y=0$ 또는 $y=1$

이므로

$\begin{cases} x=0 \\ y=0 \end{cases}$ 또는 $\begin{cases} x=0 \\ y=1 \end{cases}$

(ii) $x=2y$일 때, 이를 ㉡에 대입하면

$4y^2=y^2-y$, $y(3y+1)=0$

$y=0$ 또는 $y=-\dfrac{1}{3}$

이므로

$\begin{cases} x=0 \\ y=0 \end{cases}$ 또는 $\begin{cases} x=-\dfrac{2}{3} \\ y=-\dfrac{1}{3} \end{cases}$

(i), (ii)에서 구하는 순서쌍 $(x,\ y)$의 개수는 3이다.　　　　답 3

18.

처음 정육면체의 한 모서리의 길이를 x라 하면 직육면체의 가로의 길이, 세로의 길이, 높이는 각각

$(x-2),\ (x-2),\ (x-4)$

직육면체의 부피가 32이므로

$(x-2)(x-2)(x-4)=32$

$x^3-8x^2+20x-48=0$

$(x-6)(x^2-2x+8)=0$

이차방정식 $x^2-2x+8=0$의 판별식을 D라 할 때,

$\dfrac{D}{4}=(-1)^2-8=-7<0$

이므로 서로 다른 두 허근을 갖는다.

따라서 처음 정육면체의 한 모서리의 길이는 6이다.　　답 6

06 여러 가지 부등식

pp.64~65

01. 8	02. ①	03. ①	04. ④	05. 34
06. 28				

01

$x-2\leq 2x$에서

$x\geq -2$　　……㉠

$3x-5\leq 3-x$에서

$4x\leq 8$

$x\leq 2$　　……㉡

㉠, ㉡을 동시에 만족시키는 x의 값의 범위는

$-2\leq x\leq 2$

따라서 $\alpha=-2$, $\beta=2$이므로

$\alpha^2+\beta^2=8$　　　　　　　　　　답 8

02

$|x-2|<a$에서

$-a<x-2<a$

$2-a<x<2+a$

이 범위에 속하는 모든 정수 x의 개수가 19이므로

$2+a-(2-a)-1=19$

$2a-1=19$

$\therefore a=10$　　　　　　　　　　답 ①

03

$|x-a|<2$에서

$-2<x-a<2$

$-2+a<x<2+a$

a가 자연수이므로 부등식을 만족하는 정수 x는

$-1+a$, a, $1+a$

모든 정수 x의 값의 합이 33이므로

$(-1+a)+a+(1+a)=33$

$3a=33$

$\therefore a=11$　　　　　　　　　　답 ①

04

$x^2-6x+5=(x-1)(x-5)\leq 0$이므로 해는

$1\leq x\leq 5$

$\alpha=1$, $\beta=5$이므로

$\therefore \beta-\alpha=5-1=4$　　　　　　답 ④

05

$x-1\geq 2$에서

$x\geq 3$　　……㉠

$x^2-5x\leq 0$에서

$x(x-5)\leq 0$

$0\leq x\leq 5$　　……㉡

㉠, ㉡을 동시에 만족시키는 x의 값의 범위는

$3\leq x\leq 5$

따라서 $\alpha=3$, $\beta=5$이므로

$\alpha^2+\beta^2=34$　　　　　　　　답 34

06

$2x-1\geq 7$에서

$x\geq 4$　　……㉠

$(x-3)(x-7)\leq 0$에서

$3\leq x\leq 7$　　……㉡

㉠, ㉡을 동시에 만족시키는 x의 값의 범위는

$4\leq x\leq 7$

따라서 $M=7$, $m=4$이므로

$M\times m=28$　　　　　　　　답 28

유형따라잡기				pp. 66~70
기출유형 01 ①	01. ⑤	02. ②	03. ②	04. 2
기출유형 02 ④	05. ③	06. ③	07. 4	08. 5
기출유형 03 ①	09. ⑤	10. ①	11. ①	12. ②
기출유형 04 ③	13. ⑤	14. ②	15. ②	16. 7
기출유형 05 3	17. 7	18. ③	19. ③	20. ②

기출유형 01

Act① 각 부등식의 해를 구한 다음 공통부분을 찾아 연립부등식의 해를 구한다.

$\begin{cases} 4x>x-9 & ……㉠ \\ x+2\geq 2x-3 & ……㉡ \end{cases}$

부등식 ㉠을 풀면

$4x-x>-9$, $3x>-9$, $x>-3$

부등식 ㉡을 풀면

$x-2x\geq -2-3$, $-x\geq -5$, $x\leq 5$

㉠, ㉡의 해를 수직선 위에 나타내면 그림과 같다.

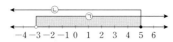

위 그림에서 구하는 x의 값의 범위는

$-3<x\leq5$

따라서 구하는 정수 x는

$-2,\ -1,\ 0,\ 1,\ 2,\ 3,\ 4,\ 5$

이므로 그 개수는 8이다. 답 ①

01 **Act1** 각 부등식의 해를 구한 다음 공통부분을 찾아 연립부등식의 해를 구한다.

$$\begin{cases} 2x<x+9 & \cdots\cdots\ ㉠ \\ x+5\leq5x-3 & \cdots\cdots\ ㉡ \end{cases}$$

부등식 ㉠을 풀면

$2x-x<9,\ x<9$

부등식 ㉡을 풀면

$x-5x\leq-3-5,\ -4x\leq-8,\ x\geq2$

㉠, ㉡의 해를 수직선 위에 나타내면 그림과 같다.

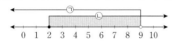

위 그림에서 구하는 x의 값의 범위는

$2\leq x<9$

따라서 구하는 정수 x는 2, 3, 4, 5, 6, 7, 8이므로 그 개수는 7이다. 답 ⑤

02 **Act1** 각 부등식의 해를 구한 다음 공통부분을 찾아 연립부등식의 해를 구한다.

$$\begin{cases} 3(x+4)>6x & \cdots\cdots\ ㉠ \\ x-1>0 & \cdots\cdots\ ㉡ \end{cases}$$

부등식 ㉠을 풀면

$x+4>2x,\ x<4$

부등식 ㉡을 풀면 $x>1$

㉠, ㉡의 해를 수직선 위에 나타내면 그림과 같다.

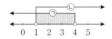

위 그림에서 구하는 x의 값의 범위는 $1<x<4$

따라서 구하는 정수 x는 2와 3이므로 그 개수는 2이다. 답 ②

03 **Act1** 부등식 $3x-5<4$의 해를 수직선 위에 나타내고 연립부등식을 만족하는 정수 x의 개수가 2개가 되도록 a의 값의 범위를 정한다.

$$\begin{cases} 3x-5<4 & \cdots\cdots\ ㉠ \\ x\geq a & \cdots\cdots\ ㉡ \end{cases}$$

부등식 ㉠을 풀면

$3x<9,\ x<3$

㉠, ㉡을 만족하는 정수 x의 값이 2개가 되도록 a를 수직선 위에 나타내면 그림과 같다.

따라서 구하는 상수 a의 값의 범위는 $0<a\leq1$ 답 ②

04 **Act1** $A<B<C$ 꼴의 연립부등식은 반드시 $\begin{cases} A<B \\ B<C \end{cases}$ 꼴로 고쳐서 푼다.

$$\begin{cases} 3x-7\leq4x-3 & \cdots\cdots\ ㉠ \\ 4x-3<2(x-4) & \cdots\cdots\ ㉡ \end{cases}$$

부등식 ㉠을 풀면

$-x\leq4,\ x\geq-4$

부등식 ㉡을 풀면

$4x-3<2x-8,\ 2x<-5,\ x<-\dfrac{5}{2}$

㉠, ㉡의 해를 수직선 위에 나타내면 그림과 같다.

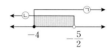

위 그림에서 구하는 x의 값의 범위는 $-4\leq x<-\dfrac{5}{2}$

따라서 구하는 정수 x는 -4, -3이므로 그 개수는 2이다. 답 2

기출유형 2

Act1 부등식 $|x|<k$의 해는 $-k<x<k$임을 이용하여 푼다.

$|x+a|\leq8$을 풀면

$-8\leq x+a\leq8$

$-8-a\leq x\leq8-a$

이때 주어진 부등식의 해가 $b\leq x\leq2$이므로

$8-a=2,\ -8-a=b$

따라서 $a=6,\ b=-14$이므로

$a-b=20$ 답 ④

05 **Act1** 부등식 $|x|<k$의 해는 $-k<x<k$임을 이용하여 푼다.

부등식 $|3x-2|\leq a\ (a>0)$를 풀면

$-a\leq3x-2\leq a$

$-a+2\leq3x\leq a+2$

$\dfrac{-a+2}{3}\leq x\leq\dfrac{a+2}{3}$

이때 주어진 부등식의 해가 $b\leq x\leq2$이므로

$\dfrac{a+2}{3}=2,\ \dfrac{-a+2}{3}=b$

$a=2\times3-2=4,\ b=\dfrac{-4+2}{3}=-\dfrac{2}{3}$

$\therefore\ a+b=4-\dfrac{2}{3}=\dfrac{10}{3}$ 답 ③

06 **Act1** 부등식 $|x|<k$의 해는 $-k<x<k$임을 이용하여 푼다.

$|x-a|<5$를 풀면

$-5<x-a<5$

$a-5<x<a+5$

Act2 $x<m$일 때 정수 x의 최댓값이 12가 되려면 $12<m\leq13$이어야 함을 이용한다.

정수 x의 최댓값이 12가 되기 위해서는

$12<a+5\leq13$이어야 한다.

따라서 $7<a\leq8$이므로 정수 a의 값은 8이다. 답 ③

07 Act❶ 절댓값 기호 안의 식의 값이 0이 되는 x의 값을 경계로 범위를 나누어 푼다.

주어진 부등식에서 $x+1$, $x-2$의 값이 각각 0이 되는 x의 값을 경계로 범위를 $x<-1$, $-1\leq x<2$, $x\geq 2$의 세 경우로 나누어 푼다.

(i) $x<-1$일 때

$|x+1|=-(x+1)$, $|x-2|=-(x-2)$이므로

$-(x+1)-(x-2)<5$, $-2x<4$, 즉 $x>-2$

그런데 $x<-1$이므로 $-2<x<-1$ ······㉠

(ii) $-1\leq x<2$일 때

$|x+1|=x+1$, $|x-2|=-(x-2)$이므로

$x+1-(x-2)<5$, 즉 $3<5$

$3<5$는 항상 성립하므로 $-1\leq x<2$ ······㉡

(iii) $x\geq 2$일 때

$|x+1|=x+1$, $|x-2|=x-2$이므로

$x+1+x-2<5$, $2x<6$, 즉 $x<3$

그런데 $x\geq 2$이므로 $2\leq x<3$ ······㉢

따라서 ㉠, ㉡, ㉢을 수직선 위에 나타내면 오른쪽 그림과 같으므로 구하는 해는

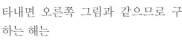

$-2<x<3$

따라서 정수 x는 -1, 0, 1, 2이므로 개수는 4이다.　　답 4

08 Act❶ 절댓값 기호 안의 식의 값이 0이 되는 x의 값을 경계로 범위를 나누어 푼다.

주어진 부등식에서 x, $x-2$의 값이 각각 0이 되는 x의 값을 경계로 범위를 $x<0$, $0\leq x<2$, $x\geq 2$의 세 경우로 나누어 푼다.

(i) $x<0$일 때

$|x|=-x$, $|x-2|=-(x-2)$이므로

$-x-(x-2)\leq 4$, $-2x\leq 2$, 즉 $x\geq -1$

그런데 $x<0$이므로 $-1\leq x<0$ ······㉠

(ii) $0\leq x<2$일 때

$|x|=x$, $|x-2|=-(x-2)$이므로

$x-(x-2)\leq 4$, 즉 $2\leq 4$

$2\leq 4$는 항상 성립하므로 $0\leq x<2$ ······㉡

(iii) $x\geq 2$일 때

$|x|=x$, $|x-2|=x-2$이므로

$x+(x-2)\leq 4$, $2x\leq 6$, 즉 $x\leq 3$

그런데 $x\geq 2$이므로 $2\leq x\leq 3$ ······㉢

㉠, ㉡, ㉢을 수직선 위에 나타내면 오른쪽 그림과 같으므로 구하는 해는 $-1\leq x\leq 3$

따라서 정수 x는 -1, 0, 1, 2, 3이므로 개수는 5이다.

답 5

기출유형 ③

Act❶ $f(x)\geq 0$의 해는 $y=f(x)$의 그래프가 x축과 만나거나 x축보다 위쪽에 있는 x의 값의 범위를 구한다.

$x^2-7x+12\geq 0$

$(x-3)(x-4)\geq 0$

이므로 해는

$x\leq 3$ 또는 $x\geq 4$

따라서 $\alpha=3$, $\beta=4$이므로

$\beta-\alpha=1$　　　　　　　　　　　　　답 ①

09 Act❶ $f(x)\leq 0$의 해는 $y=f(x)$의 그래프가 x축과 만나거나 x축보다 아래쪽에 있는 x의 값의 범위를 구한다.

$x^2-7x+12\leq 0$

$(x-3)(x-4)\leq 0$

이므로 해는

$3\leq x\leq 4$

따라서 $a=3$, $b=4$이므로

$b-a=1$　　　　　　　　　　　　　　답 ①

10 Act❶ 해가 $\alpha<x<\beta$이고 이차항의 계수가 1인 이차부등식은 $(x-\alpha)(x-\beta)<0$임을 이용한다.

이차부등식의 해가 $-1<x<5$이므로

$(x+1)(x-5)<0$

$x^2-4x-5<0$

따라서 $a=-4$, $b=-5$이므로 $ab=20$　　답 ①

11 Act❶ $f(x)\leq 0$의 해가 $-3\leq x\leq 0$이므로 $f(x)=ax(x+3)$으로 놓고 푼다.

이차부등식 $f(x)\leq 0$의 해가 $-3\leq x\leq 0$이므로

$f(x)=ax(x+3)$ $(a>0)$으로 놓을 수 있다.

이때 $f(1)=8$에서

$f(1)=4a=8$이므로 $a=2$

따라서 $f(x)=2x(x+3)$이므로

$f(4)=2\times 4\times(4+3)=56$　　　　　답 ①

12 Act❶ 이차부등식 $ax^2+bx+c\geq 0$의 해가 $x=3$뿐이므로 $a<0$, $a(x-3)^2\geq 0$으로 놓고 푼다.

x에 대한 이차부등식 $ax^2+bx+c\geq 0$의 해가 오직 $x=3$뿐이므로

$a<0$, $a(x-3)^2\geq 0$

이 되어야 한다.

$ax^2+bx+c=a(x-3)^2$

$\qquad\qquad\quad =ax^2-6ax+9a$

양변의 계수를 비교하면

$b=-6a$, $c=9a$

이므로

$bx^2+cx+6a=-6ax^2+9ax+6a$

$\qquad\qquad\quad =-3a(2x^2-3x-2)$

$\qquad\qquad\quad =-3a(2x+1)(x-2)<0$

$\therefore -\dfrac{1}{2}<x<2$

따라서 정수 x는 0, 1로 개수는 2이다.　　답 ②

기출유형 04

Act① $ax^2+bx+c\geq0$이 항상 성립하면 $a>0$, $D\leq0$임을 이용한다.

이차함수 $y=x^2-2(k-2)x-k^2+5k-3$의 그래프는 아래로 볼록하므로 모든 실수 x에 대하여 $y\geq0$이 되려면 이차함수의 그래프가 x축에 접하거나 만나지 않아야 한다.

$x^2-2(k-2)x-k^2+5k-3=0$의 판별식을 D라 하면 $D\leq0$이어야 하므로

$\dfrac{D}{4}=(k-2)^2-(-k^2+5k-3)\leq0$

$k^2-4k+4+k^2-5k+3\leq0$

$2k^2-9k+7\leq0$

$(k-1)(2k-7)\leq0$

$1\leq k\leq\dfrac{7}{2}$

따라서 정수 k의 값은 1, 2, 3이므로 k의 값의 합은 6이다.

답 ③

[다른 풀이]

그래프가 아래로 볼록하므로 꼭짓점의 y좌표가 0보다 크거나 같아야 한다.

$y=x^2-2(k-2)x-k^2+5k-3$

$\quad=\{x^2-2(k-2)x+(k-2)^2-(k-2)^2\}-k^2+5k-3$

$\quad=\{x-(k-2)\}^2-2k^2+9k-7$

꼭짓점의 y좌표가 0보다 크거나 같아야 하므로

$-2k^2+9k-7\geq0$

$2k^2-9k+7\leq0$

$(k-1)(2k-7)\leq0$

$1\leq k\leq\dfrac{7}{2}$

따라서 정수 k의 값은 1, 2, 3이므로 k의 값의 합은 6이다.

13 **Act①** $ax^2+bx+c\geq0$이 항상 성립하면 $a>0$, $D\leq0$임을 이용한다.

이차함수 $y=x^2+6x+a$의 그래프는 아래로 볼록이므로 모든 실수 x에 대하여 $y\geq0$가 되려면 이차함수의 그래프가 x축에 접하거나 만나지 않아야 한다.

$x^2+6x+a=0$의 판별식을 D라 하면 $D\leq0$이어야 하므로

$\dfrac{D}{4}=9-a\leq0$, $a\geq9$

따라서 실수 a의 최솟값은 9이다.

답 ⑤

14 **Act①** $y=f(x)$의 그래프가 x축과 한 점에서 만나거나 만나지 않아야 함을 이용하여 푼다.

이차함수 $f(x)=x^2-2ax+9a$의 그래프가 아래로 볼록하므로 $f(x)<0$의 해가 없으려면 $f(x)$의 그래프가 x축과 한 점에서 만나거나 만나지 않아야 한다.

$x^2-2ax+9a=0$의 판별식을 D라 하면 $D\leq0$이어야 하므로

$\dfrac{D}{4}=a^2-9a=a(a-9)\leq0$

$0\leq a\leq9$

따라서 정수 a의 개수는 10이다.

답 ②

15 **Act①** 주어진 범위에서 $f(x)=x^2-4x-4k+3$의 최댓값이 0보다 작거나 같아야 함을 이용하여 푼다.

$f(x)=x^2-4x-4k+3$이라 하면

$f(x)=(x^2-4x+4-4)-4k+3$

$\quad=(x-2)^2-4k-1$

이므로 $3\leq x\leq5$에서 $f(x)\leq0$이 항상 성립하려면 그래프는 그림과 같아야 한다.

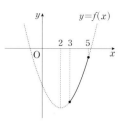

즉 $f(5)\leq0$이어야 하므로

$f(5)=9-4k-1$

$\quad=8-4k\leq0$

$k\geq2$

따라서 k의 최솟값은 2이다.

답 ②

16 **Act①** 주어진 범위에서 $f(x)=2x^2-2x+3-k$의 최댓값이 0보다 작거나 같아야 함을 이용하여 푼다.

$x^2-2x+3\leq-x^2+k$에서

$2x^2-2x+3-k\leq0$

$f(x)=2x^2-2x+3-k$라 하면

$f(x)=2(x^2-x)+3-k$

$\quad=2\left\{x^2-x+\left(\dfrac{1}{2}\right)^2-\left(\dfrac{1}{2}\right)^2\right\}+3-k$

$\quad=2\left(x-\dfrac{1}{2}\right)^2+\dfrac{5}{2}-k$

이므로 $-1\leq x\leq1$에서 $f(x)\leq0$이 항상 성립하려면 그래프는 그림과 같아야 한다.

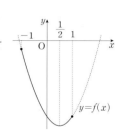

즉 $f(-1)\leq0$이어야 하므로

$f(-1)=2+2+3-k$

$\quad=-k+7\leq0$

$k\geq7$

따라서 k의 최솟값은 7이다.

답 7

기출유형 05

Act① 각 부등식의 해를 구한 후에 이들의 공통부분을 구한다.

$2x+1<x-3$에서

$x<-4$ ……㉠

$x^2+6x-7<0$에서

$(x-1)(x+7)<0$

$-7<x<1$ ……㉡

㉠, ㉡을 동시에 만족시키는 x의 값의 범위는

$-7<x<-4$

따라서 $\alpha=-7$, $\beta=-4$이므로

$\beta-\alpha=(-4)-(-7)=3$

답 3

17 **Act①** 각 부등식의 해를 구한 후에 이들의 공통부분을 구한다.

$x-1\geq2$에서

$x\geq3$ ……㉠

$x^2-6x\leq-8$에서

$x^2-6x+8\le 0$, $(x-2)(x-4)\le 0$

$2\le x\le 4$ ······ㄴ

ㄱ, ㄴ을 동시에 만족시키는 x의 값의 범위는

$3\le x\le 4$

따라서 $a=3$, $\beta=4$이므로 $a+\beta=7$ 　　　답 7

18 Act❶ 각 부등식의 해를 구한 후에 이들의 공통부분을 구한다.

$x^2+x-6\ge 0$에서

$(x+3)(x-2)\ge 0$

$x\le -3$ 또는 $x\ge 2$ ······ㄱ

$x^2-6x+5<0$에서

$(x-1)(x-5)<0$

$1<x<5$ ······ㄴ

ㄱ, ㄴ을 동시에 만족시키는 x의 값의 범위는

$2\le x<5$

따라서 정수 x는 2, 3, 4로 그 개수는 3이다. 　　　답 ③

19 Act❶ 부등식 $x^2-2x-3\le 0$의 해를 수직선 위에 나타내고 연립부등식을 만족하는 정수 x의 개수가 4개가 되도록 a의 값의 범위를 정한다.

$x^2-2x-3\le 0$에서

$(x+1)(x-3)\le 0$

$-1\le x\le 3$ ······ㄱ

$(x-4)(x-a)\le 0$에서

(i) $a<4$일 때, $a\le x\le 4$ ······ㄴ

(ii) $a\ge 4$일 때, $4\le x\le a$이므로 주어진 연립부등식의 해가 없다.

ㄱ, ㄴ의 공통부분에 속하는 정수가 4개가 되려면 다음 그림과 같아야 한다.

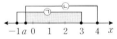

따라서 구하는 a의 값의 범위는

$-1<a\le 0$ 　　　답 ③

> **보충**
>
> $a=0$이면 정수는 0, 1, 2, 3의 4개가 존재하므로 만족하지만, $a=-1$이면 정수는 -1, 0, 1, 2, 3의 5개가 존재하므로 만족하지 않는다.

20 Act❶ 각 부등식의 해를 구한 후에 이들의 공통부분을 구한다.

$|2x-1|<5$에서

$-5<2x-1<5$, $-4<2x<6$

$-2<x<3$ ······ㄱ

$x^2-5x+4\le 0$에서

$(x-1)(x-4)\le 0$

$1\le x\le 4$ ······ㄴ

ㄱ, ㄴ을 동시에 만족시키는 x의 값의 범위는

$1\le x<3$

따라서 정수 x는 1, 2로 그 개수는 2이다. 　　　답 ②

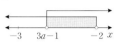

01. ⑤	**02.** ②	**03.** 3	**04.** ④	**05.** 58
06. ①	**07.** 97	**08.** ④	**09.** ⑤	**10.** ③
11. ③	**12.** ⑤	**13.** ③	**14.** ③	**15.** ①
16. ⑤	**17.** ⑤	**18.** 13		

01

$x-3a>-1$에서 $x>3a-1$

주어진 두 부등식을 동시에 만족시키는 정수 x가 존재하지 않으므로 다음 그림에서

$3a-1\ge -3$, $a\ge -\dfrac{2}{3}$

따라서 a의 최솟값은 $-\dfrac{2}{3}$이다. 　　　답 ⑤

02

$|3-2x|<7-x$에서

(i) $3-2x\ge 0$, 즉 $x\le \dfrac{3}{2}$일 때

$3-2x<7-x$, $x>-4$

∴ $-4<x\le \dfrac{3}{2}$

(ii) $3-2x<0$, 즉 $x>\dfrac{3}{2}$일 때

$-(3-2x)<7-x$, $3x<10$, $x<\dfrac{10}{3}$

∴ $\dfrac{3}{2}<x<\dfrac{10}{3}$

(i), (ii)에서 $-4<x<\dfrac{10}{3}$

따라서 주어진 부등식을 만족시키는 정수 x는

-3, -2, -1, 0, 1, 2, 3의 7개이다. 　　　답 ②

03

$|2x-a|\le 5$에서 $-5\le 2x-a\le 5$

$a-5\le 2x\le a+5$, 즉 $\dfrac{a-5}{2}\le x\le \dfrac{a+5}{2}$

이때 $|2x-a|\le 5$의 해가 $b\le x\le 3$이므로

$\dfrac{a-5}{2}=b$, $\dfrac{a+5}{2}=3$

두 식을 연립하여 풀면

$a=1$, $b=-2$

∴ $a-b=1-(-2)=3$ 　　　답 3

04

$|2x-3|\le k+2$에서

$-k-2\le 2x-3\le k+2$

$\dfrac{-k+1}{2}\le x\le \dfrac{k+5}{2}$

이때 실수 x의 최댓값과 최솟값의 곱이 -4이므로
$$\frac{k+5}{2} \times \frac{-k+1}{2} = -4$$
$-k^2-4k+5=-16$, $k^2+4k-21=0$
$(k+7)(k-3)=0$
$\therefore k=-7$ 또는 $k=3$
그런데 $k \geq -2$이므로 $k=3$ 답 ④

05

$|x+3|+2|x-1|<8$에서

(i) $x<-3$일 때
  $-(x+3)-2(x-1)<8$, $-3x<9$, $x>-3$
  따라서 부등식의 해가 존재하지 않는다.

(ii) $-3 \leq x < 1$일 때
  $(x+3)-2(x-1)<8$, $-x<3$, $x>-3$
  $\therefore -3<x<1$

(iii) $x \geq 1$일 때
  $(x+3)+2(x-1)<8$, $3x<7$, $x<\dfrac{7}{3}$

  $\therefore 1 \leq x < \dfrac{7}{3}$

(i), (ii), (iii)에서 $-3<x<\dfrac{7}{3}$이므로

$a=-3$, $\beta=\dfrac{7}{3}$

$\therefore a^2+9\beta^2=(-3)^2+9 \times \left(\dfrac{7}{3}\right)^2=58$ 답 58

06

이차부등식 $ax^2+2bx+10>0$의 해가 $-1<x<5$이므로 $a<0$
해가 $-1<x<5$이고 x^2의 계수가 1인 이차부등식은
$(x+1)(x-5)<0$, $x^2-4x-5<0$
양변에 a를 곱하면
$ax^2-4ax-5a>0$ $(\because a<0)$
이 부등식이 $ax^2+2bx+10>0$과 같으므로
$-4a=2b$, $-5a=10$
즉 $a=-2$, $b=4$이므로 $a+b=2$ 답 ①

07

주어진 이차부등식 $(2x+1)(x-5) \leq a$의 해가
$\dfrac{1}{2} \leq x \leq b$이므로 x에 대한 이차방정식
$(2x+1)(x-5)=a$ $\cdots\cdots$ ㉠
의 해가 $x=\dfrac{1}{2}$ 또는 $x=b$이다.

방정식 ㉠에 $x=\dfrac{1}{2}$을 대입하면

$a=2 \times \left(-\dfrac{9}{2}\right)=-9$

이므로 방정식 ㉠은
$(2x+1)(x-5)=-9$, $2x^2-9x+4=0$
이다.
이때 $2x^2-9x+4=(2x-1)(x-4) \leq 0$에서

$\dfrac{1}{2} \leq x \leq 4$이므로 $b=4$

$\therefore a^2+b^2=(-9)^2+4^2=97$ 답 97

08

이차부등식 $2x^2+4x-1 \leq 0$의 해가 $\alpha \leq x \leq \beta$이므로
$2x^2+4x-1=2(x-\alpha)(x-\beta)$
즉 α, β가 이차방정식 $2x^2+4x-1=0$의 두 근이므로 근과 계수의 관계에 의하여

$\alpha+\beta=-2$, $\alpha\beta=-\dfrac{1}{2}$

$\therefore \dfrac{1}{\alpha}+\dfrac{1}{\beta}=\dfrac{\alpha+\beta}{\alpha\beta}=\dfrac{-2}{-\dfrac{1}{2}}=4$ 답 ④

09

$-2kx^2+(k+3)x-2 \geq 0$에서
$2kx^2-(k+3)x+2 \leq 0$
이 이차부등식이 한 개의 실근을 가지려면

(i) $2k>0$에서 $k>0$

(ii) 이차방정식 $2kx^2-(k+3)x+2=0$의 판별식을 D라 할 때,
  $D=0$이어야 하므로
  $D=(k+3)^2-16k=0$
  $k^2-10k+9=0$
  $(k-1)(k-9)=0$
  $\therefore k=1$ 또는 $k=9$

(i), (ii)에서 공통부분은 $k=1$ 또는 $k=9$
따라서 k의 값의 곱은 9이다.   답 ⑤

10

이차방정식 $x^2-2ax+a+6=0$의 판별식을 D라 할 때, $D<0$이어야 하므로

$\dfrac{D}{4}=a^2-(a+6)<0$

$a^2-a-6<0$
$(a+2)(a-3)<0$
따라서 구하는 a의 값의 범위는
$-2<a<3$ 답 ③

11

$(k+1)x^2-x+k+1>0$이 모든 실수 x에 대하여 성립하려면

(i) $k+1>0$에서 $k>-1$

(ii) 이차방정식 $(k+1)x^2-x+k+1=0$의 판별식을 D라 할 때,
  $D<0$이어야 하므로
  $D=1-4(k+1)^2<0$
  $4k^2+8k+3>0$
  $(2k+3)(2k+1)>0$

  $\therefore k<-\dfrac{3}{2}$ 또는 $k>-\dfrac{1}{2}$

(i), (ii)에서 공통부분은 $k>-\dfrac{1}{2}$ 답 ③

12

$a \neq 0$이므로 주어진 부등식이 모든 실수 x에 대하여 성립하려면

$a > 0$ ······㉠

방정식 $ax^2 - 2(a-3)x + 4 = 0$의 판별식을 D라 하면

$$\frac{D}{4} = (a-3)^2 - 4a < 0$$

$a^2 - 10a + 9 < 0$, $(a-1)(a-9) < 0$

즉 $1 < a < 9$ ······㉡

㉠, ㉡을 모두 만족시키는 a의 값의 범위는

$1 < a < 9$

따라서 모든 정수 a의 값의 합은

$2 + 3 + 4 + \cdots + 8 = 35$ 답 ⑤

13

$$\begin{cases} x^2 - 2x - 8 \leq 0 & \cdots\cdots ㉠ \\ 2x^2 - 7x + 6 \geq 0 & \cdots\cdots ㉡ \end{cases}$$

㉠에서 $(x-4)(x+2) \leq 0$이므로

$-2 \leq x \leq 4$ ······㉢

㉡에서 $(2x-3)(x-2) \geq 0$이므로

$x \leq \dfrac{3}{2}$ 또는 $x \geq 2$ ······㉣

㉢, ㉣에서 공통부분은

$-2 \leq x \leq \dfrac{3}{2}$ 또는 $2 \leq x \leq 4$

따라서 주어진 연립부등식을 만족시키는 정수 x는 7개이다.

     답 ③

14

$$\begin{cases} 4x + 3 \leq x^2 + 3x + 1 & \cdots\cdots ㉠ \\ x^2 + 3x + 1 < 9x - 4 & \cdots\cdots ㉡ \end{cases}$$

㉠에서 $x^2 - x - 2 \geq 0$, $(x+1)(x-2) \geq 0$

즉 $x \leq -1$ 또는 $x \geq 2$

㉡에서 $x^2 - 6x + 5 < 0$, $(x-1)(x-5) < 0$

즉 $1 < x < 5$

따라서 구하는 해는 $2 \leq x < 5$이므로 주어진 부등식을 만족시키는 정수는 2, 3, 4의 3개이다.   답 ③

15

$$\begin{cases} x^2 - 5x - 6 < 0 & \cdots\cdots ㉠ \\ (x-k)(x-1) \geq 0 & \cdots\cdots ㉡ \end{cases}$$

㉠에서 $(x+1)(x-6) < 0$, $-1 < x < 6$

㉡에서

(i) $k > 1$일 때 $x \leq 1$ 또는 $x \geq k$

(ii) $k < 1$일 때 $x \leq k$ 또는 $x \geq 1$

(iii) $k = 1$일 때 해는 모든 실수이다.

부등식 ㉠, ㉡의 해의 공통부분이 $1 \leq x < 6$이기 위한 부등식 ㉡의 해는

$x \leq k$ 또는 $x \geq 1$

두 부등식 ㉠, ㉡의 해를 수직선 위에 나타내면 다음 그림과 같다.

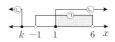

따라서 구하는 실수 k의 값의 범위는 $k \leq -1$ 답 ①

16

$x^2 - x - 12 \leq 0$에서 $(x-4)(x+3) \leq 0$

즉 $-3 \leq x \leq 4$ ······㉠

$x^2 - (a+2)x + 2a \leq 0$에서 $(x-a)(x-2) \leq 0$

즉 $a \leq x \leq 2$ 또는 $2 \leq x \leq a$ ······㉡

(i) $a < 2$일 때,

다음 그림과 같이 연립부등식의 정수인 해가 0, 1, 2가 되도록 하는 실수 a의 값의 범위는

$-1 < a \leq 0$

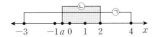

(ii) $a > 2$일 때,

다음 그림과 같이 연립부등식의 정수인 해가 2, 3, 4가 되도록 하는 실수 a의 값의 범위는

$4 \leq a$

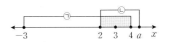

(i), (ii)에서

$a + \beta + \gamma = (-1) + 0 + 4 = 3$ 답 ⑤

17

$$\begin{cases} 2x^2 < 2x + 24 & \cdots\cdots ㉠ \\ x^2 - (2k+3)x + k^2 + 3k + 2 > 0 & \cdots\cdots ㉡ \end{cases}$$

㉠에서 $2x^2 - 2x - 24 < 0$

$x^2 - x - 12 < 0$

$(x+3)(x-4) < 0$

$\therefore -3 < x < 4$ ······㉢

㉡에서 $x^2 - (2k+3)x + k^2 + 3k + 2 > 0$

$x^2 - (2k+3)x + (k+1)(k+2) > 0$

$\{x - (k+1)\}\{x - (k+2)\} > 0$

이때 $k+1 < k+2$이므로

$x < k+1$ 또는 $x > k+2$ ······㉣

㉢을 만족시키는 정수는 -2, -1, 0, 1, 2, 3의 6개이고 ㉢, ㉣의 공통부분에 속하는 정수가 4개가 되려면 다음 그림과 같이 두 정수 $k+1$과 $k+2$는 -3과 4 사이에 존재해야 한다.

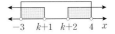

즉 $k+1 > -3$, $k+2 < 4$이므로

$-4 < k < 2$

따라서 구하는 정수 k는 5개이다.   답 ⑤

18

$|2x - 7| < k$에서 $-k < 2x - 7 < k$

즉 $\dfrac{7-k}{2} < x < \dfrac{7+k}{2}$ ······㉠

$x^2 - 7x + 10 \geq 0$에서 $(x-2)(x-5) \geq 0$

즉 $x \leq 2$ 또는 $x \geq 5$ ...... ㉡

㉠, ㉡으로부터 주어진 연립부등식의 정수해가 4개가 되기 위해서는 다음 그림과 같아야 한다.

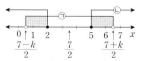

즉 $6 < \dfrac{7+k}{2} \leq 7$이고 $0 \leq \dfrac{7-k}{2} < 1$

따라서 $5 < k \leq 7$이므로 모든 정수 k의 값의 합은
$6+7=13$

답 13

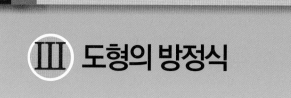

III 도형의 방정식

07 평면좌표

pp. 74~75

01. ③	**02.** ③	**03.** ⑤	**04.** ⑤	**05.** ③
06. 18	**07.** ⑤	**08.** 20		

01 $\overline{AB}=\sqrt{(0-2)^2+(a-0)^2}=\sqrt{13}$이므로
$a^2+4=13$
$a^2=9$
$\therefore a=3 \ (\because a>0)$

답 ③

02 $A(1)$, $B(7)$를 잇는 선분 AB를 $1:3$으로 내분하는 점 P의 좌표 a는
$a=\dfrac{1\times7+3\times1}{1+3}=\dfrac{5}{2}$

답 ③

03 $A(-1)$, $B(2)$를 잇는 선분 AB를 $3:2$로 외분하는 점은
$P\left(\dfrac{3\times2-2\times(-1)}{3-2}\right)=P(8)$

답 ⑤

04 $\left(\dfrac{3\times8+1\times0}{3+1}, \dfrac{3\times0+1\times0}{3+1}\right)$, 즉 $(6, 0)$

답 ⑤

05 선분 AB의 중점의 y좌표는
$\dfrac{4+2}{2}=3$

답 ③

06 두 점 $A(2, 4)$, $B(-2, 5)$를 잇는 선분 AB를 $1:2$로 외분하는 점의 좌표는
$(x, y)=\left(\dfrac{1\times(-2)-2\times2}{1-2}, \dfrac{1\times5-2\times4}{1-2}\right)$
$\qquad =(6, 3)$
$\therefore xy=18$

답 18

07 $\dfrac{a-1+4}{3}=4$이므로 $a=9$
$\dfrac{3+b-5}{3}=0$이므로 $b=2$
$\therefore a+b=11$

답 ⑤

08 삼각형 ABC의 무게중심의 좌표가 $G(2a, 4)$이므로
$\dfrac{-2+2+b}{3}=2a$, $\dfrac{a+5+3}{3}=4$
$b=6a$, $a+8=12$이므로 $a=4$, $b=24$
$\therefore b-a=20$

답 20

기출유형 01 ①	01. ③	02. 29	03. ⑤	04. 14
기출유형 02 ③	05. ①	06. ②	07. ⑤	08. ②
기출유형 03 ②	09. ④	10. 20	11. ⑤	12. ②
기출유형 04 ④	13. ④	14. 18	15. ④	16. ④
기출유형 05 ②	17. ③	18. 19	19. ④	20. ③

기출유형 01

Act 1 두 점 사이의 거리 공식을 이용한다.

$\overline{AC}=\overline{BC}$에서 $\overline{AC}^2=\overline{BC}^2$이므로

$(a-2)^2+(0-4)^2=(a-3)^2+(0-1)^2$

양변을 전개하여 정리하면

$a^2-4a+20=a^2-6a+10$, $2a=-10$

$\therefore a=-5$ 답 ①

01 **Act 1** 두 점 사이의 거리 공식을 이용한다.

$\sqrt{(a-3)^2+(-5-2)^2}=\sqrt{(0-a)^2+\{-3-(-5)\}^2}$ 의 양변을 제곱하여 정리하면

$6a=54$ $\therefore a=9$ 답 ③

02 **Act 1** 두 점 사이의 거리 공식을 이용한다.

$l=\sqrt{(0-2)^2+(5-0)^2}=\sqrt{29}$

$\therefore l^2=29$ 답 29

03 **Act 1** 두 점 사이의 거리 공식을 이용한다.

$\sqrt{(a-2)^2+(3-1)^2}=\sqrt{13}$

$a^2-4a-5=0$

$(a+1)(a-5)=0$

$a>0$이므로 $a-5$ 답 ⑤

04 **Act 1** 두 점 사이의 거리 공식을 이용한다.

$\overline{AB}^2=10$이므로

$\{5-(a-1)\}^2+\{(a-4)-4\}^2=10$

$(a^2-12a+36)+(a^2-16a+64)=10$

$a^2-14a+45=0$

따라서 이차방정식의 근과 계수의 관계에 의하여 모든 실수 a의 값의 합은 14   답 14

기출유형 02

Act 1 점 $P(a, b)$가 직선 $y=x+4$ 위의 점이므로 $b=a+4$로 놓고 두 점 사이의 거리 공식을 이용한다.

점 $P(a, b)$가 직선 $y=x+4$ 위의 점이므로

$b=a+4$ ……㉠

이때 $\overline{AP}=\overline{BP}$에서 $\overline{AP}^2=\overline{BP}^2$이고 ㉠에 의해 $P(a, a+4)$이므로

$(a-2)^2+(a+3)^2=(a+3)^2+a^2$

양변을 전개하여 정리하면 $a=1$

$a=1$을 ㉠에 대입하면 $b=5$

$\therefore a+b=6$ 답 ③

05 **Act 1** x축 위의 점 P의 좌표를 $(a, 0)$으로 놓고 두 점 사이의 거리 공식을 이용한다.

x축 위의 점 P의 좌표를 $(a, 0)$이라 하면

$\overline{AP}=\overline{BP}$에서 $\overline{AP}^2=\overline{BP}^2$이므로

$(a+4)^2+(0-1)^2=(a+3)^2+(0+2)^2$

$a^2+8a+17=a^2+6a+13$

$2a=-4$ $\therefore a=-2$ 답 ①

06 **Act 1** x축 위에 있는 점의 좌표는 $(a, 0)$으로, y축 위에 있는 점의 좌표는 $(0, b)$로 놓고 두 점 사이의 거리 공식을 이용한다.

점 P의 좌표를 $(a, 0)$이라 하면

$\overline{AP}=\overline{BP}$에서 $\overline{AP}^2=\overline{BP}^2$이므로

$(a-3)^2+(0-3)^2=(a-5)^2+(0-1)^2$

$a^2-6a+18=a^2-10a+26$

$4a=8$ $\therefore a=2$

$\therefore P(2, 0)$

또 점 Q의 좌표를 $(0, b)$라 하면

$\overline{AQ}=\overline{BQ}$에서 $\overline{AQ}^2=\overline{BQ}^2$이므로

$(0-3)^2+(b-3)^2=(0-5)^2+(b-1)^2$

$b^2-6b+18=b^2-2b+26$

$-4b=8$ $\therefore b=-2$

$\therefore Q(0, -2)$

$\therefore \overline{PQ}=\sqrt{(0-2)^2+(-2-0)^2}=2\sqrt{2}$ 답 ②

07 **Act 1** 점 $P(a, b)$가 직선 $y=x-1$ 위의 점이므로 $b=a-1$로 놓고 두 점 사이의 거리 공식을 이용한다.

점 $P(a, b)$가 직선 $y=x-1$ 위의 점이므로

$b=a-1$ ……㉠

$\overline{PA}=\overline{PB}$에서 $\overline{PA}^2=\overline{PB}^2$이므로

$(a-2)^2+(b+1)^2=(a-0)^2+(b-3)^2$

$a^2+b^2-4a+2b+5=a^2+b^2-6b+9$

$-4a+8b=4$, $-a+2b=1$ ……㉡

㉠, ㉡을 연립하여 풀면 $a=3$, $b=2$

$\therefore a+b=5$ 답 ⑤

08 **Act 1** 점 $P(a, b)$가 직선 $y=x+2$ 위의 점이므로 $b=a+2$로 놓고 두 점 사이의 거리 공식을 이용한다.

점 $P(a, b)$가 직선 $y=x+2$ 위의 점이므로

$b=a+2$, $a-b=-2$ ……㉠

또, $\overline{AP}=\overline{BP}$에서 $\overline{AP}^2=\overline{BP}^2$이므로

$(a-2)^2+(b+3)^2=(a-4)^2+(b-1)^2$

$a+2b=1$ ……㉡

㉠, ㉡을 연립하여 풀면 $a=-1$, $b=1$

$\therefore a^2+b^2=1+1=2$ 답 ②

기출유형 03

Act 1 거리의 제곱의 합의 최솟값은 두 점 사이의 거리를 구하는 공식을 이용하여 이차식을 세운 후, 이차식의 최솟값을 구한다.

점 P의 좌표를 (x, y)라 하면
$$\overline{OP}^2 + \overline{AP}^2 + \overline{BP}^2$$
$$= x^2 + y^2 + (x-3)^2 + (y-1)^2 + (x-3)^2 + (y+1)^2$$
$$= 3x^2 - 12x + 3y^2 + 20$$
$$= 3(x-2)^2 + 3y^2 + 8$$
따라서 $x=2$, $y=0$일 때, 최솟값 8을 가지므로 구하는 점 P의 좌표는 $(2, 0)$이다. 답 ②

09 **Act①** 거리의 제곱의 합의 최솟값은 두 점 사이의 거리를 구하는 공식을 이용하여 이차식을 세운 후, 이차식의 최솟값을 구한다.
$$\overline{PA}^2 + \overline{PB}^2 = \{(a-1)^2 + (b+1)^2\} + \{(a-5)^2 + (b-3)^2\}$$
$$= 2a^2 + 2b^2 - 12a - 4b + 36$$
$$= 2(a-3)^2 + 2(b-1)^2 + 16$$
따라서 $a=3$, $b=1$일 때 최소가 되므로
$$a+b=4$$ 답 ④

10 **Act①** 거리의 제곱의 합의 최솟값은 두 점 사이의 거리를 구하는 공식을 이용하여 이차식을 세운 후, 이차식의 최솟값을 구한다.
P의 좌표를 $(0, a)$라 하면
$$\overline{AP}^2 + \overline{BP}^2 = \{1^2 + (a+2)^2\} + \{(-1)^2 + (a-4)^2\}$$
$$= 2a^2 - 4a + 22$$
$$= 2(a-1)^2 + 20$$
따라서 $a=1$일 때 주어진 식의 최솟값은 20이다. 답 20

11 **Act①** 거리의 제곱의 합의 최솟값은 두 점 사이의 거리를 구하는 공식을 이용하여 이차식을 세운 후, 이차식의 최솟값을 구한다.
점 P의 좌표를 (x, y)라 하면
$$\overline{OP}^2 + \overline{AP}^2 + \overline{BP}^2$$
$$= (x^2 + y^2) + \{(x-3)^2 + y^2\} + \{x^2 + (y-6)^2\}$$
$$= 3x^2 - 6x + 3y^2 - 12y + 45$$
$$= 3(x^2 - 2x) + 3(y^2 - 4y) + 45$$
$$= 3(x-1)^2 + 3(y-2)^2 + 30$$
따라서 $x=1$, $y=2$일 때 최솟값 30을 가진다. 답 ⑤

12 **Act①** 거리의 제곱의 합의 최솟값은 두 점 사이의 거리를 구하는 공식을 이용하여 이차식을 세운 후, 이차식의 최솟값을 구한다.
P의 좌표를 $(a, a+3)$이라 하면
$$\overline{PA}^2 + \overline{PB}^2$$
$$= \{(a+2)^2 + (a+3)^2\} + \{(a-2)^2 + (a+3)^2\}$$
$$= 4a^2 + 12a + 26$$
$$= 4\left(a + \frac{3}{2}\right)^2 + 17$$
따라서 $a = -\frac{3}{2}$일 때 주어진 식의 최솟값이 17이므로 점 P의 x좌표는 $-\frac{3}{2}$이다. 답 ②

기출유형 04

Act① 내분점과 외분점의 위치를 수직선 위에 나타낸다. 이때 선분 PQ를 $m:n$으로 외분하는 점의 위치는 $m>n$이면 Q의 오른쪽에 있음을 생각한다.
점 A는 선분 PQ의 중점이다.
점 B는 선분 PQ를 $1:3$으로 내분한 점이다.
점 C는 선분 PQ를 $3:1$로 외분한 점이다.
따라서 세 점의 위치를 왼쪽부터 순서대로 나열하면 B, A, C

답 ③

13 **Act①** 선분 AB를 $m:n$으로 내분하는 점은
$\left(\dfrac{mx_2 + nx_1}{m+n}, \dfrac{my_2 + ny_1}{m+n}\right)$임을 이용한다.
$A(-1, -2)$, $B(5, a)$를 잇는 선분 AB를 $2:1$로 내분하는 점 P의 좌표는
$$\left(\frac{2 \times 5 + 1 \times (-1)}{2+1}, \frac{2 \times a + 1 \times (-2)}{2+1}\right)$$
즉 $\left(3, \dfrac{2a-2}{3}\right)$이므로 $b=3$, $\dfrac{2a-2}{3}=0$
따라서 $a=1$, $b=3$이므로
$$a+b=4$$ 답 ④

14 **Act①** 선분 AB를 $m:n$으로 외분하는 점은
$\left(\dfrac{mx_2 - nx_1}{m-n}, \dfrac{my_2 - ny_1}{m-n}\right)$임을 이용한다.
두 점 $A(2, 4)$, $B(-2, 5)$를 잇는 선분 AB를 $1:2$로 외분하는 점의 좌표는
$$(x, y) = \left(\frac{1 \times (-2) - 2 \times 2}{1-2}, \frac{1 \times 5 - 2 \times 4}{1-2}\right) = (6, 3)$$
$\therefore xy = 18$ 답 18

15 **Act①** 내분점의 좌표가 y축 위에 있으므로 이때 x좌표는 0임을 이용한다.
두 점 $A(a, 4)$, $B(-9, 0)$에 대하여 선분 AB를 $4:3$으로 내분하는 점의 좌표는
$$\left(\frac{4 \times (-9) + 3 \times a}{4+3}, \frac{4 \times 0 + 3 \times 4}{4+3}\right),$$
즉 $\left(\dfrac{3a-36}{7}, \dfrac{12}{7}\right)$
이 점이 y축 위에 있으므로
$$\frac{3a-36}{7} = 0 \quad \therefore a = 12$$ 답 ④

16 **Act①** 선분 PQ를 $m:n$으로 외분하는 점의 위치는 $m>n$이면 Q의 오른쪽, $m<n$이면 P의 왼쪽이다.
ㄴ. $\overline{CD}$를 $2:3$으로 외분하는 점이 A이므로 거짓
ㄱ, ㄷ은 참 답 ④

Act① 삼각형의 무게중심은 세 중선을 각 꼭짓점으로부터 2 : 1로 내분하는 점임을 생각한다.

변 BC의 중점을 M이라 하자. △ABC의 무게중심은 선분 AM을 2 : 1로 내분하는 점이므로 무게중심의 좌표는

$$\left(\frac{2\times(-2)+1\times1}{2+1}, \frac{2\times4+1\times(-2)}{2+1}\right)=(-1, 2) \quad \text{답 ②}$$

17 **Act①** 삼각형의 무게중심 공식을 이용한다.

점 C의 좌표를 (a, b)라 하면

무게중심이 $G\left(\dfrac{-1+0+a}{3}, \dfrac{3+4+b}{3}\right)$이므로

$$\frac{-1+a}{3}=1, \frac{7+b}{3}=2$$

따라서 $a=4$, $b=-1$이므로 점 C의 좌표는 $(4, -1)$이다.

답 ③

18 **Act①** 삼각형의 무게중심은 한 꼭짓점에서 그 대변의 중점을 이은 중선을 2 : 1로 내분하는 점임을 생각한다.

점 G가 삼각형 ABC의 무게중심이므로

$$\frac{a+1+2}{3}=4, \frac{b+3+2}{3}=5$$

따라서 $a=9$, $b=10$이므로

$a+b=19$

답 19

19 **Act①** 삼각형의 각 변의 중점을 이어 만든 삼각형의 무게중심은 원래의 삼각형의 무게중심과 일치함을 이용한다.

각 변의 중점을 이어 만든 삼각형의 무게중심은

$\left(\dfrac{1+3+a}{3}, \dfrac{2+5+b}{3}\right)$이고 이것은 △ABC의 무게중심

$\left(\dfrac{8}{3}, \dfrac{14}{3}\right)$와 일치하므로

$$\frac{4+a}{3}=\frac{8}{3}, \frac{7+b}{3}=\frac{14}{3}$$

따라서 $a=4$, $b=7$이므로

$a+b=11$

답 ④

20 **Act①** 꼭짓점 B, C의 좌표를 각각 (a_1, b_1), (a_2, b_2)라 놓고 주어진 관계식을 이용하여 무게중심의 좌표

$\left(\dfrac{1+a_1+a_2}{3}, \dfrac{6+b_1+b_2}{3}\right)$를 구한다.

꼭짓점 B, C의 좌표를 각각 (a_1, b_1), (a_2, b_2)라 하자.
두 점 M, N은 각각 변 AB, AC의 중점이므로

$1+a_1=2x_1$, $1+a_2=2x_2$

$6+b_1=2y_1$, $6+b_2=2y_2$

그런데 $x_1+x_2=2$, $y_1+y_2=4$이므로

$a_1+a_2=2$, $b_1+b_2=-4$

따라서 삼각형 ABC의 무게중심의 좌표는

$\left(\dfrac{1+a_1+a_2}{3}, \dfrac{6+b_1+b_2}{3}\right)=\left(1, \dfrac{2}{3}\right)$

답 ③

VIT **V**ery **I**mportant **T**est pp. 81~83

01. ③	**02.** ⑤	**03.** ②	**04.** ⑤	**05.** ⑤
06. ④	**07.** ③	**08.** ②	**09.** ③	**10.** ④
11. ⑤	**12.** 4	**13.** ①	**14.** ②	**15.** ①
16. ⑤	**17.** ①	**18.** 14		

01

$\overline{AB}=\sqrt{(a+1)^2+(2-a)^2}=\sqrt{17}$

양변을 제곱하여 정리하면

$2a^2-2a-12=0$

$a^2-a-6=0$, $(a+2)(a-3)=0$

$a=-2$ 또는 $a=3$

따라서 양수 a의 값은 3

답 ③

02

$\overline{AB}=\sqrt{(-1-3)^2+(2-a)^2}=2\sqrt{5}$

양변을 제곱하여 정리하면

$a^2-4a=0$, $a(a-4)=0$

∴ $a=0$ 또는 $a=4$

답 ⑤

03

x축 위의 점이므로 구하는 점의 좌표를 $P(x, 0)$이라 하면

$\overline{PA}=\sqrt{(x-4)^2+(0+1)^2}$

$\overline{PB}=\sqrt{(x-2)^2+(0-3)^2}$

$\overline{PA}^2=\overline{PB}^2$이므로

$(x-4)^2+1^2=(x-2)^2+(-3)^2$

$x^2-8x+17=x^2-4x+13$, $x=1$

∴ $P(1, 0)$

답 ②

04

점 P가 y축 위의 점이므로 $P(0, k)$라 하면 $\overline{AP}=\overline{BP}$이므로

$\sqrt{(0+1)^2+(k-3)^2}=\sqrt{(0-2)^2+(k-4)^2}$

양변을 제곱하여 정리하면

$k^2-6k+10=k^2-8k+20$

$2k=10$, $k=5$

따라서 구하는 점 P의 좌표는 $(0, 5)$

답 ⑤

05

$P(a, 0)$, $Q(0, b)$라 하면

$\overline{AP}^2=\overline{BP}^2$이므로

$\{a-(-1)\}^2+(0-1)^2=(a-5)^2+(0-3)^2$에서

$a=\dfrac{8}{3}$, 즉 $P\left(\dfrac{8}{3}, 0\right)$

$\overline{AQ}^2=\overline{BQ}^2$이므로

$\{0-(-1)\}^2+(b-1)^2=(0-5)^2+(b-3)^2$에서

$b=8$, 즉 $Q(0, 8)$

∴ $\overline{PQ}=\sqrt{\left(0-\dfrac{8}{3}\right)^2+(8-0)^2}=\dfrac{8\sqrt{10}}{3}$

답 ⑤

06

$P(x, 0)$이라 하면
$\overline{AP}=\overline{BP}$에서
$\sqrt{(x+2)^2+(-4)^2}=\sqrt{(x-6)^2+2^2}$
양변을 제곱하여 정리하면
$(x+2)^2+16=(x-6)^2+4$, $16x=20$, $x=\dfrac{5}{4}$

$Q(0, y)$라 하면 $\overline{AQ}=\overline{BQ}$에서
$\sqrt{2^2+(y-4)^2}=\sqrt{(-6)^2+(y+2)^2}$
양변을 제곱하여 정리하면
$4+(y-4)^2=36+(y+2)^2$, $12y=-20$, $y=-\dfrac{5}{3}$

따라서 $P\left(\dfrac{5}{4}, 0\right)$, $Q\left(0, -\dfrac{5}{3}\right)$이므로 삼각형 OPQ의 넓이는

$\dfrac{1}{2}\times\dfrac{5}{4}\times\dfrac{5}{3}=\dfrac{25}{24}$ 답 ④

07

$\overline{AB}=\sqrt{(1+1)^2+(-1-1)^2}=2\sqrt{2}$
$\overline{BC}=\sqrt{(a-1)^2+(a+1)^2}$
$\overline{CA}=\sqrt{(a+1)^2+(a-1)^2}$
이때 △ABC가 정삼각형이므로
$\overline{AB}=\overline{BC}=\overline{CA}$
$\overline{AB}=\overline{CA}$에서 $\overline{AB}^2=\overline{CA}^2$이므로
$(a+1)^2+(a-1)^2=8$
양변을 전개하여 정리하면 $a^2=3$
그런데 $a>0$이므로
$a=\sqrt{3}$ 답 ③

08

$\overline{AB}=\sqrt{(-1-2t)^2+\{2t-(-3)\}^2}$이므로
$\overline{AB}^2=(2t+1)^2+(2t+3)^2$
$\qquad=8t^2+16t+10$
$\qquad=8(t+1)^2+2$
따라서 $t=-1$일 때 $\overline{AB}^2$의 최솟값이 2이므로 선분 AB의 길이의 최솟값은 $\sqrt{2}$ 답 ②

09

$\overline{AP}^2+\overline{BP}^2$
$=\{(a+3)^2+(0-4)^2\}+\{(a-5)^2+(0-2)^2\}$
$=2a^2-4a+54$
$=2(a-1)^2+52$
$a=1$일 때 $\overline{AP}^2+\overline{BP}^2$은 최솟값 52를 가지므로 $m=52$
$\therefore a+m=53$ 답 ③

10

중점의 좌표를 (x, y)라 하면
$x=\dfrac{-3+5}{2}=1$, $y=\dfrac{5+(-3)}{2}=1$
$\therefore (1, 1)$ 답 ④

11

$\overline{AC}$의 중점의 좌표는
$\left(\dfrac{-3+4}{2}, \dfrac{2+3}{2}\right)=\left(\dfrac{1}{2}, \dfrac{5}{2}\right)$
$\overline{BD}$의 중점의 좌표는
$\left(\dfrac{-1+x}{2}, \dfrac{-2+y}{2}\right)$
평행사변형 ABCD에서 $\overline{AC}$의 중점과 $\overline{BD}$의 중점은 일치하므로
$\dfrac{-1+x}{2}=\dfrac{1}{2}$, $\dfrac{-2+y}{2}=\dfrac{5}{2}$
$-1+x=1$, $-2+y=5$
따라서 $x=2$, $y=7$이므로
$x+y=9$ 답 ⑤

12

마름모의 성질에 의하여 두 대각선 AC와 BD의 중점이 일치하므로 중점의 x좌표는
$\dfrac{a+7}{2}=\dfrac{3+b}{2}$, $b=a+4$ ······㉠
또, 마름모의 정의에 의하여 네 변의 길이가 같으므로 $\overline{AB}=\overline{BC}$
즉 $\sqrt{(3-a)^2+(-1-3)^2}=\sqrt{(7-3)^2+(4+1)^2}$
양변을 제곱하여 정리하면
$a^2-6a-16=0$, $(a+2)(a-8)=0$
$a<0$이므로 $a=-2$ ······㉡
㉡을 ㉠에 대입하면 $b=2$
$\therefore b-a=4$ 답 4

13

$a=\dfrac{3\times(-3)-2\times2}{3-2}=-13$
$b=\dfrac{3\times2-2\times7}{3-2}=-8$
$\therefore a+b=-21$ 답 ①

14

$A(a)$, $B(b)$라 하면
선분 AB를 $2:1$로 내분하는 점이 $P(3)$이므로
$\dfrac{2b+a}{2+1}=3$, $a+2b=9$ ······㉠
선분 AB를 $2:1$로 외분하는 점이 $Q(7)$이므로
$\dfrac{2b-a}{2-1}=7$, $-a+2b=7$······㉡
㉠, ㉡을 연립하여 풀면 $a=1$, $b=4$
$A(1)$, $B(4)$이고 선분 PQ의 중점의 좌표는 $M(5)$이다.
$\therefore \overline{AM}=|5-1|=4$ 답 ②

15

선분 AB를 $2:1$로 내분하는 점의 좌표는
$\left(\dfrac{2\times5+1\times(-1)}{2+1}, \dfrac{2\times(-5)+1\times4}{2+1}\right)=(3, -2)$이다.
점 $(3, -2)$가 직선 $y=2x+k$ 위의 점이므로 $-2=6+k$
$\therefore k=-8$ 답 ①

16

점 G는 삼각형 ABC의 무게중심이므로 점 G의 좌표는
$\left(\dfrac{2+3+4}{3}, \dfrac{-1+6+1}{3}\right)$, 즉 $(3, 2)$이다.　　　　답 ⑤

17

변 BC의 중점을 M이라 하자.
삼각형 ABC의 무게중심은 선분 AM을 $2:1$로 내분하는 점이
므로 무게중심의 좌표는
$\left(\dfrac{2\times(-4)+1\times(-1)}{2+1}, \dfrac{2\times(-1)+1\times5}{2+1}\right)$
즉 $(-3, 1)$이다.　　　　답 ①

18

삼각형 ABC의 무게중심의 좌표가 $(8, 5)$이므로
$\dfrac{4+a+c}{3}=8$, $\dfrac{7+b+d}{3}=5$에서
$a+c=20$, $b+d=8$
한편 변 BC의 중점의 좌표가 (p, q)이므로
$p=\dfrac{a+c}{2}=\dfrac{20}{2}=10$, $q=\dfrac{b+d}{2}=\dfrac{8}{2}=4$
$\therefore p+q=10+4=14$　　　　답 14

08 직선의 방정식

01. ⑤	02. ③	03. ①	04. ③	05. ①
06. ②	07. ④			

01 세 점이 한 직선 위에 있으려면 두 직선 AB, BC의 기울기
가 같아야 하므로 $\dfrac{4-0}{-1-3}=\dfrac{a-4}{1-(-1)}$
$-2=a-4$, $a=2$　　　　답 ⑤

02 세 점 $A(-5, 4)$, $B(7, -2)$, $C\left(k, \dfrac{1}{2}k+1\right)$이 일직선
위에 있으므로 두 점 A, B를 지나는 직선의 기울기와 두 점
B, C를 지나는 직선의 기울기가 같다.
즉 $\dfrac{-2-4}{7-(-2)}=\dfrac{\dfrac{1}{2}k+1-(-2)}{k-7}$이므로
$-\dfrac{1}{2}=\dfrac{k+6}{2k-14}$, $-2k+14=2k+12$
$4k=2$ $\therefore k=\dfrac{1}{2}$　　　　답 ③

03 두 점의 중점 $\left(\dfrac{1+(-2)}{2}, \dfrac{(-3)+6}{2}\right)$, 즉 $\left(-\dfrac{1}{2}, \dfrac{3}{2}\right)$을
지나고, 기울기가 $\tan45°=1$이므로
구하는 직선의 방정식은 $y-\dfrac{3}{2}=1\times\left(x+\dfrac{1}{2}\right)$
$\therefore y=x+2$　　　　답 ①

04 두 점 $A(0, -2)$, $B(4, 10)$을 지나는 직선의 방정식은
$y-10=\dfrac{10-(-2)}{4-0}(x-4)$ $\therefore y=3x-2$
따라서 $a=3$, $b=-2$이므로 $a+b=1$　　　　답 ③

05 두 직선이 평행하려면 $\dfrac{a}{3}=\dfrac{3}{a}\neq\dfrac{5}{5}$이어야 하므로 $a=-3$
이다.　　　　답 ①

06 직선 AB의 기울기는 $\dfrac{2-(-4)}{3-1}=3$이므로 수직인 직선의
기울기는 $-\dfrac{1}{3}$이다.　　　　답 ②

07 점 $(1, 2)$와 직선 $x+2y=0$ 사이의 거리 d는
$d=\dfrac{|1\times1+2\times2|}{\sqrt{1^2+2^2}}=\sqrt{5}$　　　　답 ④

유형따라잡기　　　　pp. 86~90

기출유형 **01** ③	01. ⑤	02. 3	03. ③	04. 6
기출유형 **02** ④	05. ④	06. 13	07. 10	08. 17
기출유형 **03** ①	09. ②	10. 15	11. ③	12. ②
기출유형 **04** ⑤	13. ④	14. ④	15. ④	16. 8
기출유형 **05** ③	17. 12	18. ④	19. 15	20. ④

기출유형 **01**

Act① 두 점 (x_1, y_1), (x_2, y_2)를 지나는 직선의 방정식
$y-y_1=\dfrac{y_2-y_1}{x_2-x_1}(x-x_1)$을 이용한다.
두 점 $\mathrm{A}(3, 3)$, $\mathrm{B}(-2, -5)$를 지나는 직선의 방정식은
$y-3=\dfrac{-5-3}{-2-3}(x-3)$, $y=\dfrac{8}{5}x-\dfrac{9}{5}$
즉 $8x-5y-9=0$이므로 $a=8$, $b=-5$
$\therefore a+b=3$　　　　답 ③

01 **Act①** 기울기가 m이고 점 (x_1, y_1)을 지나는 직선의 방정식
$y-y_1=m(x-x_1)$이용한다.
$x+3y-5=0$에서 $y=-\dfrac{1}{3}x+\dfrac{5}{3}$
점 $(3, 4)$를 지나고 기울기가 $-\dfrac{1}{3}$인 직선의 방정식은
$y-4=-\dfrac{1}{3}(x-3)$, 즉 $y=-\dfrac{1}{3}x+5$
따라서 구하는 직선의 x절편은 15이다.　　　　답 ⑤

02 **Act①** 두 점 (x_1, y_1), (x_2, y_2)를 지나는 직선의 방정식
$y-y_1=\dfrac{y_2-y_1}{x_2-x_1}(x-x_1)$을 이용한다.
두 점 $(-2, -3)$, $(2, 5)$를 지나는 직선의 방정식은 기울
기가 $\dfrac{5-(-3)}{2-(-2)}=2$이므로

$$y-5=2(x-2)$$
$$y=2x+1$$
이 직선이 점 $(a, 7)$을 지나므로
$$7=2a+1$$
$$\therefore a=3$$ 답 3

03 Act❶ 두 점 (x_1, y_1), (x_2, y_2)를 지나는 직선의 방정식
$y-y_1=\dfrac{y_2-y_1}{x_2-x_1}(x-x_1)$을 이용한다.

두 점 $A(2, 4)$, $B(-1, -5)$를 지나는 직선의 방정식은
$$y-4=\frac{4-(-5)}{2-(-1)}(x-2), \ \ 즉 \ y=3x-2$$
이 직선의 x절편은 $\dfrac{2}{3}$, y절편은 -2이므로
$$a=\frac{2}{3}, \ b=-2$$
$$\therefore a-b=\frac{8}{3}$$ 답 ③

04 Act❶ x절편이 a, y절편이 b인 직선의 방정식 $\dfrac{x}{a}+\dfrac{y}{b}=1$을 이용한다.

직선 $\dfrac{x}{2}+\dfrac{y}{3}=1$이 x축과 만나는 점 P의 좌표는 $P(2, 0)$이고 직선 $x+\dfrac{y}{4}=1$이 y축과 만나는 점 Q의 좌표는 $Q(0, 4)$이다.
따라서 두 점 $(2, 0)$, $(0, 4)$를 지나는 직선의 방정식은
$$\frac{x}{2}+\frac{y}{4}=1$$
이므로 $a=2$, $b=4$
$$\therefore a+b=6$$ 답 6

기출유형 02

Act❶ 두 직선의 평행 조건 $\dfrac{2}{a}=\dfrac{-(a-3)}{-2}\neq\dfrac{-2}{1}$를 이용한다.

두 직선의 평행 조건에서 $\dfrac{2}{a}=\dfrac{-(a-3)}{-2}\neq\dfrac{-2}{1}$
$\dfrac{2}{a}=\dfrac{-(a-3)}{-2}$에서 $4=a(a-3)$,
$a^2-3a-4=0$, $(a+1)(a-4)=0$
$a=-1$ 또는 $a=4$
$a=-1$이면 $\dfrac{2}{a}=\dfrac{-(a-3)}{-2}=\dfrac{-2}{1}$이 되어 주어진 두 직선이 일치하게 되므로 $a=4$ 답 ④

05 Act❶ 두 직선 $y=mx+n$과 $y=m'x+n'$의 수직 조건 $mm'=-1$을 이용한다.

두 직선 $(2+k)x-y-10=0$과 $y=-\dfrac{1}{3}x+1$이 서로 수직이므로
$$(2+k)\times\left(-\frac{1}{3}\right)=-1$$

$$\therefore k=1$$ 답 ④

06 Act❶ 두 직선 $y=mx+n$과 $y=m'x+n'$의 평행 조건 $m=m'$, $n\neq n'$, 수직 조건 $mm'=-1$을 이용한다.

직선 $y=mx+3$이 직선 $y=\dfrac{n}{2}x-1$과 수직이므로
$$m\times\frac{n}{2}=-1, \ mn=-2$$
한편, 직선 $y=mx+3$이 직선 $y=(3-n)x-1$과는 평행하므로
$$m=3-n, \ m+n=3$$
$$\therefore m^2+n^2=(m+n)^2-2mn=13$$ 답 13

07 Act❶ 두 직선 $ax+by+c=0$과 $a'x+b'y+c'=0$의 평행 조건 $\dfrac{a}{a'}=\dfrac{b}{b'}\neq\dfrac{c}{c'}$, 수직 조건 $aa'+bb'=0$을 이용한다.

직선 $x+ay+6=0$이 직선 $3x-by-5=0$과 수직이므로
$$1\times3+a\times(-b)=0, \ ab=3$$
직선 $x+ay+6=0$이 직선 $x-(b-4)y+3=0$과 평행하므로
$$\frac{1}{1}=\frac{a}{-(b-4)}\neq\frac{6}{3}, \ a+b=4$$
$$\therefore a^2+b^2=(a+b)^2-2ab=4^2-2\times3=10$$ 답 10

08 Act❶ 두 직선 $ax+by+c=0$과 $a'x+b'y+c'=0$의 평행 조건 $\dfrac{a}{a'}=\dfrac{b}{b'}\neq\dfrac{c}{c'}$, 수직 조건 $aa'+bb'=0$을 이용한다.

직선 $l : x-ay+2=0$과 직선 $m : 4x+by+2=0$이 수직이므로
$$4-ab=0, \ ab=4$$
직선 $l : x-ay+2=0$과 직선 $n : x-(b-3)y-2=0$이 평행하므로
$$\frac{1}{1}=\frac{-a}{-b+3}\neq\frac{2}{-2}, \ a-b=-3$$
$$\therefore a^2+b^2=(a-b)^2+2ab=(-3)^2+2\times4=17$$ 답 17

기출유형 03

Act❶ 선분 AB의 수직이등분선 l은 선분 AB의 중점을 지나고, 선분 AB와 수직임을 이용한다.

두 점 A, B를 지나는 직선의 기울기는
$$\frac{-4-0}{6-2}=-1$$
이므로 구하는 직선의 기울기는 1이다.
또, 두 점 $A(2, 0)$, $B(6, -4)$를 이은 선분의 중점은
$\left(\dfrac{2+6}{2}, \dfrac{0-4}{2}\right)$, 즉 $(4, -2)$
이므로 점 $(4, -2)$를 지나고 기울기가 1인 직선의 방정식은
$$y+2=1\times(x-4)$$
$$\therefore x-y-6=0$$
따라서 $a=-1$, $b=-6$이므로
$$ab=6$$ 답 ①

09 `Act①` 선분 AB의 수직이등분선 l은 선분 AB의 중점을 지나고, 선분 AB와 수직임을 이용한다.

직선 AB의 기울기는 $\dfrac{b-a}{8}$이므로 $\dfrac{b-a}{8} \times (-2) = -1$에서 $a-b=-4$ ......㉠

두 점 A$(1, a)$, B$(9, b)$를 이은 선분 AB의 중점의 좌표는 $\left(5, \dfrac{a+b}{2}\right)$

수직이등분선의 방정식 $2x+y-15=0$에서

$2 \times 5 + \dfrac{a+b}{2} - 15 = 0$, $a+b=10$ ......㉡

㉠, ㉡을 연립하여 풀면 $a=3$, $b=7$

$\therefore ab=21$ 　　　　　　　　　　답 ②

10 `Act①` 선분 AB의 수직이등분선 l은 선분 AB의 중점을 지나고, 선분 AB와 수직임을 이용한다.

직선 $x+2y-12=0$의 기울기가 $-\dfrac{1}{2}$이므로 두 점 A, B를 지나는 직선의 기울기는 2이다.

$\dfrac{6-2}{b-a}=2$에서 $a-b=-2$ ......㉠

선분 AB의 중점은 $\left(\dfrac{a+b}{2}, \dfrac{2+6}{2}\right)$, 즉 $\left(\dfrac{a+b}{2}, 4\right)$는 직선 $x+2y-12=0$ 위에 있으므로

$\dfrac{a+b}{2}+2 \times 4 - 12 = 0$에서 $a+b=8$ ......㉡

㉠, ㉡을 연립하여 풀면 $a=3$, $b=5$

$\therefore ab=15$ 　　　　　　　　　　답 15

11 `Act①` 선분 AB의 수직이등분선 l은 선분 AB의 중점을 지나고, 선분 AB와 수직임을 이용한다.

두 점 A$(7, 1)$, B$(-1, 9)$를 이은 선분의 중점은 $(3, 5)$이고 두 점 A, B를 지나는 직선의 기울기는 $\dfrac{9-1}{-1-7}=-1$이므로

점 $(3, 5)$를 지나고 기울기가 1인 직선의 방정식은

$y-5=x-3$, 즉 $x-y+2=0$

따라서 $a=1$, $b=2$이므로 $a+b=3$ 　　　답 ③

12 `Act①` 선분 AB의 수직이등분선 l은 선분 AB의 중점을 지나고, 선분 AB와 수직임을 이용한다.

선분 AB의 중점의 좌표는 $(-2, 7)$이고 두 점 A, B를 지나는 직선의 기울기는

$\dfrac{10-4}{4-(-8)}=\dfrac{1}{2}$

이므로 선분 AB의 수직이등분선은 점 $(-2, 7)$을 지나고 기울기가 -2인 직선이다.

즉 선분 AB의 수직이등분선의 방정식은

$y-7=-2(x+2)$ $\therefore y=-2x+3$

따라서 P$\left(\dfrac{3}{2}, 0\right)$, Q$(0, 3)$이므로

$\triangle$OPQ$=\dfrac{1}{2} \times \dfrac{3}{2} \times 3 = \dfrac{9}{4}$ 　　　　답 ②

`Act①` 두 직선의 교점 (α, β)를 구한 후 두 점 (α, β), $(2, 0)$을 지나는 직선의 방정식을 구한다.

두 직선 $2x-y+3=0$, $x+2y-1=0$을 연립하여 풀면 교점의 좌표는 $(-1, 1)$이므로 두 점 $(-1, 1)$, $(2, 0)$을 지나는 직선의 방정식은

$y-0=\dfrac{0-1}{2-(-1)}(x-2)$

$\therefore y=-\dfrac{1}{3}x+\dfrac{2}{3}$

이 직선이 점 $(-1, m)$을 지나므로

$m=-\dfrac{1}{3} \times (-1) + \dfrac{2}{3} = 1$ 　　　　답 ⑤

13 `Act①` 두 직선의 교점 (α, β)를 구한 후 두 점 (α, β), $(4, 0)$을 지나는 직선의 방정식을 구한다.

두 직선 $x-2y+2=0$, $2x+y-6=0$을 연립하여 풀면 교점의 좌표는 $(2, 2)$이므로 두 점 $(2, 2)$, $(4, 0)$을 지나는 직선의 방정식은

$y-0=\dfrac{0-2}{4-2}(x-4)$

$\therefore y=-x+4$

따라서 y절편은 4 　　　　　　　　답 ④

14 `Act①` 두 직선의 교점 (α, β)를 구한 후 (α, β)를 지나고 직선 $x-3y+6=0$에 수직인 직선의 방정식을 구한다.

두 직선의 방정식 $x-2y+2=0$, $2x+y-6=0$을 연립하여 풀면 교점의 좌표는 $(2, 2)$

직선 $x-3y+6=0$과 수직이므로 기울기는 -3

점 $(2, 2)$를 지나고 기울기가 -3인 직선의 방정식은

$y-2=-3(x-2)$ $\therefore y=-3x+8$

따라서 y절편은 8 　　　　　　　　답 ④

15 `Act①` 두 직선의 교점 (α, β)를 구한 후 (α, β)를 지나고 직선 $3x-9y-4=0$에 평행한 직선의 방정식을 구한다.

두 직선 $x-4y+4=0$, $8x+4y+5=0$을 연립하여 풀면 교점의 좌표는 $\left(-1, \dfrac{3}{4}\right)$

직선 $3x-9y-4=0$에 평행하므로 기울기는 $\dfrac{1}{3}$

점 $\left(-1, \dfrac{3}{4}\right)$을 지나고 기울기가 $\dfrac{1}{3}$인 직선의 방정식은

$y-\dfrac{3}{4}=\dfrac{1}{3}\{x-(-1)\}$, 즉 $4x-12y+13=0$

따라서 $a=4$, $b=-12$, $c=13$이므로

$a+b+c=5$ 　　　　　　　　　　답 ④

16 `Act①` 두 점 $(3, 5)$, $(5, 3)$을 지나는 직선의 방정식을 구한 후 $y=x$, $y=3x$와 만나는 교점 A, B를 구한다.

두 점 $(3, 5)$, $(5, 3)$을 지나는 직선의 방정식은

$y-5=\dfrac{3-5}{5-3}(x-3)$이므로 $y=-x+8$ ......㉠

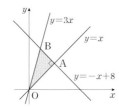

$\bigcirc$이 $y=x$, $y=3x$와 만나는 점을 각각 A, B라 하면
삼각형 OAB는 $\angle A=90°$인 직각삼각형이다.
A$(4, 4)$, B$(2, 6)$이므로
$$\triangle OAB=\frac{1}{2}\times\overline{OA}\times\overline{AB}=\frac{1}{2}\times4\sqrt{2}\times2\sqrt{2}=8$$

답 8

기출유형 05

Act① 점 (x_1, y_1)과 직선 $ax+by+c=0$ 사이의 거리는
$\dfrac{|ax_1+by_1+c|}{\sqrt{a^2+b^2}}$임을 이용한다.

점 $(0, 1)$에서 직선 $y=ax$, 즉 $ax-y=0$까지의 거리가
$\dfrac{\sqrt{2}}{2}$이므로
$$\frac{|a\times0-1|}{\sqrt{a^2+(-1)^2}}=\frac{\sqrt{2}}{2}, \quad \sqrt{2a^2+2}=2$$

양변을 제곱하여 정리하면
$a^2=1$ $\therefore a=1$ 또는 $a=-1$
이때 a는 양수이므로 $a=1$이다.

답 ③

17 **Act①** 점 (x_1, y_1)과 직선 $ax+by+c=0$ 사이의 거리는
$\dfrac{|ax_1+by_1+c|}{\sqrt{a^2+b^2}}$임을 이용한다.

점 $(0, 1)$과 직선 $\sqrt{3}x+y+23=0$ 사이의 거리는
$$\frac{|\sqrt{3}\times0+1+23|}{\sqrt{3+1}}=\frac{24}{2}=12$$

답 12

18 **Act①** 점 (x_1, y_1)과 직선 $ax+by+c=0$ 사이의 거리는
$\dfrac{|ax_1+by_1+c|}{\sqrt{a^2+b^2}}$임을 이용한다.

점 $(\sqrt{3}, 1)$과 직선 $y=\sqrt{3}x+n$, 즉 $\sqrt{3}x-y+n=0$ 사이의
거리가 3이므로
$$\frac{|\sqrt{3}\times\sqrt{3}-1\times1+n|}{\sqrt{(\sqrt{3})^2+(-1)^2}}=3$$
$$\frac{|n+2|}{2}=3, \quad |n+2|=6$$
$\therefore n=4 \ (\because n>0)$

답 ④

19 **Act①** 평행한 두 직선 사이의 거리는 한 직선 위의 점에서 다른 직
선 사이의 거리와 같음을 이용한다.

직선 $x+y-1=0$ 위의 한 점 $(1, 0)$과 직선 $x+y+m=0$
사이의 거리가 $8\sqrt{2}$이므로
$$\frac{|1\times1+1\times0+m|}{\sqrt{1^2+1^2}}=8\sqrt{2}$$에서
$|1+m|=16$
즉 $m=15$ 또는 $m=-17$
따라서 양수 m의 값은 15이다.

답 15

20 **Act①** 두 점 (x_1, y_1), (x_2, y_2)를 잇는 선분을 $m:n$으로 내분
하는 점과 외분하는 점은 각각 $\left(\dfrac{mx_2+nx_1}{m+n}, \dfrac{my_2+ny_1}{m+n}\right)$,
$\left(\dfrac{mx_2-nx_1}{m-n}, \dfrac{my_2-ny_1}{m-n}\right)$임을 이용한다

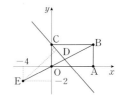

직사각형 OABC를 점 O가 원점과 일치하도록 하는 좌표평
면에 놓으면 A$(6,0)$, B$(6,3)$, C$(0,3)$이다.
선분 OB를 $1:2$로 내분하는 점 D는
$$D\left(\frac{6+0}{1+2}, \frac{3+0}{1+2}\right)=D(2,1)$$
선분 OD를 $2:3$으로 외분하는 점을 E라 하면
$$E\left(\frac{4-0}{2-3}, \frac{2-0}{2-3}\right)=E(-4,-2)$$
직선 CD의 방정식은 $x+y-3=0$
따라서 점 E와 직선 CD 사이의 거리는
$$\frac{|-4-2-3|}{\sqrt{1^2+1^2}}=\frac{9}{\sqrt{2}}=\frac{9}{2}\sqrt{2}$$

답 ④

VIT Very Important Test pp. 91~93

01. ⑤	02. ④	03. ①	04. 6	05. ③
06. ⑤	07. ③	08. ③	09. ②	10. ④
11. ④	12. ②	13. ⑤	14. ④	15. ①
16. ③	17. ④	18. ③		

01

세 점이 한 직선 위에 있으려면 두 직선 AB, BC의 기울기가 같
아야 하므로
$$\frac{k-3}{2-(-4)}=\frac{1}{3k-2}$$
$$(k-3)(3k-2)=6$$
$$3k^2-11k=0$$
따라서 근과 계수의 관계에 의하여 모든 실수 k의 값의 합은 $\dfrac{11}{3}$
이다.

답 ⑤

02

두 점 $(-1, 2)$, $(3, 6)$을 지나는 직선의 방정식은
$$y-2=\frac{6-2}{3-(-1)}\{x-(-1)\},$$
즉 $y=x+3$
이때 이 직선이 x축, y축에 의하여 잘려지는 선분의 길이는 직
선이 x축과 만나는 점 $(-3, 0)$과 y축과 만나는 점 $(0, 3)$ 사이
의 거리이므로 구하는 선분의 길이는
$$\sqrt{(0+3)^2+(3-0)^2}=3\sqrt{2}$$

답 ④

03

두 점 $A(9, -2)$, $B(-3, 2)$를 지나는 직선의 방정식은

$$y-(-2)=\frac{2-(-2)}{-3-9}(x-9)$$

$$y=-\frac{1}{3}x+1$$

따라서 직선 $y=-\frac{1}{3}x+1$이 x축, y축과 만나는 점은 각각

$C(3, 0)$, $D(0, 1)$이므로 $\triangle OCD$의 넓이는

$$\frac{1}{2}\times 3 \times 1 = \frac{3}{2}$$

답 ①

04

직선 AB의 기울기는 $\frac{2-3}{3-1}=-\frac{1}{2}$이므로 점 $B(3, 2)$를 지나고 직선 AB에 수직인 직선의 방정식은

$y-2=2(x-3)$, 즉 $y=2x-4$

이때 점 $(5, b)$가 이 직선 위의 점이므로

$b=2\times 5-4=6$

답 6

05

두 직선 $ax-2y+2a-3=0$과 $(a-3)x+9y+1=0$,

즉 $y=\frac{a}{2}x+\frac{2a-3}{2}$과 $y=-\frac{a-3}{9}x-\frac{1}{9}$이 수직이므로

$$\frac{a}{2}\times\left(-\frac{a-3}{9}\right)=-1$$

$a^2-3a-18=0$, $(a+3)(a-6)=0$

$a=-3$ 또는 $a=6$

따라서 a의 값의 합은 $-3+6=3$

답 ③

06

두 직선 $x+ay+2=0$, $3x-by+2=0$은 수직이므로

$1\times 3+a\times(-b)=0$에서 $ab=3$ ······㉠

두 직선 $x+ay+2=0$, $x-(b+4)y-4=0$은 평행하므로

$\frac{1}{1}=\frac{a}{-(b+4)}\neq\frac{2}{-4}$에서

$a=-b-4$, 즉 $a+b=-4$ ······㉡

㉠, ㉡에서

$a^2+b^2=(a+b)^2-2ab$
$=(-4)^2-2\times 3=10$

답 ⑤

07

선분 AB의 중점의 좌표는 $\left(-\frac{1}{2}, 3\right)$

점 $\left(-\frac{1}{2}, 3\right)$을 지나고 기울기가 -3인 직선의 방정식은

$y-3=-3\left(x+\frac{1}{2}\right)$, $y=-3x+\frac{3}{2}$

따라서 구하는 직선의 y절편은 $\frac{3}{2}$이다.

답 ③

08

두 점 $A(3, 4)$, $B(-3, 2)$를 이은 선분 AB의 중점 M의 좌표는

$\left(\frac{3+(-3)}{2}, \frac{4+2}{2}\right)$, 즉 $(0, 3)$

직선 AB의 기울기는 $\frac{2-4}{-3-3}=\frac{1}{3}$

따라서 직선 l은 기울기가 -3이고 점 $M(0, 3)$을 지나므로 직선 l의 방정식은 $y=-3x+3$

따라서 구하는 도형의 넓이는

$$\frac{1}{2}\times 1 \times 3 = \frac{3}{2}$$

답 ③

09

두 직선 $x-3y+17=0$, $2x+y-8=0$의 교점의 좌표는 $(1, 6)$이므로 두 점 $(1, 6)$, $(3, 8)$을 지나는 직선의 방정식은

$y-6=\frac{8-6}{3-1}(x-1)$, $y=x+5$

따라서 구하는 y절편은 5이다.

답 ②

10

$-x+3y+6=0$에서 $y=\frac{1}{3}x-2$

이 직선에 수직인 직선의 기울기는 -3이므로 기울기가 -3이고 점 $(1, 4)$를 지나는 직선의 방정식은

$y-4=-3(x-1)$, $y=-3x+7$

따라서 구하는 y절편은 7이다.

답 ④

11

$2x-3y+6=0$, $x-3y+9=0$을 연립하여 풀면 교점의 좌표는 $(3, 4)$이므로 두 점 $(3, 4)$, $(1, -4)$를 지나는 직선의 방정식은

$y-4=\frac{-4-4}{1-3}(x-3)$, 즉 $y=4x-8$

x축, y축의 교점은 각각 $(2, 0)$, $(0, -8)$이므로 구하는 선분의 길이는 $\sqrt{(0-2)^2+(-8-0)^2}=2\sqrt{17}$

답 ④

12

$\overline{BC}$의 중점의 좌표는 $\left(\frac{0+10}{2}, \frac{1+(-7)}{2}\right)$, 즉 $(5, -3)$이므로 점 $A(4, -6)$과 중점 $(5, -3)$을 지나는 직선의 방정식은

$y-(-6)=\frac{-3-(-6)}{5-4}(x-4)$, $y=3x-18$

따라서 $a=3$, $b=-18$이므로

$a+b=-15$

답 ②

13

ㄱ. $x+y+2=0$, $3x+y-4=0$이면

$(x+y+2)+k(3x+y-4)=0$은 k의 값에 관계없이 성립한다. 즉 주어진 직선은 k의 값에 관계없이 항상 $x+y+2=0$, $3x+y-4=0$의 교점 $(3, -5)$를 지난다. (참)

ㄴ. 주어진 직선의 방정식에 $k=-1$을 대입하면

$-2x+6=0$ ∴ $x=3$

따라서 y축에 평행한 직선이다. (참)

ㄷ. $(x+y+2)+k(3x+y-4)=0$에서

$(1+3k)x+(1+k)y+2-4k=0$

이 직선의 기울기는 $-\dfrac{3k+1}{k+1}$이므로

$-\dfrac{3k+1}{k+1}=-3$이면

$3k+1=3k+3$ $\therefore 1=3$ (모순)

따라서 기울기가 -3인 직선은 나타낼 수 없다. (참)

이상에서 옳은 것은 ㄱ, ㄴ, ㄷ이다.　　　　　답 ⑤

14

점 $(3,\,4)$와 직선 $6x+ky-10=0$ 사이의 거리가 4이므로

$\dfrac{|6\times3+k\times4-10|}{\sqrt{6^2+k^2}}=4$

양변을 제곱하여 정리하면

$(4k+8)^2=16(k^2+36)$

$k^2+4k+4=k^2+36,\ 4k=32$

$\therefore k=8$　　　　　답 ④

15

구하는 거리는 직선 $2x+ay+1=0$ 위의 한 점 $\left(-\dfrac{1}{2},\,0\right)$과 직선 $3x+y-1=0$ 사이의 거리와 같으므로

$\dfrac{\left|3\times\left(-\dfrac{1}{2}\right)-1\right|}{\sqrt{3^2+1^2}}=\dfrac{\dfrac{5}{2}}{\sqrt{10}}=\dfrac{\sqrt{10}}{4}$　　　　　답 ①

16

평행한 두 직선 $x+2y+3=0$, $x+2y+k=0$ 사이의 거리는 직선 $x+2y+3=0$ 위의 한 점 $(-3,\,0)$과 직선 $x+2y+k=0$ 사이의 거리이므로

$\dfrac{|1\times(-3)+k|}{\sqrt{1^2+2^2}}=\sqrt{5},\ |-3+k|=5$

$-3+k=5$ 또는 $-3+k=-5$

$\therefore k=8$ 또는 $k=-2$

따라서 모든 실수 k의 값의 합은

$8+(-2)=6$　　　　　답 ③

17

두 직선 $ax+2y+5=0$, $x-y+b=0$이 수직이므로

$a\times1+2\times(-1)=0$ $\therefore a=2$

이때 점 $(-2,\,1)$로부터 각 직선까지의 거리가 같으므로

$\dfrac{|2\times(-2)+2\times1+5|}{\sqrt{2^2+2^2}}=\dfrac{|-2-1+b|}{\sqrt{1^2+(-1)^2}}$

$\dfrac{3}{2\sqrt{2}}=\dfrac{|-3+b|}{\sqrt{2}},\ b-3=\pm\dfrac{3}{2}$

$\therefore b=\dfrac{9}{2}$ 또는 $b=\dfrac{3}{2}$

따라서 모든 실수 b의 값들의 합은 6이다.　　　　　답 ④

18

사각형 ABCD는 정사각형이므로 두 대각선은 서로 다른 것을 수직이등분한다.

직선 AC의 기울기가 $\dfrac{2-4}{6-2}=-\dfrac{1}{2}$이고, 직선 BD의 기울기는 2이다.

또, $\overline{AC}$의 중점 $\left(\dfrac{2+6}{2},\,\dfrac{4+2}{2}\right)$, 즉 $(4,\,3)$은 직선 BD 위에 있으므로 직선 BD의 방정식은

$y-3=2(x-4)$, 즉 $2x-y-5=0$

따라서 원점과 직선 $2x-y-5=0$ 사이의 거리는

$\dfrac{|-5|}{\sqrt{2^2+(-1)^2}}=\dfrac{5}{\sqrt{5}}=\sqrt{5}$　　　　　답 ③

09 원의 방정식

pp. 94~95

01. ④	02. ⑤	03. ④	04. ④	05. ①

01

$x^2+y^2+2ax+2y-4=0$에서

$(x+a)^2+(y+1)^2=a^2+5$

이므로 $-a=-2,\ -1=b,\ \sqrt{a^2+5}=r$

따라서 $a=2,\ b=-1,\ r=3$이므로

$a+b+r=4$　　　　　답 ④

02

선분 AB의 중점의 좌표는

$\left(\dfrac{1+(-3)}{2},\,\dfrac{1+5}{2}\right)$, 즉 $(-1,\,3)$

이므로 원의 중심의 좌표는 $(-1,\,3)$

선분 AB의 길이는

$\overline{AB}=\sqrt{(-3-1)^2+(5-1)^2}=\sqrt{32}=4\sqrt{2}$

이므로 원의 반지름의 길이는 $2\sqrt{2}$

구하는 원의 방정식은

$(x+1)^2+(y-3)^2=8$

따라서 $a=-1,\ b=3,\ r^2=8$이므로

$a+b+r^2=10$　　　　　답 ⑤

03

$y=2x+k$를 $x^2+y^2=5$에 대입하면

$x^2+(2x+k)^2=5$

$5x^2+4kx+k^2-5=0$

원과 직선이 만나지 않으려면 위의 이차방정식의 판별식 D에 대하여 $D<0$이어야 하므로

$\dfrac{D}{4}=4k^2-5(k^2-5)<0$

$-k^2+25<0,\ (k+5)(k-5)>0$

따라서 구하는 실수 k의 값의 범위는

$k<-5$ 또는 $k>5$　　　　　답 ④

04

원 $x^2+y^2=r^2$에 접하고 기울기가 m인 접선의 방정식은

$y=mx\pm r\sqrt{m^2+1}$이므로

$m=3,\ r=\sqrt{10}$ 을 대입하면

$y=3x\pm\sqrt{10}\times\sqrt{3^2+1}$

$y=3x\pm10$

$\therefore a+b=13$ 답 ④

05 원 $x^2+y^2=8$ 위의 점 $(2,\ -2)$에서의 접선의 방정식은

$2x-2y=8$, 즉 $y=x-4$

따라서 $a=1$, $b=-4$이므로

$ab=-4$ 답 ①

기출유형 01

Act❶ 주어진 원의 방정식을 $(x-a)^2+(y-b)^2=r^2$ 꼴로 변형한다.

$x^2+y^2-4x-2y-2k+8=0$에서

$(x^2-4x+4)+(y^2-2y+1)=2k-3$

$(x-2)^2+(y-1)^2=2k-3$

원의 반지름의 길이가 1이므로

$2k-3=1^2$ $\therefore k=2$ 답 2

01 **Act❶** 주어진 원의 방정식을 $(x-a)^2+(y-b)^2=r^2$ 꼴로 변형한다.

$x^2+y^2-10x-2y+1=0$에서

$(x^2-10x+25)+(y^2-2y+1)=25$

$\therefore (x-5)^2+(y-1)^2=25$

따라서 중심의 좌표는 $(5,\ 1)$, 반지름의 길이는 5이므로

$a+b+r=5+1+5=11$ 답 11

02 **Act❶** $(x-a)^2+(y-b)^2=r^2$ 꼴로 변형하고 방정식이 원이 되려면 반지름이 양수이어야 함을 이용한다.

$x^2+y^2-2x+4y+2k=0$에서

$x^2-2x+y^2+4y=-2k$

$x^2-2x+1+y^2+4y+4=-2k+1+4$

$(x-1)^2+(y+2)^2=5-2k$

방정식이 원이 되려면 반지름이 양수이어야 하므로

$5-2k>0$

$k<\dfrac{5}{2}$

따라서 자연수 k의 개수는 2이다. 답 ②

03 **Act❶** 선분 AB를 $m:n$으로 외분하는 점

$\text{C}\left(\dfrac{mx_2-nx_1}{m-n},\ \dfrac{my_2-ny_1}{m-n}\right)$과 점 B를 잇는 선분 BC의 중점이 원의 중심이 된다.

선분 AB를 $3:2$로 외분하는 점 C의 좌표를 $(x,\ y)$라 하면

$x=\dfrac{3\times2-2\times1}{3-2}=4$

$y=\dfrac{3\times1-2\times3}{3-2}=-3$

$\therefore \text{C}(4,\ -3)$

원의 중심은 선분 BC의 중점이므로

$a=\dfrac{2+4}{2}=3$

$b=\dfrac{1+(-3)}{2}=-1$

$\therefore a+b=3+(-1)=2$ 답 ②

04 **Act❶** 직선의 수직 조건과 원의 넓이를 이등분하는 직선은 원의 중심을 지나는 것을 이용하여 푼다.

$x^2+y^2-2x=0$에서 $(x-1)^2+y^2=1$이므로 중심의 좌표가 $(1,\ 0)$이다.

또, 직선 $2x-y=5$에 수직인 직선의 기울기는 $-\dfrac{1}{2}$이므로 구하는 직선은 기울기가 $-\dfrac{1}{2}$이고 점 $(1,\ 0)$을 지나는 직선이다.

$y-0=-\dfrac{1}{2}(x-1)$

$\therefore x+2y=1$ 답 ①

기출유형 02

Act❶ 원의 중심의 좌표가 $(a,\ b)$인 원이 x축에 접하면 반지름의 길이는 $|b|$임을 이용한다.

중심이 $(-1,\ 2)$인 원이 x축에 접하면 반지름의 길이는 $r=2$이다.

따라서 이 원의 방정식은

$(x+1)^2+(y-2)^2=2^2$

$x^2+y^2+2x-4y+1=0$ 답 ①

05 **Act❶** 점 $(1,\ -2)$를 지나고 x축과 y축에 동시에 접하므로 중심의 좌표를 $(r,\ -r)$로 놓고 식을 세운다.

점 $(1,\ -2)$를 지나고 x축과 y축에 동시에 접하는 원의 중심은 제4사분면에 있으므로 원의 반지름의 길이를 $r(r>0)$라 할 때, 원의 중심의 좌표는

$(r,\ -r)$

즉 원의 방정식은

$(x-r)^2+(y+r)^2=r^2$

이 원이 점 $(1,\ -2)$를 지나므로

$(1-r)^2+(-2+r)^2=r^2$

$r^2-6r+5=0$, $(r-1)(r-5)=0$

$\therefore r=1$ 또는 $r=5$

따라서 두 원의 넓이의 합은

$\pi+25\pi=26\pi$ 답 ①

06 **Act❶** 점 $(-4,\ 2)$를 지나고 x축과 y축에 동시에 접하므로 중심의 좌표를 $(-r,\ r)$로 놓고 식을 세운다.

원의 방정식을 $(x+r)^2+(y-r)^2=r^2$ $(r>0)$으로 놓으면
$(-4+r)^2+(2-r)^2=r^2$
$r^2-12r+20=0$, $(r-2)(r-10)=0$
$r=2$ 또는 $r=10$
따라서 큰 원의 반지름의 길이가 10이므로 넓이는
$\pi\times10^2=100\pi$
답 ④

07 **Act①** 원의 중심의 좌표가 $y=x-1$ 위에 있으므로 중심의 좌표를 $(a,\ a-1)$로 놓고 식을 세운다.

중심이 직선 $y=x-1$ 위에 있으므로 중심의 좌표는
$(a,\ a-1)$이고 원이 y축에 접하므로 반지름의 길이는 $|a|$
이다.
따라서 원의 방정식은 $(x-a)^2+(y-a+1)^2=a^2$이다.

Act② 원이 지나는 점 $(3,\ -1)$을 대입하여 a의 값을 구한다.

이 원이 점 $(3,\ -1)$을 지나므로
$(3-a)^2+(-1-a+1)^2=a^2$
$(3-a)^2=0$
$a=3$
따라서 반지름의 길이는 3이다.
답 ②

08 **Act①** y축에 접하는 원의 중심 $(a,\ b)$가 제1사분면 위에 있고, 반지름의 길이가 1이므로 $a=1$임을 이용한다.

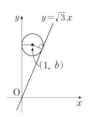

원이 y축에 접하므로 $a=1$
$\dfrac{|\sqrt{3}-b|}{\sqrt{(\sqrt{3})^2+(-1)^2}}=1$이므로
$\sqrt{3}-b=\pm2$
$b>0$이므로 $b=2+\sqrt{3}$
$\therefore a+b=3+\sqrt{3}$
답 ⑤

기출유형 03

Act① 판별식을 이용하여 풀면 계산이 많아지므로 원의 중심과 직선 사이의 거리를 이용하여 푼다.

원과 직선이 접하므로 원의 중심인 원점과 직선
$2x-y-a=0$ 사이의 거리는 원의 반지름의 길이 6과 같다.
$\dfrac{|-a|}{\sqrt{2^2+(-1)^2}}=6$, $|-a|=6\sqrt{5}$
$a=\pm6\sqrt{5}$
따라서 구하는 양수 a의 값은 $6\sqrt{5}$이다.
답 ⑤

[다른 풀이]
$2x-y-a=0$, 즉 $y=2x-a$를 $x^2+y^2=36$에 대입하면
$x^2+(2x-a)^2=36$
$5x^2-4ax+a^2-36=0$

원과 직선이 접해야 하므로 이 이차방정식의 판별식을 D라 하면
$\dfrac{D}{4}=(-2a)^2-5(a^2-36)=-a^2+180=0$
$a^2=180$, $a=\pm6\sqrt{5}$
따라서 구하는 양수 a의 값은 $6\sqrt{5}$이다.

09 **Act①** 판별식을 이용하여 풀면 계산이 많아지므로 원의 중심과 직선 사이의 거리를 이용하여 푼다.

원과 직선이 접하므로 원의 중심인 원점과
직선 $y=\sqrt{2}x+k$, 즉 $\sqrt{2}x-y+k=0$ 사이의 거리는 원의 반지름의 길이 2와 같다.
$\dfrac{|k|}{\sqrt{(\sqrt{2})^2+(-1)^2}}=2$, $|k|=2\sqrt{3}$, $k=\pm2\sqrt{3}$
따라서 양의 실수 k의 값은 $2\sqrt{3}$이다.
답 ④

10 **Act①** 판별식을 이용하여 풀면 계산이 많아지므로 원의 중심과 직선 사이의 거리를 이용하여 푼다.

직선 $\sqrt{3}x-y+k=0$이 원 $x^2+(y-3)^2=16$에 접하므로 원의 중심 $(0,\ 3)$에서 직선까지의 거리는 반지름의 길이 4와 같다.
$\dfrac{|k-3|}{\sqrt{3+1}}=4$, $|k-3|=8$
이므로 $k=-5$ 또는 $k=11$
따라서 모든 실수 k의 값의 합은 6이다.
답 6

11 **Act①** 원의 중심과 반지름의 길이를 구한 후 원의 중심과 직선 사이의 거리를 이용하여 푼다.

$x^2+y^2+6x-4y+9=0$에서
$(x+3)^2+(y-2)^2=4$
이므로 중심이 $(-3,\ 2)$, 반지름의 길이가 2인 원이다.
이 원에 직선 $y=mx$가 접하므로 원의 중심 $(-3,\ 2)$와
직선 $mx-y=0$ 사이의 거리는 반지름의 길이인 2와 같다.
$\dfrac{|-3m-2|}{\sqrt{m^2+1}}=2$
$|-3m-2|=2\sqrt{m^2+1}$ ······㉠
㉠의 양변을 제곱하여 정리하면
$5m^2+12m=0$
근과 계수의 관계에서 두 근의 합은 $-\dfrac{12}{5}$
답 ①

12 **Act①** 점과 직선 사이의 거리를 이용하여 원에 접하는 접선 $y=-x+k$를 구해 y절편의 차에서 n의 값을 구한다.

원 $x^2+y^2=4$에 접하는 기울기가 -1인 직선을 $y=-x+k$라 하면, 이 직선은 원의 중심과의 거리가 원의 반지름 2와 같다.
$\dfrac{|-k|}{\sqrt{2}}=2$, $k=\pm2\sqrt{2}$
제1사분면에서 접하는 접선은
$y=-x+2\sqrt{2}$
이고, 제3사분면에서 접하는 접선은

$$y=-x-2\sqrt{2}$$
$$\therefore n=-4\sqrt{2}$$

답 ③

기출유형 04

Act① 반지름의 길이가 r인 원의 중심에서 직선까지의 거리를 d 라 할 때, 원 위의 점에서 직선까지의 거리의 최댓값, 최솟값은 각 각 $d+r$, $d-r$임을 이용한다.

$x^2+y^2-2x+4y-4=0$을 변형하면

$$(x-1)^2+(y+2)^2=9$$

원의 중심 $(1, -2)$와 직선 $4x-3y+15=0$ 사이의 거리는

$$\frac{|4-3\times(-2)+15|}{\sqrt{4^2+(-3)^2}}=5$$

이때 원의 반지름의 길이는 3이므로

원 위의 점과 직선 사이의 거리의

최댓값은 $M=5+3=8$,

최솟값은 $m=5-3=2$

$$\therefore M+m=8+2=10$$

답 10

13 **Act①** 반지름의 길이가 r인 원의 중심에서 직선까지의 거리를 d 라 할 때, 원 위의 점에서 직선까지의 거리의 최댓값, 최솟값은 각 각 $d+r$, $d-r$임을 이용한다.

원의 중심 $(2, -2)$와 직선 $x-3y+2=0$ 사이의 거리는

$$\frac{|2+6+2|}{\sqrt{1^2+(-3)^2}}=\frac{10}{\sqrt{10}}=\sqrt{10}$$

이때 원의 반지름의 길이는 $\sqrt{5}$이므로

원 위의 점과 직선 사이의 거리의

최댓값은 $M=\sqrt{10}+\sqrt{5}$

최솟값은 $m=\sqrt{10}-\sqrt{5}$

$$\therefore Mm=(\sqrt{10}+\sqrt{5})(\sqrt{10}-\sqrt{5})=5$$

답 5

14 **Act①** 반지름의 길이가 r인 원의 중심에서 직선까지의 거리를 d 라 할 때, 원 위의 점에서 직선까지의 거리의 최댓값, 최솟값은 각 각 $d+r$, $d-r$임을 이용한다.

원의 중심 $(0, 0)$과 직선 $-4x+3y+k=0$ 사이의 거리는

$$\frac{|k|}{\sqrt{(-4)^2+3^2}}=\frac{k}{5}\ (\because k>15)$$

이때 원의 반지름의 길이는 3이므로

원 위의 점과 직선 사이의 거리의

최댓값은 $M=\dfrac{k}{5}+3$, 최솟값은 $m=\dfrac{k}{5}-3$

$Mm=7$이므로

$$\left(\frac{k}{5}+3\right)\left(\frac{k}{5}-3\right)=7$$

$$\frac{k^2}{25}-9=7,\ k^2=4^2\times5^2$$

$$\therefore k=20$$

답 20

15 **Act①** 반지름의 길이가 r인 원의 중심에서 직선까지의 거리를 d 라 할 때, 원 위의 점에서 직선까지의 거리의 최솟값은 $d-r$임을 이용한다.

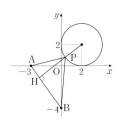

두 점 $A(-3, 0)$, $B(0, -4)$를 지나는 직선의 방정식은

$$\frac{x}{-3}+\frac{y}{-4}=1,\ 즉\ 4x+3y+12=0$$

원의 중심 $(2, 2)$와 직선 사이의 거리는

$$\frac{|4\times2+3\times2+12|}{\sqrt{4^2+3^2}}=\frac{26}{5}$$

이고 원의 반지름의 길이는 2이다.

$\overline{PH}$의 길이의 최솟값은 $\dfrac{26}{5}-2=\dfrac{16}{5}$

$$\overline{AB}=\sqrt{(0+3)^2+(-4-0)^2}=5$$

따라서 삼각형 ABP의 넓이의 최솟값은

$$\frac{1}{2}\times5\times\frac{16}{5}=8$$

답 8

16 **Act①** 원 위의 점 A와 직선 $y=x-4$ 사이의 거리가 최대일 때 정삼각형 ABC의 넓이도 최대이다.

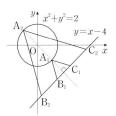

원 위를 움직이는 점 A와 직선 사이의 거리가 정삼각형의 높이이고, 원점과 직선 $y=x-4$, 즉 $x-y-4=0$ 사이의 거리는

$$\frac{|-4|}{\sqrt{1^2+(-1)^2}}=\frac{4}{\sqrt{2}}=2\sqrt{2}$$

정삼각형의 넓이가 최소일 때의 삼각형 $A_1B_1C_1$의 높이는 $2\sqrt{2}-\sqrt{2}=\sqrt{2}$

정삼각형의 넓이가 최대일 때의 삼각형 $A_2B_2C_2$의 높이는 $2\sqrt{2}+\sqrt{2}=3\sqrt{2}$

따라서 두 삼각형의 닮음비가 $\sqrt{2}:3\sqrt{2}=1:3$이므로 넓이 의 비는

$$1^2:3^2=1:9$$

답 ③

기출유형 05

Act① 원 $x^2+y^2=r^2$에 접하고 기울기가 m인 접선의 방정식은 $y=mx\pm r\sqrt{m^2+1}$임을 이용한다.

접선의 기울기를 m이라 하면 원의 반지름의 길이가 3이므 로

$$y=mx\pm3\sqrt{m^2+1}$$

이 접선의 y절편이 6이므로

$$3\sqrt{m^2+1}=6$$

$$m^2=3,\ m=\pm\sqrt{3}$$

따라서 두 접선의 기울기의 곱은
$\sqrt{3} \times (-\sqrt{3}) = -3$　　　　　　　　　　　　　　　답 ⑤

17 **Act❶** 원 $x^2 + y^2 = r^2$에 접하고 기울기가 m인 접선의 방정식은
$y = mx \pm r\sqrt{m^2 + 1}$임을 이용한다.

직선 $y = x + 2$에 평행하므로 기울기가 1이다.
원 $x^2 + y^2 = 9$에 접하고 기울기가 1인 접선의 방정식은
$y = x \pm 3\sqrt{1^2 + 1}$
　$= x \pm 3\sqrt{2}$
따라서 $k = \pm 3\sqrt{2}$이므로 $k^2 = 18$　　　　　　　답 18

18 **Act❶** 원 $x^2 + y^2 = r^2$ 위의 점 (x_1, y_1)에서의 접선의 방정식은
$x_1 x + y_1 y = r^2$임을 이용한다.

원 $x^2 + y^2 = 5$ 위의 점 $(2, 1)$에서의 접선의 방정식은
$2 \times x + 1 \times y = 5$
$y = -2x + 5$
즉 기울기가 -2이고 점 $(-1, 3)$을 지나는 직선의 방정식은
$y - 3 = -2\{x - (-1)\}$
$2x + y - 1 = 0$　　　　　　　　　　　　　　　　답 ③

19 **Act❶** 원 $x^2 + y^2 = 20$ 위의 점 (a, b)에서의 접선의 방정식
$ax + by = 20$의 기울기가 3임을 이용하여 a, b의 관계식을 구한다.

원 $x^2 + y^2 = 20$ 위의 점 (a, b)에서의 접선의 방정식은
$ax + by = 20$, 즉 $y = -\dfrac{a}{b}x + \dfrac{20}{b}$
이때 접선의 기울기는 3이므로
$-\dfrac{a}{b} = 3$, $a = -3b$　　　……㉠

Act❷ 점 (a, b)는 원 $x^2 + y^2 = 20$ 위의 점임을 이용하여 a, b의 값을 구한다.

또, 점 (a, b)는 원 $x^2 + y^2 = 20$ 위의 점이므로
$a^2 + b^2 = 20$　　　……㉡
㉠을 ㉡에 대입하면
$(-3b)^2 + b^2 = 20$, $b^2 = 2$
$b = -\sqrt{2}$ 또는 $b = \sqrt{2}$　　　……㉢
㉢을 ㉠에 대입하면
$b = -\sqrt{2}$일 때, $a = 3\sqrt{2}$
$b = \sqrt{2}$일 때, $a = -3\sqrt{2}$
$\therefore ab = -6$　　　　　　　　　　　　　　　　답 ②

20 **Act❶** 반지름과 두 점 사이의 거리를 구해 피타고라스 정리를 이용한다.

$x^2 + y^2 + 6x + 4y + 12 = 0$을 정리하면
$(x + 3)^2 + (y + 2)^2 = 1$이므로 주어진 도형은 중심이
$(-3, -2)$이고 반지름이 1인 원이다.
점 $(-2, 0)$에서 중심 $(-3, -2)$까지의 거리는
$\sqrt{(-2 + 3)^2 + (0 + 2)^2} = \sqrt{5}$
따라서 접선의 길이는 $\sqrt{(\sqrt{5})^2 - 1^2} = 2$　　　답 ②

01. ①	02. ④	03. ①	04. ④	05. ①
06. 2	07. ③	08. ③	09. 2	10. 9
11. ③	12. ④	13. ①	14. 49	15. ②
16. 45	17. ④	18. ③		

01

원의 중심의 좌표는 $\left(\dfrac{2+4}{2}, \dfrac{0-6}{2}\right)$, 즉 $(3, -3)$이므로
$a = 3$, $b = -3$
또, 반지름의 길이는
$\dfrac{\sqrt{(4-2)^2 + (-6-0)^2}}{2} = \sqrt{10}$이므로
$r = \sqrt{10}$
$\therefore a + b + r = 3 + (-3) + \sqrt{10} = \sqrt{10}$　　　답 ①

02

$x^2 + y^2 - kx = 0$에서
$\left(x - \dfrac{k}{2}\right)^2 + y^2 = \dfrac{k^2}{4}$
$x^2 + y^2 - 2kx - 4y + 4k = 0$에서
$(x - k)^2 + (y - 2)^2 = k^2 - 4k + 4$
두 원의 반지름의 길이가 같으므로
$\dfrac{k^2}{4} = k^2 - 4k + 4$, $3k^2 - 16k + 16 = 0$
따라서 이차방정식의 근과 계수의 관계에 의하여 모든 실수 k의
값의 합은 $\dfrac{16}{3}$　　　　　　　　　　　　　　답 ④

03

구하는 원의 중심이 x축 위에 있으므로 원의 중심
을 $P(k, 0)$이라 하면 $\overline{PA} = \overline{PB}$에서 $\overline{PA}^2 = \overline{PB}^2$
$(k - 2)^2 + 1 = (k - 6)^2 + 9$
$8k = 40$　$\therefore k = 5$
즉 원의 중심은 $P(5, 0)$이고 반지름의 길이는
$\overline{PA} = \sqrt{(5-2)^2 + \{0 - (-1)\}^2} = \sqrt{10}$
이므로 구하는 원의 방정식은
$(x - 5)^2 + y^2 = 10$
$x^2 + y^2 - 10x + 15 = 0$
따라서 $a = -10$, $b = 0$, $c = 15$이므로
$a + b + c = 5$　　　　　　　　　　　　　　　　답 ①

04

두 점 A, B로부터 같은 거리에 있는 x축 위의 점은 선분 AB의
수직이등분선이 x축과 만나는 점이며, 선분 AB의 수직이등분
선은 원의 중심 $(3, 5)$를 지나고, 직선 $y = \dfrac{3}{4}x + 4$와 수직으로
만난다.
따라서 선분 AB의 수직이등분선의 방정식은

$$y-5=-\frac{4}{3}(x-3)$$

이 직선이 x축과 만나는 점의 좌표가 $(a, 0)$이므로

$$0-5=-\frac{4}{3}(a-3), \ -5=-\frac{4}{3}a+4$$

$$\therefore a=\frac{27}{4}$$ 답 ④

05

각 원의 넓이를 이등분하는 직선은 반드시 원의 중심을 지나야 한다.

$x^2+y^2-2y=0$, $x^2+4x+y^2+6y=1$에서

$$x^2+(y-1)^2=1$$

$$(x+2)^2+(y+3)^2=14$$

이므로 두 원의 중심의 좌표는 각각

$(0, 1)$, $(-2, -3)$

따라서 구하는 직선의 방정식은

$$y-1=\frac{-3-1}{-2-0}(x-0), \ y=2x+1$$ 답 ①

06

$x^2+y^2-2kx-2ky+4k-4=0$에서

$$(x-k)^2+(y-k)^2=2k^2-4k+4$$

이 원이 x축, y축에 동시에 접하면

$$|k|=\sqrt{2k^2-4k+4}$$

위의 식의 양변을 제곱하여 정리하면

$$k^2-4k+4=0$$

$$(k-2)^2=0, \ k=2$$ 답 2

07

중심이 직선 $y=2x$ 위에 있으므로 원의 중심의 좌표를 $(a, 2a)$라 하자.

이때 이 원이 y축에 접하므로

$$(x-a)^2+(y-2a)^2=a^2 \quad \cdots\cdots \text{㉠}$$

원 ㉠이 점 $(2, 2)$를 지나므로 ㉠에 대입하면

$$(2-a)^2+(2-2a)^2=a^2$$

$$4a^2-12a+8=0$$

$$4(a-1)(a-2)=0$$

$$\therefore a=1 \text{ 또는 } a=2$$

따라서 조건을 만족시키는 두 원의 방정식은

$(x-1)^2+(y-2)^2=1$ 또는 $(x-2)^2+(y-4)^2=4$

이므로 두 원의 반지름의 길이의 합은 3이다. 답 ③

08

$y=mx+2$를 $x^2+y^2=1$에 대입하여 정리하면

$$(1+m^2)x^2+4mx+3=0$$

이 이차방정식의 판별식을 D라 할 때, 원과 직선이 서로 다른 두 점에서 만나므로

$$\frac{D}{4}=(2m)^2-3(1+m^2)=m^2-3>0$$

$$(m+\sqrt{3})(m-\sqrt{3})>0$$

$$\therefore m<-\sqrt{3} \text{ 또는 } m>\sqrt{3}$$ 답 ③

09

원과 직선이 만나지 않으므로 원의 중심 $(2, -1)$과 직선 $x-y+k=0$ 사이의 거리가 원의 반지름의 길이 $2\sqrt{2}$보다 커야 한다.

$$\frac{|2-(-1)+k|}{\sqrt{1^2+(-1)^2}}>2\sqrt{2}, \ |k+3|>4$$

$$k+3<-4 \text{ 또는 } k+3>4$$

$$\therefore k<-7 \text{ 또는 } k>1$$

따라서 자연수 k의 최솟값은 2이다. 답 2

10

원 $(x+3)^2+(y-2)^2=5$의 중심 $(-3, 2)$에서 직선 $2x-y+k=0$까지의 거리가 원의 반지름의 길이 $\sqrt{5}$보다 작을 때 원과 직선이 서로 다른 두 점에서 만나므로

$$\frac{|2\times(-3)-2+k|}{\sqrt{2^2+(-1)^2}}<\sqrt{5}$$에서 $|k-8|<5$

즉 $3<k<13$이므로 가능한 정수 k의 개수는 9이다. 답 9

11

중심의 좌표가 $(-2, 0)$이고 반지름의 길이가 r인 원의 방정식은

$$(x+2)^2+y^2=r^2$$

이 원의 중심과 직선 $x+y-2=0$ 사이의 거리는

$$\frac{|-2-2|}{\sqrt{1^2+1^2}}=\frac{4}{\sqrt{2}}=2\sqrt{2}$$

이때 원이 직선에 접하므로 $r=2\sqrt{2}$

따라서 구하는 원의 방정식은

$$(x+2)^2+y^2=8$$ 답 ③

12

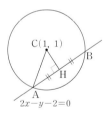

$x^2+y^2-2x-2y=0$에서

$$(x-1)^2+(y-1)^2=2$$

그림과 같이 주어진 원과 직선의 교점을 A, B라 하고, 원의 중심 $C(1, 1)$에서 직선 $y=2x-2$, 즉 $2x-y-2=0$에 내린 수선의 발을 H라 하면

$$\overline{CH}=\frac{|2-1-2|}{\sqrt{2^2+(-1)^2}}=\frac{1}{\sqrt{5}}, \ \overline{AC}=\sqrt{2}$$

직각삼각형 CAH에서 피타고라스 정리에 의하여

$$\overline{AH}=\sqrt{\overline{AC}^2-\overline{CH}^2}$$

$$=\sqrt{(\sqrt{2})^2-\left(\frac{1}{\sqrt{5}}\right)^2}$$

$$=\sqrt{\frac{9}{5}}=\frac{3\sqrt{5}}{5}$$

$$\therefore \overline{AB}=2\overline{AH}=\frac{6\sqrt{5}}{5}$$ 답 ④

13

$x^2+y^2-8x-6y+21=0$에서

$$(x-4)^2+(y-3)^2=4$$

원점과 원의 중심 $(4, 3)$ 사이의 거리는 $\sqrt{4^2+3^2}=5$이고, 원의 반지름의 길이는 2이므로 선분 OP의 길이의 최댓값과 최솟값은

$M=5+2=7$, $m=5-2=3$

$\therefore M+m=10$ 답 ①

14

두 점 $\mathrm{A}(0, 2)$, $\mathrm{D}(3, 0)$을 지나는 직선의 방정식은

$y=-\dfrac{2}{3}x+2$, 즉 $2x+3y-6=0$

마름모에 내접하는 원의 반지름의 길이 r는 원의 중심인 원점과 직선 AD 사이의 거리이므로

$r=\dfrac{|-6|}{\sqrt{2^2+3^2}}=\dfrac{6}{\sqrt{13}}$

따라서 구하는 원의 넓이는 $\dfrac{36}{13}\pi$이므로

$p+q=13+36=49$ 답 49

15

$x^2+y^2-6x-4y+9=0$에서 $(x-3)^2+(y-2)^2=4$

즉 주어진 원은 중심이 $(3, 2)$이고 반지름의 길이가 2인 원이다.

원점에서 원의 중심 $(3, 2)$까지의 거리는

$\sqrt{3^2+2^2}=\sqrt{13}$

이므로 원 위의 점 P에 대하여 선분 OP의 최댓값은 $\sqrt{13}+2$, 최솟값은 $\sqrt{13}-2$이다.

$\therefore (\sqrt{13}+2)(\sqrt{13}-2)=13-4=9$ 답 ②

16

직선 $y=-2x+5$에 평행하므로 기울기가 -2이다.

원 $x^2+y^2=9$에 접하고 기울기가 -2인 접선의 방정식은

$y=-2x\pm3\sqrt{(-2)^2+1}$

$\quad =-2x\pm3\sqrt{5}$

따라서 $k=\pm3\sqrt{5}$이므로 $k^2=45$ 답 45

17

$l_1 : -x+2y=5$, $l_2 : x+2y=5$

두 직선 l_1, l_2와 x축으로 둘러싸인 삼각형은 다음 그림과 같다.

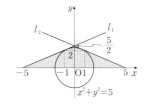

따라서 구하는 넓이는

$\dfrac{1}{2}\times10\times\dfrac{5}{2}=\dfrac{25}{2}$ 답 ④

18

원점에서 원 $(x-4)^2+(y-3)^2=3$에 그은 접선의 기울기를 m이라 하면 접선의 방정식은

$y=mx$, 즉 $mx-y=0$

원의 중심 $(4, 3)$과 이 직선 사이의 거리는 반지름의 길이 $\sqrt{3}$과 같으므로 $\dfrac{|4m-3|}{\sqrt{m^2+1}}=\sqrt{3}$에서

$|4m-3|=\sqrt{3(m^2+1)}$

양변을 제곱하여 정리하면

$13m^2-24m+6=0$

따라서 두 접선의 기울기의 곱은 이차방정식의 근과 계수의 관계에 의하여 $\dfrac{6}{13}$이다. 답 ③

10 도형의 이동

01. 5	02. ①	03. ③	04. ②

01

직선 $y=3x-5$를 x축의 방향으로 a만큼, y축의 방향으로 $2a$만큼 평행이동한 직선은

$y-2a=3(x-a)-5$

이고 $y=3x-a-5$가 $y=3x-10$과 일치하므로

$-a-5=-10$

$\therefore a=5$ 답 5

02

$\mathrm{A}(2, 3)$, $\mathrm{B}(-2, -3)$이므로

$\overline{\mathrm{AB}}=\sqrt{(-2-2)^2+(-3-3)^2}=2\sqrt{13}$ 답 ①

03

$y=2x+2$를 $y=x$에 대하여 대칭이동한 직선

$l_1 : x=2y+2$,

l_1을 x축에 대하여 대칭이동한 직선 $l_2 : x=-2y+2$

따라서 직선 l_2의 방정식은 $x+2y-2=0$ 답 ③

04

점 P가 직선 $y=x$ 위의 점이므로 점 $\mathrm{A}(-1, 2)$를 직선 $y=x$에 대하여 대칭이동한 점을 A'이라 하면

$\mathrm{A}'(2, -1)$

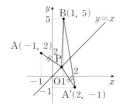

위의 그림에서 $\overline{\mathrm{AP}}=\overline{\mathrm{A}'\mathrm{P}}$이므로

$\overline{\mathrm{AP}}+\overline{\mathrm{BP}}=\overline{\mathrm{A}'\mathrm{P}}+\overline{\mathrm{BP}}\geq\overline{\mathrm{A}'\mathrm{B}}$

따라서 $\overline{\mathrm{AP}}+\overline{\mathrm{BP}}$의 최솟값은 $\overline{\mathrm{A}'\mathrm{B}}$이므로

$\overline{\mathrm{A}'\mathrm{B}}=\sqrt{(2-1)^2+(-1-5)^2}=\sqrt{37}$ 답 ②

유형따라잡기			pp.106~108
기출유형 01 ⑤	01. ①	02. ②	03. 14	04. ⑤
기출유형 02 56	05. ①	06. ③	07. ①	08. ③
기출유형 03 ②	09. 10	10. 27	11. ①	12. 130

기출유형 01

Act1 원이 옮겨진 후의 중심의 좌표 $(-5+m,\ 10-n)$이 $(3,\ -2)$와 일치함을 이용한다.

$f:(x,\ y)\to(x+m,\ y-n)$은 x축 방향으로 m, y축 방향으로 $-n$만큼 평행이동하는 것을 나타낸다.

이때 원의 중심은 $(-5,\ 10)$에서 $(3,\ -2)$로 이동되었다.

즉 x축 방향으로 8만큼, y축 방향으로 -12만큼 이동된 것이므로

$m=8,\ n=12$

$\therefore m+n=20$ 답 ⑤

01 **Act1** x축의 방향으로 a만큼 평행이동한 도형의 방정식은 x 대신 $x-a$를 대입한다.

직선 $3x+2y+9=0$을 x축의 방향으로 a만큼 평행이동한 직선의 방정식은

$3(x-a)+2y+9=0$

$3x+2y-3a+9=0$

이 직선이 원점을 지나므로

$-3a+9=0 \quad \therefore a=3$ 답 ①

02 **Act1** 원의 방정식을 표준형으로 고치고 원을 평행이동하면 중심의 위치만 바뀜을 이용한다.

원 $x^2+y^2+2x-4y-3=0$은 $(x+1)^2+(y-2)^2=8$로 나타낼 수 있고 이를 x축의 방향으로 a만큼, y축의 방향으로 b만큼 평행이동하면 원의 중심은 $(-1+a,\ 2+b)$이고 반지름의 길이는 변함이 없다.

평행이동한 도형이 원 $(x-3)^2+(y+4)^2=c$이므로

$-1+a=3,\ 2+b=-4,\ c=8$이다.

따라서 $a=4,\ b=-6,\ c=8$이므로

$a+b+c=6$ 답 ②

03 **Act1** x 대신 $x-2$, y 대신 $y+3$을 대입한 직선이 원과 한 점에서 만나야 함을 이용한다.

직선 $y=2x+k$를 x축의 방향으로 2만큼, y축의 방향으로 -3만큼 평행이동한 직선의 방정식은 $y+3=2(x-2)+k$

직선 $2x-y-7+k=0$이 원과 한 점에서 만나므로

$\dfrac{|-7+k|}{\sqrt{2^2+(-1)^2}}=\sqrt{5}$, 즉 $|-7+k|=5$

$k=2$ 또는 $k=12$

따라서 모든 상수 k의 값의 합은 14이다.   답 14

04 **Act1** x 대신 $x-3$, y 대신 $y-a$를 대입한 원 C의 중심을 직선이 지남을 이용한다.

원 C의 방정식은

$\{(x-3)+1\}^2+\{(y-a)+2\}^2=9$

$(x-2)^2+(y-a+2)^2=9$

원 C의 넓이가 직선 $3x+4y-7=0$에 의하여 이등분되려면 직선 $3x+4y-7=0$이 원 C의 중심을 지나야 한다. 원 C 중심의 좌표가 $(2,\ a-2)$이므로

$3\times2+4(a-2)-7=0$

$\therefore a=\dfrac{9}{4}$ 답 ⑤

기출유형 02

Act1 원의 중심의 대칭이동을 생각한다.

원 $x^2+y^2+10x-12y+45=0$은 $(x+5)^2+(y-6)^2=16$이므로 중심의 좌표는 $(-5,\ 6)$이다.

원 C_1의 중심의 좌표는 점 $(-5,\ 6)$을 원점에 대하여 대칭이동한 점이므로 $(5,\ -6)$이다.

원 C_2의 중심의 좌표는 점 $(5,\ -6)$을 x축에 대하여 대칭이동한 점이므로 $(5,\ 6)$이다.

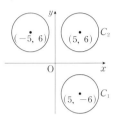

따라서 $a=5,\ b=6$이므로

$10a+b=50+6=56$ 답 56

05 **Act1** 도형 $f(x,\ y)=0$을 x축에 대하여 대칭이동한 도형은 $f(x,\ -y)=0$임을 이용한다.

직선 $y=ax-6$을 x축에 대하여 대칭이동한 직선은

$y=-ax+6$

이고, 이 직선이 점 $(2,\ 4)$를 지나므로

$4=-2a+6$

$\therefore a=1$ 답 ①

06 **Act1** 도형 $f(x,\ y)=0$을 원점에 대하여 대칭이동한 도형은 $f(-x,\ -y)=0$임을 이용한다.

ㄱ. $y=-x$를 원점에 대하여 대칭이동한 도형의 방정식은
$-y=-(-x)$이므로 $y=-x$

ㄴ. $|x+y|=1$을 원점에 대하여 대칭이동한 도형의 방정식은 $|-x-y|=1$이므로 $|x+y|=1$

ㄷ. $x^2+y^2=2(x+y)$를 원점에 대하여 대칭이동한 도형의 방정식은 $(-x)^2+(-y)^2=2(-x-y)$이므로
$x^2+y^2=-2(x+y)$ 답 ③

07 **Act1** 도형 $f(x,\ y)=0$을 직선 $y=x$에 대하여 대칭이동한 도형은 $f(y,\ x)=0$임을 이용한다.

직선 $x-2y=9$를 직선 $y=x$에 대하여 대칭이동한 직선 $y-2x=9$가 원 $(x-3)^2+(y+5)^2=k$에 접하므로

$\dfrac{|-2\times3+(-5)-9|}{\sqrt{(-2)^2+1^2}}=\sqrt{k} \quad \therefore k=80$ 답 ①

08 **Act1** 도형 $f(x,\ y)=0$을 직선 $y=x$에 대하여 대칭이동한 도형은 $f(y,\ x)=0$임을 이용한다.

$C_1:(x-1)^2+(y+2)^2=1$을 직선 $y=x$에 대하여 대칭이동하면

$C_2:(x+2)^2+(y-1)^2=1$

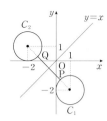

$\overline{PQ}$의 최솟값은 두 원의 중심 사이의 거리에서 두 원의 반지름의 길이의 합을 뺀 것이므로
$$\sqrt{3^2+3^2}-2=3\sqrt{2}-2 \qquad \text{답 ③}$$

기출유형 03

Act① 두 선분의 길이의 합의 최솟값을 구할 때는 먼저 대칭인 점을 찾는다.

점 P가 x축 위의 점이므로 점 B(7, 4)를 x축에 대하여 대칭이동한 점을 B′이라 하면
B′(7, −4)

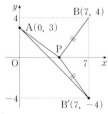

위의 그림에서 $\overline{BP}=\overline{B'P}$이므로
$$\overline{AP}+\overline{BP}=\overline{AP}+\overline{B'P}\geq\overline{AB'}$$
따라서 $\overline{AP}+\overline{BP}$의 최솟값은 $\overline{AB'}$이므로
$$\overline{AB'}=\sqrt{(7-0)^2+(-4-3)^2}=7\sqrt{2} \qquad \text{답 ②}$$

09 **Act①** 두 선분의 길이의 합의 최솟값을 구할 때는 먼저 대칭인 점을 찾는다.

점 A의 좌표를 (a, b)라 하면 점 A를 직선 $y=x$에 대하여 대칭이동시킨 점 B의 좌표는 (b, a)이고, 점 A를 x축에 대하여 대칭이동시킨 점을 A′이라 하면 A′$(a, -b)$이다.

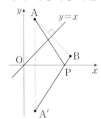

$\overline{AP}=\overline{A'P}$이므로 $\overline{AP}+\overline{PB}=\overline{A'P}+\overline{PB}$이고 x축 위의 점 P가 선분 A′B 위에 있을 때 최솟값 $\overline{A'B}=10\sqrt{2}$를 갖는다.
$$\begin{aligned}\overline{A'B}&=\sqrt{(a-b)^2+(a+b)^2}\\&=\sqrt{2(a^2+b^2)}\\&=10\sqrt{2}\end{aligned}$$
$$\therefore \overline{OA}=\sqrt{a^2+b^2}=10 \qquad \text{답 10}$$

10 **Act①** 두 선분의 길이의 합의 최솟값을 구할 때는 먼저 대칭인 점을 찾는다.

점 A의 x축 대칭인 점을 A′, 점 A, B에서 x축에 내린 수선의 발을 각각 C, D라 하자.

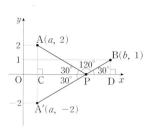

$\overline{AP}+\overline{BP}=\overline{A'P}+\overline{BP}$가 최소가 되기 위해서는
세 점 A′, P, B가 일직선 위에 있을 때이다.
$$\angle APC=\angle A'PC=\angle BPD=30°$$
이므로 $\overline{A'B}$의 기울기는 $\tan30°$이다. 즉
$$\frac{3}{b-a}=\frac{1}{\sqrt{3}}$$
$$\therefore (b-a)^2=27 \qquad \text{답 27}$$

11 **Act①** 두 선분의 길이의 합의 최솟값을 구할 때는 먼저 대칭인 점을 찾는다.

점 B를 직선 $y=x$에 대하여 대칭이동시킨 점을 B′(3, 5)라 하자.

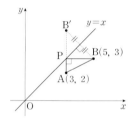

$\overline{AP}+\overline{BP}=\overline{AP}+\overline{B'P}\geq\overline{AB'}$이므로 $\overline{AP}+\overline{BP}$의 값이 최소인 점 P는 점 B′과 점 A를 이은 직선과 직선 $y=x$의 교점 (3, 3)이다.
삼각형 ABP는 직각삼각형이므로
$$\triangle ABP=\frac{1}{2}\times2\times1=1 \qquad \text{답 ①}$$

12 **Act①** 두 선분의 길이의 합의 최솟값을 구할 때는 먼저 대칭인 점을 찾는다.

점 A를 반직선 OY에 대하여 대칭이동한 점을 A′, 반직선 OY와 선분 $\overline{AA'}$의 교점을 M이라 하자.
$\triangle AMP\equiv\triangle A'MP$ ($\because$ SAS 합동),
$\triangle AOM\equiv\triangle A'OM$ ($\because$ SAS 합동)이므로
$$\angle AOA'=90°, \overline{AP}=\overline{A'P}, \overline{OA}=\overline{OA'}$$

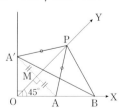

A′, P, B가 일직선상에 있을 때, $\overline{AP}+\overline{PB}$의 길이가 최소가 된다.
$$\overline{AP}+\overline{PB}=\overline{A'P}+\overline{PB}\geq\overline{A'B}=130$$
따라서 구하는 최솟값은 130이다. 답 130

01. ④	**02.** 1	**03.** ①	**04.** ②	**05.** ③
06. 42	**07.** ⑤	**08.** ①	**09.** 4	**10.** 2
11. ③	**12.** ①	**13.** 4	**14.** ①	**15.** 6
16. ③	**17.** ②	**18.** ⑤		

01

점 $(3, 4)$를 x축의 방향으로 m만큼, y축의 방향으로 n만큼 평행이동한 점의 좌표를 $(2, 8)$이라 하면

$3+m=2$, $4+n=8$이므로 $m=-1$, $n=4$

즉 점 (a, b)를 x축의 방향으로 -1만큼, y축의 방향으로 4만큼 평행이동한 점의 좌표가 $(5, 6)$이므로

$a-1=5$, $b+4=6$

따라서 $a=6$, $b=2$이므로 $a+b=8$　　　　　　　**답 ④**

02

점 $(1, 3)$을 x축의 방향으로 m만큼, y축의 방향으로 n만큼 평행이동한 점의 좌표를 $(-1, 5)$라 하면

$1+m=-1$, $3+n=5$이므로 $m=-2$, $n=2$

따라서 점 $(5, -4)$를 x축의 방향으로 -2만큼, y축의 방향으로 2만큼 평행이동한 점의 좌표가 (a, b)이므로

$5-2=a$, $-4+2=b$

따라서 $a=3$, $b=-2$이므로 $a+b=1$　　　　　　　**답 1**

03

직선 $x+3y+4=0$을 x축의 방향으로 a만큼, y축의 방향으로 a만큼 평행이동한 직선의 방정식은

$(x-a)+3(y-a)+4=0$, $x+3y-4a+4=0$

이 직선이 원점을 지나므로

$-4a+4=0$에서 $a=1$　　　　　　　**답 ①**

04

점 $(1, 2)$를 x축의 방향으로 m만큼, y축의 방향으로 n만큼 평행이동한 점의 좌표를 $(-1, 4)$라 하면

$1+m=-1$, $2+n=4$이므로

$m=-2$, $n=2$

따라서 직선 $y=ax+b$를 x축의 방향으로 -2만큼, y축의 방향으로 2만큼 평행이동한 직선의 방정식은

$y-2=a(x+2)+b$

$y=ax+2a+b+2$

이 직선이 직선 $y=2x+3$과 일치하므로

$a=2$, $b=-3$

$\therefore a+b=-1$　　　　　　　**답 ②**

05

원 $(x+5)^2+(y-3)^2=81$을 x축의 방향으로 m만큼, y축의 방향으로 n만큼 평행이동한 원의 방정식은

$(x-m+5)^2+(y-n-3)^2=81$

$x^2+y^2-8x+16y-1=0$의 식을 변형하면

$(x-4)^2+(y+8)^2=81$

$-m+5=-4$, $-n-3=8$

따라서 $m=9$, $n=-11$이므로

$m-n=20$　　　　　　　**답 ③**

[다른 풀이]

원 $(x+5)^2+(y-3)^2=81$의 중심 $(-5, 3)$을 x축의 방향으로 m만큼, y축의 방향으로 n만큼 평행이동하면

$(-5+m, 3+n)$

$x^2+y^2-8x+16y-1=0$의 식을 변형하면

$(x-4)^2+(y+8)^2=81$

이 원의 중심 $(4, -8)$이 점 $(-5+m, 3+n)$과 일치하므로

$4=-5+m$, $-8=3+n$

따라서 $m=9$, $n=-11$이므로

$m-n=20$

06

점 $(-4, 2)$를 x축의 방향으로 5만큼, y축의 방향으로 -3만큼 평행이동하면 점 $(1, -1)$이 된다.

원 $(x-2)^2+(y+1)^2=9$를 x축의 방향으로 5만큼, y축의 방향으로 -3만큼 평행이동하면

$(x-5-2)^2+(y+3+1)^2=9$

$(x-7)^2+(y+4)^2=9$

$x^2+y^2-14x+8y+56=0$

따라서 $a=-14$, $b=56$이므로

$a+b=42$　　　　　　　**답 42**

07

$x^2+y^2-2x+6y+6=0$의 식을 변형하면

$(x-1)^2+(y+3)^2=4$

이 원을 x축의 방향으로 m만큼, y축의 방향으로 n만큼 평행이동한 원의 방정식은

$(x-m-1)^2+(y-n+3)^2=4$

이 원이 원 $x^2+y^2=4$와 일치하므로

$-m-1=0$, $-n+3=0$

$\therefore m=-1$, $n=3$

직선 $2x+y+4=0$을 x축의 방향으로 -1만큼, y축의 방향으로 3만큼 평행이동한 직선의 방정식은

$2(x+1)+(y-3)+4=0$

$2x+y+3=0$

따라서 $a=2$, $b=3$이므로 $a+b=2+3=5$　　　　　　　**답 ⑤**

08

포물선 $y=(x-1)^2+4$의 꼭짓점 $(1, 4)$를 x축의 방향으로 p만큼, y축의 방향으로 $2p$만큼 평행이동하면

$(1+p, 4+2p)$

이 점이 x축 위에 있으므로

$4+2p=0$ $\therefore p=-2$　　　　　　　**답 ①**

09

점 $(-1, a)$를 직선 $y=x$에 대하여 대칭이동하면 점 $(a, -1)$이고, 점 $(a, -1)$을 x축에 대하여 대칭이동하면 점 $(a, 1)$이다.

따라서 $a=-3$, $b=1$이므로

$b-a=4$ 답 4

10

점 $(-1, 2)$를 y축에 대하여 대칭이동하면 $(1, 2)$

점 $(1, 2)$를 다시 원점에 대하여 대칭이동하면 $(-1, -2)$

따라서 $a=-1$, $b=-2$이므로

$ab=2$ 답 2

11

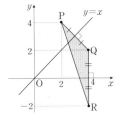

점 $P(2, 4)$, $Q(4, 2)$, $R(4, -2)$이므로

$\triangle PQR = \dfrac{1}{2} \times \overline{QR} \times (4-2) = \dfrac{1}{2} \times 4 \times 2 = 4$ 답 ③

12

점 $A(a, 4)$를 x축에 대하여 대칭이동한 점의 좌표는 $(a, -4)$이고, 점 $(a, -4)$를 직선 $y=x$에 대하여 대칭이동한 점의 좌표는 $(-4, a)$이므로

$a=2$, $b=-4$

따라서 두 점 $A(2, 4)$, $B(-4, 2)$를 지나는 직선의 방정식은

$y-4 = \dfrac{2-4}{-4-2}(x-2)$, 즉 $y=\dfrac{1}{3}x+\dfrac{10}{3}$

이므로 직선 AB의 y절편은 $\dfrac{10}{3}$이다.   답 ①

13

원 $(x-2)^2+(y+1)^2=4$를 직선 $y=x$에 대하여 대칭이동하면

$(x+1)^2+(y-2)^2=4$

이 원의 중심 $(-1, 2)$가 직선 $y=2x+k$ 위에 있으므로

$2=2\times(-1)+k$

$\therefore k=4$ 답 4

14

주어진 원을 원점에 대하여 대칭이동한 원의 방정식은

$(x+3)^2+(y-2)^2=4$

이 원을 다시 직선 $y=x$에 대하여 대칭이동한 원의 방정식은

$(x-2)^2+(y+3)^2=4$

이 원이 직선 $ax-2y+3=0$에 의하여 넓이가 이등분되려면 직선 $ax-2y+3=0$이 원의 중심 $(2, -3)$을 지나야 하므로

$2a+6+3=0$에서

$a=-\dfrac{9}{2}$ 답 ①

15

점 (a, b)를 x축의 방향으로 5만큼, y축의 방향으로 2만큼 평행이동하면 $(a+5, b+2)$

이 점을 직선 $y=x$에 대하여 대칭이동하면

$(b+2, a+5)$ ……㉠

점 ㉠과 점 $(3b, 2a)$는 일치하므로

$b+2=3b$, $a+5=2a$

따라서 $a=5$, $b=1$이므로

$a+b=6$ 답 6

16

직선 $3x-2y-2=0$을 x축에 대하여 대칭이동한 직선의 방정식은

$3x-2(-y)-2=0$, 즉 $3x+2y-2=0$

이 직선을 다시 x축의 방향으로 3만큼, y축의 방향으로 -1만큼 평행이동한 직선의 방정식은

$3(x-3)+2(y+1)-2=0$

$3x+2y-9=0$

$y=-\dfrac{3}{2}x+\dfrac{9}{2}$

따라서 $a=-\dfrac{3}{2}$, $b=\dfrac{9}{2}$이므로

$a+b=3$ 답 ③

17

원 $(x-3)^2+(y+2)^2=9$의 중심 $(3, -2)$를 x축의 방향으로 -1만큼, y축의 방향으로 2만큼 평행이동하면 $(2, 0)$이고, 다시 직선 $y=x$에 대하여 대칭이동하면 $(0, 2)$이다.

이때 원의 넓이가 직선 $2x-y+a=0$에 의하여 이등분되므로 직선은 원의 중심 $(0, 2)$를 지나야 한다.

따라서 $-2+a=0$이므로 $a=2$ 답 ②

18

삼각형 ABC의 둘레의 길이는 $\overline{AB}+\overline{BC}+\overline{CA}$

이때 점 $A(4, 2)$를 직선 $y=x$에 대하여 대칭이동한 점을 A', x축에 대하여 대칭이동한 점을 A''이라 하면

$A'(2, 4)$, $A''(4, -2)$

이므로

$\overline{AB}+\overline{BC}+\overline{CA}=\overline{A'B}+\overline{BC}+\overline{CA''} \geq \overline{A'A''}$
$=\sqrt{(4-2)^2+(-2-4)^2}=2\sqrt{10}$

따라서 구하는 삼각형 ABC의 둘레의 길이의 최솟값은 $2\sqrt{10}$이다.   답 ⑤

memo

조금이라도 달라지고 싶다면
지금 이 순간부터 변해야 한다.
－프레드 스미스

당신이 친구들이 보고 싶으면
친구들이 당신에게 관심을 가지게 하려 하지 말고
당신이 먼저 친구들에게 관심을 가져라.
－데일 카네기

좋은 기회를 만나지 못한 사람은 아무도 없다.
다만 그것을 붙잡지 못했을 뿐이다.
－앤드류 카네기

memo

조금이라도 달라지고 싶다면
지금 이 순간부터 변해야 한다.
－프레드 스미스

당신이 친구들이 보고 싶으면
친구들이 당신에게 관심을 가지게 하려 하지 말고
당신이 먼저 친구들에게 관심을 가져라.
－데일 카네기

좋은 기회를 만나지 못한 사람은 아무도 없다.
다만 그것을 붙잡지 못했을 뿐이다.
－앤드류 카네기

참 쉬운 3점 수학

참 쉬운 3점

시험에 잘 나오는 기출 유형 체계적 공략
[2+**3점짜리**]   고등 **수학**(하)

참 쉬운 3점 수학

특징

이 책은 쉬운 유형의 문제로 기본기를 탄탄하게 다지고 문제 해결 능력을 강화하여 수능 및 학교 시험의 쉬운 문제를 완벽하게 해결할 수 있습니다.

쉬운 기출 유형과 개념 이해로 **탄탄한 기본기 강화**

- 교과서 핵심 개념 및 기본 공식, 이전에 배운 내용, 핵심 첨삭 등의 부가 설명으로 기초가 부족해도 쉽게 유형을 정복할 수 있습니다.
- 쉬운 기출 유형과 맞춤 해법으로 개념을 확실하게 익힐 수 있습니다.

단계별 Action 전략으로 문제 해결의 원리와 스킬 터득

- 기출 유형 체계적 정복을 위한 단계적 Action 전략 제시로 2, 3점짜리 문제를 완벽하게 공략합니다.
- 문제 해결의 원리 터득으로 기본기를 강화합니다.

최신 출제 경향에 딱 맞춘 적중 예상 문제로 실전 능력 강화

- 최신 출제 경향에 따른 빈출 문제, 신유형 문제에 대한 실전 능력을 키울 수 있습니다.
- 문제 해결의 원리 터득으로 기본기를 강화합니다.

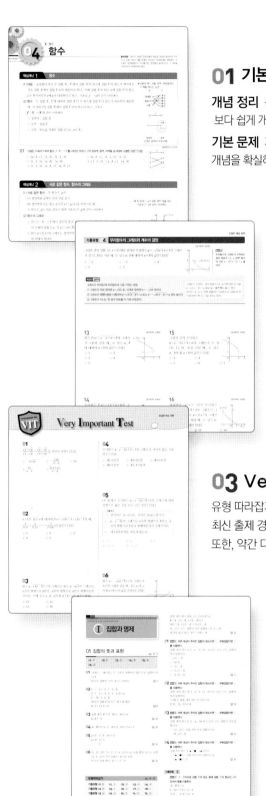

참 쉬운 3점 수학 구성

01 기본 학습

개념 정리 문제 해결에 필요한 필수 개념, 이전에 배운 내용, 개념 이해를 돕는 첨삭을 통해
보다 쉽게 개념을 이해할 수 있도록 하였습니다.

기본 문제 개념과 공식을 곧바로 적용해 볼 수 있는 2점짜리 기출 문제를 다루어
개념을 확실하게 익힐 수 있도록 하였습니다.

02 유형 따라잡기

수능 및 학력평가에 출제되었던 3점짜리 문제의 핵심 유형을 선정하고, 해당 유형
해결책을 알려 주는 '해결의 실마리'를 제시하였습니다. 또한, 문제 해결 과정에서
적용해야 Action 전략을 제시하여, 문제 풀이의 맥락을 쉽게 알 수 있도록 하였습니다.

03 Very Important Test

유형 따라잡기에서 다루었던 기출 문제를 토대로,
최신 출제 경향에 맞추어 출제가 예상 되는 문제를 중심으로 출제하였습니다.
또한, 약간 다른 형태의 문제도 제시함으로써 실전 적응력을 기를 수 있도록 하였습니다.

04 정답과 해설

풀이를 보고도 이해를 하지 못하는 경우가 없도록 자세히 풀이하였습니다.
알찬 해설이 되도록 문제 해결 과정에서 풀이의 맥락을 알려주는 Action 전략,
특별히 보충해야 할 공식과 설명, 수식 계산의 팁 등으로 구성하였습니다.

참 쉬운 3점 수학

이 책은 쉬운 유형의 문제로 기본기를 탄탄하게 다지고
문제해결 능력을 강화하여 수능 및 학교시험의
쉬운 문제를 완벽하게 해결할 수 있습니다.

학습방법

필수 개념 익히기

필수 개념, 이전에 배운 내용, 첨삭의 내용을 이해하고 2점짜리 기출 기본 문제를 풀어
개념을 확실히 익힙니다.

기출 유형별 Action 전략 마스터하기

기출 유형으로 제시된 3점짜리 기출 문제와 함께 '해결의 실마리'를 보고 어떻게 문제를 풀 것인지
생각한 후, 단계별 Action 전략을 따라서 풉니다. 동일한 유형의 문제를 통해 앞서 익힌 풀이 전략을
집중 연습하여 문제 해결의 원리를 확실하게 마스터합니다.

최신 출제 경향 문제로 실력 다지기

실전과 같이 해답을 보지 말고 앞에서 익힌 문제 해결의 원리를 적용하여 풀어 봅니다.
틀린 부분이 있다면 유형 따라잡기의 '해결의 실마리' 부분을 다시 한 번 복습합니다.